王刚 著
BY WANG GANG

英格力士

ENGLISH

人民文学出版社
THE PEOPLE LITERRATURE
PUBLISHING HOUSE

（京）新登字 002 号

图书在版编目（CIP）数据

英格力士/王刚著．－北京：人民文学出版社，
2005.1 重印
ISBN 7－02－004768－8

Ⅰ．英… Ⅱ．王… Ⅲ．长篇小说－中国－当代
Ⅳ．I247.5

中国版本图书馆 CIP 数据核字（2004）第 075520 号

责任编辑：周昌义 赵 萍
装帧设计：翁 涌 责任校对：常 虹
责任印制：王景林 插 图：于绍文

英 格 力 士

Ying Ge Li Shi

王 刚 著

人 民 文 学 出 版 社 出 版

http://www.rw-cn.com

北京市朝内大街 166 号 邮编：100705

北京新魏印刷厂印刷 新华书店经销

字数 244 千字 开本 890×1240 毫米 1/32 印张 12.5 插页 2

2004 年 9 月北京第 1 版 2005 年 1 月第 2 次印刷

印数 20001－25000

ISBN 7－02－004768－8/I·3667

定价 23.00 元

拉斯蒂涅王刚

周昌义

1

很多年前，读到王刚的《冰凉的阳光》初稿，我对王刚说，彻头彻尾的拉斯蒂涅。

说彻头彻尾，包括小说，也包括王刚本人。通常说小说拉斯蒂涅，没意见，说本人拉斯蒂涅，意见就大了。但王刚不同，王刚直点头说，就是就是。然后就公然宣称自己是外省的野心家。

王刚曾说过，作为一个流浪者，他经常在深夜中徘徊于北京的黑暗之中，对于周围高楼和温暖灯光充满着一种复杂的情绪。

心态不平和，有害身心健康，却有益于文学。他的中篇小说《冰凉的阳光》和《遥远的阳光》，写外省青年良心挣扎的矛盾和痛苦，不要说当今文坛，就是巴尔扎克和斯汤达尔，也没他沉痛和投入（这不一定全是优点）。能够坦然承认并放纵拉斯蒂涅情绪，放眼文坛，惟王刚而已；当时曾戏想：如果文坛需要诞生斯汤达尔，也非王刚莫属。

就在《当代》发表了。读者和文坛反映也都不错。如果不是因为阳光既遥远且冰凉,还能获得《当代》文学奖。所以我说王刚,你就等着火吧。见迟迟没火起来,又安慰他说,成千上万的文学拉斯蒂涅呕心沥血乃至倾家荡产,连一个铅字都没得到,比较起来,他已经很幸运了。他要心态平和些,应该知足了。

私心又想,王刚要真知足了,心态平和下来,拉斯蒂涅情绪没了,凭什么在文坛上混?生活为难王刚,给他压抑和痛苦,就为了给他创作动力?就为了造就斯汤达尔?

2

"阳光系列"之后,是长篇拉斯蒂涅《月亮背面》:

一男一女,两个青年知识分子结伴,在金融界坑蒙拐骗的同时,产生了爱情,也产生了职业骗子的职业悲剧:男女双方都无法证明自己的感情是真爱而不是欺骗。

既好看,也沉痛,还深刻。其拉斯蒂涅的层次,已经超越了面对上流社会的屈辱和怨恨。王刚大约已经感觉到悲凉:即便他成功地安家北京,他内心的伤痕,也已经永远无法愈合。

《月亮背面》由《当代》刊发,人民文学出版社出书。

大家又等着火。但当时的文坛,如同水泊梁山,一百零八条好汉已经排定座次,聚义厅里,已经座无虚席,想要宋江哥哥发话,留出一席之地,已经没有可能。惟一出路,是靠了十八般武艺,先在山下闹腾起来,就算宋江哥哥不下山来请,也能混个江湖名声。

譬如苏童,通过张艺谋,在电影界先闹腾起来。

譬如王朔,靠了"痞子"精神,在江湖少年中先闹腾起来。

王刚能不能靠了《月亮背面》,在千千万万拉斯蒂涅中间先闹腾起来?

果然就有了征兆:冯小刚和王朔看上《月亮背面》,邀王刚改编成电视连续剧,冯小刚导演王朔总策划,徐帆和冯远征主演。那时候,徐帆和冯远征引人注目,冯小刚加王朔这对搭档更是如日中天,《月亮背面》又是冯小刚们挖空心思要打造的"纯艺术片",播放之日,不说万人空巷,起码也该成为一时话题。作为原著和编剧,王刚想不火也不成啊!

电视剧拍好了,到出版社来放样片,大家都说好看,应该能火。

我就拍王刚的肩头,要他回家等着火。

谁也想不到,电视剧《月亮背面》别说红火,连顺利地播出都艰难。却原来,如日中天的冯小刚也是拉斯蒂涅,靠了他的怪才在票房上闹腾行,想要靠"艺术"让宋江哥哥们点头通过,难上加难啊!

那以后,冯小刚就安下心来,在票房上闹腾,终于成为票房大师。那以后,文学拉斯蒂涅王刚也安下心来,和影视拉斯蒂涅冯小刚联手,合作了电影《甲方乙方》和《天下无贼》。

看着王刚渐渐成了影视界名编,我就想,斯汤达尔休矣。

3

几年过去了,突然接到王刚电话,要把他新写的长篇送来。

我觉得意外:王刚还能写长篇?又感到高兴:斯汤达尔今犹在。心想,社会又变革了多年,穷人还穷,富人更富;上流的更上流，下流的更下流。王刚也多漂了几年，经历的沉浮跌宕荣辱更丰富多彩。社会和王刚都积攒了更多的拉斯蒂涅情绪，以王刚的本性，还不写出个拉斯蒂涅大全来？

却没想到王刚写的是这部《英格力士》，讲的是一段往事。

社会多浮躁，文坛多浮躁，作家多浮躁。以王刚的性格，应该比别人更浮躁，却没想到他能够抛开灯红酒绿燕舞莺歌，去回忆三十多年前的儿时岁月，而且如此专注如此沉静。

暂离文学，触电影视的作家不少，红火之后，都想重返文学。所作小说，结构冲突起伏都极有章法，但在纸上阅读，感觉还是电视连续剧，与小说无关。却没想到这部《英格力士》，不仅了无影视痕迹，甚至比王刚触电以前的小说，还要“纯正”。

我曾经以为，王刚创作，永远摆脱不掉拉斯蒂涅的情怀和视角，他的作品，注定了尖锐深刻，也注定了狭隘极端。却没想到，《英格力士》能够脱离拉斯蒂涅仇恨的目光，从更宽广的角度忧伤地反思历史和人生。

总之，没想到《英格力士》能够这么好。用终审的话说：是几年来难得一见的厚重之作。

只是不知道还能不能红火。

有些人没有丝毫理由，就不停地火；有些人理直气壮，可就是不火。没有道理可讲，谋事在人，成事在天。也许王刚天生拉斯蒂涅的命，注定了内心无法平衡。也许上天就是要留下拉斯蒂涅的种子，在永远无法平衡的社会中延续斯汤达尔希望。

所以，在《英格力士》中，在讲述与底层和上层、上流和下流无关的往事时，王刚还是忍不住要骂两句“你们口里人”如何如何。最经典的有一句：“你们口里人是喝长江黄河水长大的，我不是。”

我告诉王刚，这是新疆拉斯蒂涅的误会，其实，我们“口里人”和他一样，在长身体的时候，也没喝着长江黄河的水。我这个“口里人”，我这个口里拉斯蒂涅，不仅没喝着长江黄河的水，还没有遇上“英格力士”老师。也正因为此，他这部《英格力士》也才有了超越新疆，覆盖全国的意思。

第 一 章

1

那年春天,可能是五月份,乌鲁木齐被天山上的阳光照耀得欢天喜地,我像满天飘扬的雪片一样,从窗户里进了学校,然后坐在窗前的位子上,看着外边的大雪和太阳。乌鲁木齐就是这样,经常是太阳和雪花朝你一起冲过来,而且是在春天的五月里,在你们这些自以为是的口里人连田野和桃花看得都有些烦的时候。

阿吉泰进教室的时候没有人喊起立,教室就像是河边的原野,我们是欢快的昆虫，没有注意到她进来。她朝前边走了几步，李垃圾叫了一声，我们的目光才集中在了阿吉泰身上。

因为我们没有把握，我们没有想到阿吉泰还真的会来。

我以为她多一半不会来了。

阿吉泰站在讲台上，她没有说话，眼泪就先流了出来。

你们肯定已经猜出来了，为什么今天所有的男孩儿都会心情沉重，因为阿吉泰要走了，而且她长得漂亮，她皮肤很白，她是二转子，对不起，二转子是乌鲁木齐话，我得翻译：那就是她妈妈是维族，她爸爸是汉族，或者相反，她爸爸是维族，她妈妈是汉族。

我们从去年开始就不学俄语了，从今天开始就不学维语了。我们对任何语言都不感兴趣，我们只对阿吉泰这样的女人感兴趣，尽管她是女老师，可是她的脖子和她的眼泪都是我在黎明时比太阳还渴望的东西。

阿吉泰要走了，你们知道我这句话的分量吗？

她看着我们大家，那一刻所有的男生都屏住了呼吸，像要等着被宣判一样，关于阿吉泰的传说这些天就很多了，有人甚至说她昨天已经上了一辆大卡车，坐在前边的驾驶员旁边，去的地方是喀什噶尔，那是她妈妈的老家。谣言毕竟是谣言，现在她还站在台上，看来李垃圾是对的，她还要来上最后一课。

阿吉泰转过身去，我看见了她的腰，还有腰下边的部分，它们在扭动，像是乌鲁木齐河边夏天的榆树叶，在风中轻轻摇晃。然后，她用手中的粉笔，在黑板上写下了五个字：

毛主席语录

她勉强写完这几个字，就再也写不下去了。她转过身来，用汉语说：

“我不想走，不想离开你们。”

男生“噢”的一声，开始像麻雀一样地飞来飞去，就好像那不是在教室里，而是在天空。

阿吉泰看着我们这样，她笑了，她的笑像谁呢？有谁的嘴唇能跟她比？

李垃圾突然大声喊起来：

“毛主席万岁！”

全班都笑了，这次也包括女生。

然后，然后是大家和李垃圾一起喊：

“毛主席万万岁！”

阿吉泰等欢呼声停止之后，才说：

“你们真的那么想学维语？想让我留下？”

教室静默下来，阿吉泰想错了，男生们对任何语言都不感兴趣，连汉语他们都不想学，更不要说维语，而女生们已经盼望了很久，她们等待的是英语课，English 很快将会像第一场春雨一样荡漾过在你们看来是那么遥远的天山，降临到乌鲁木齐的河滩里，以及在学校旁边十七湖的沼泽上。

阿吉泰的目光忽然停留在了我的脸上，她看着我的眼睛，说：刘爱，你一直在发愣，你在想什么？

我的脸红了，全班都看着我，我站了起来。

阿吉泰还是第一次这样问我，我变得口吃，我说：“什么也没想。”

她笑了,说坐下吧。

我犹豫了一下,说:“阿老师,你……”

她说:“我说了多少次,你们不要叫我阿老师,要叫阿吉泰老师,以后就叫我阿吉泰吧。反正我以后也不当老师了。”

我说:“你不会走吧?”

她说:“要走了,到商业上去。”

我坐下后,心想什么叫到商业上去?那就是说,她今后会在商店里?她会去哪个商店呢?

阿吉泰说:“我也想跟你们一起学英语,昨天我见了你们的英语老师,是一个男老师。他叫王亚军。”

男生立即“噢”的一声,表示不屑。

阿吉泰笑了,说:“好了,下课吧。”

阿吉泰在我们的注目下走了出去,我又一次地凝视着她金黄色的头发像湖里的水草一样地在飘荡。

窗外的一切都像雪花一样地游手好闲,我朝高处望去,天空蓝得简直让我想哭,男孩儿的眼泪尽管不像女孩儿的眼泪,但是你们没有见过我童年时乌鲁木齐的天空有多么蓝,所以我就不好意思在你们面前流出泪水。

其实,心情沉重的不光是我一个男生,而是全部,甚至包括李垃圾这样的人。

女孩儿在看天空的时候,没有说她们想哭的,于是我怀疑回忆是不是经常出错,面对那些说不出道理的色彩,百感交集的为什么总是我这样敏感的“儿娃子”?他长着求巴子,在五年级一班的教室里,他已经有些变声,他对天空的迷恋程度远远超过他同班的女生,尽管她们身上的衣服连补钉都是有色彩的。

儿娃子和求巴子都是我们乌鲁木齐话,如果你们口里人和外国人硬要让我又一次翻译的话,我得慎重一些,然后说:就是长着鸡巴的男孩。

很静很静的,没有人再说话。

俄语走了,维语走了,英语就要来了。

2

童年的忧郁经常远远胜过那些风烛残年的老人。

我们想的当然不是死亡,而是出生,特别是像我这样的儿娃子,我发现自己内心的难过有时比黑夜还要漫长,我会忍不住地望着雪山和天空发愣,我们为什么不能选择自己的出生地呢?我为什么要生在新疆乌鲁木齐这样的地方,五月份,甚至是六月份都会突然下雪,然后就是满地泥泞。春天里,到处都是冰雪融化的积水,我走在泛着阳光的路上,感到四面八方都闪烁着耀眼的光芒。很远的地方,总有银亮的东西在朝我眨眼,在停课的那些日子,我不止一次地去天际边,想看看究竟是什么东西在像水一样地闪光。我去过雅玛里克山,那儿除了泥土就是沙子,还有西山公墓,经常枪毙人的地方。

我从小就感到乌鲁木齐是孤独的,或者说我是那儿孤独的孩子。

四岁那年我随父母回过一趟南京,路途遥远的都让我绝望了,我以为永远到不了目的地了,当见到了这样一座巨大的城市时，我被许多高楼，还有那么多人冲击的头晕目眩。

妈妈说："那是爸爸妈妈长大并且上学的地方，你看，这种树叫法国梧桐。"

我还是第一次听到法国这个字眼。

"法国在哪儿？"

"在哪儿？在欧洲。"

"欧洲在哪儿？"

"在海的那边。"

"海在哪儿？"

"很多地方都有海。"

"那我为什么没见过？海在哪儿？"

"新疆没有海。"

"为什么新疆没有海？"

"过去曾经是一片海，以后干了。"

"你们为什么要把我生在那个海都干了的地方？"

爸爸看我这样问，就接过话题，说：

"没有海，可是有天山。"

妈妈说："每年春天里，天山冰雪融化成水，流到乌鲁木齐河里……"

"你们为什么要把我生在乌鲁木齐？我不想生在那样的地方，我想生在这儿。"

其实，那天在南京的街头，我本是想说：

"我想被你们生在这儿，生在南京。"

父母不好意思地对望了一下，他们在微笑，那里边有爱意。

妈妈说:“为什么要给你起名叫刘爱?”

我不想听了,妈妈原来说过。

我说:“我头晕。”

我立即让我的脑子去想别的。从小我就有这样的本事,当我不想听什么了,我立即可以把自己的注意力转移,并让它们走进天空、山里,或者我直到今天了还没有见过的大海。

真的,没有什么事比被迫出生这件事那么悲壮了,就是说你一出来,一切都已经决定了,无法改变。

你在一个蛮荒的地方,渐渐长大,你喝的是天山融化的雪水,你会在长大以后发现,你长得都跟南京这个地方的人不一样,你的皮肤有些粗,你说话的腔调让内地人笑话,尽管你对他们说了,我们乌鲁木齐是一座城市,可是他们仍然会问:

“你们上学都是骑马去吧?”

被迫出生在乌鲁木齐,那是我,可是父母呢?他们是被迫去的吗?真的,他们为什么给我取了一个这样不男不女的名字:刘爱。

爱是一种仁慈,是一种高贵。这样说是不是很做作?刘爱,刘爱。这真是一个做作的名字。

那天的南京很热,空气像是被火烧着了一样,我吃完了最后一片鸭子之后,父亲带着我和妈妈去买了一台留声机,然后他提着留声机和妈妈走在前边,我跟在他们身后,沿着法国的梧桐走着,拐了一个弯之后,进了一座木头搭建的小楼里,父亲敲开了他同学的家门,他们对坐着,彼此看了一下,他对同学说:“明天就要回新疆了,下次不知道什么时候回来。”

同学的眼睛有些湿了，说："我昨天又看了你寄给我的那张照片。"

父亲谦虚地笑了。

我说："我要看照片。"

同学从抽屉里拿出来，递给我，说："刘爱今后也跟爸爸一样。"

照片是一座建筑，我一看就知道是民族剧场。我曾经在里边看过电影和维吾尔族演的歌舞，他们敲打的那叫手鼓，他们的嗓子比我们响亮，他们会不会跟我一样去想：我们为什么要生在这片没有海的地方。

灰色的照片，圆的穹顶，还有白色的石膏柱……爸爸是设计师，这是他的作品。

爸爸接过照片，看着，显得有些骄傲，说：我今天又给你带来一张照片，是我们全家在这儿的合影。

妈妈拿出来照片，递到同学手里：

我们一家三口在民族剧场门口，爸爸托着我，妈妈挽着他，我的头好像把爸爸的眼镜碰歪了。

同学看着照片说："刘爱跟你长得真像。"

爸爸说："主要看建筑，人其实无所谓。"

同学从柜子里拿出一张唱片，说："送给你。"

然后，他们打开留声机，把唱片放在上边。

音乐响起来。

我问妈妈，说："为什么没有维族人手鼓的声音。"

妈妈说："这是小提琴，还有钢琴。这里边没有手鼓和弹拨儿。”

我说:“我不喜欢这种声音。”

其实,我当时想说的是,我听不惯这种声音。乌鲁木齐没有那种声音,它给我最多的音乐就是维吾尔人的手鼓和热瓦甫。记得在小的时候,有一首曲子在流行:我的热瓦甫。那是非常好听的东西,我敢向你保证,那是世界上最美的音乐。它说尽了新疆的荒凉和博大。可是,现在母亲和父亲竟然要听这种东西。说它是小提琴。而且,父亲的同学反复对他说了作曲家的名字叫格拉祖诺夫。

真是让人羞愧难当,我今天非要写出格拉祖诺夫这个名字.就好像我也是一个事儿妈,喜欢说说这些名字,实在是在这部小说里边,格拉祖诺夫和他的小提琴就是一个不协和音,或者像是一个扎进手上的刺,始终萦绕在我的四周和我的身体里。

我不熟悉那种声音,我听了很短的时间,就睡着了。我知道自己做了一个梦,但梦里的东西有的是假的,比如南京和格拉祖诺夫,有的是真的,比如乌鲁木齐和我的热瓦甫。

3

博格达峰就在我的前方,那儿是乌鲁木齐河的发源地。

在清冷的五月,我走在泥泞里,阳光灿烂,我手里提着饭盒显得亮晶晶。我是去给父亲送饭的,他早晨说中午就不回来了,他要尽快把那幅画画完。

剧场的对面搭起了一面墙,爸爸站在脚手架上,他刚画完了一个人的头像，现在正在画他的肩膀，在我们所有人都很瘦的时候，那个人却挺胖，他就是毛主席。

我走到跟前，说："爸爸，吃饭了。"

爸爸没有理我，他仍在聚精会神地画着。

我说："爸爸吃饭。"

他没有回头，说："像吗？"

我看了看，说："好像是少了一只耳朵。"

父亲说："你懂什么，那叫透视规律。"

我说："就是少了一只耳朵。"

父亲有些生气了，他停止了画画，把眼镜正了正，从脚手架上往下爬，他的姿态灵活，像是西公园里的猴子，攀伏在钢管和木板之间，晃悠了几下之后，他跳了下来。

我看他额头上都是汗，就说："画画很累，是吗？"

他说："那要看画什么了。"

我说："你看，是不是少了一只耳朵？"

爸爸说："以后要有可能你也要当建筑师，画画的基础，"说着，他拿起了一块包谷饼，吃了一大口，可是他不小心却咬了自己的手指，疼得他看自己的手，没有破，只是咬出了牙印，他笑了，说："馋了，又有好多天，春节过后，就没有再吃过肉，想想吃过的猪蹄，已经是很早的事了。"

我看着画像，听着爸爸嘴里的咀嚼声，他的牙齿在打磨着包谷饼，就像是工地上的搅拌机在来回翻动着石子和水泥沙浆。我的眼睛始终盯在了那一只耳朵上。

爸爸似乎感到了我的固执，就说："我告诉你什么叫透视规

我看着画像，听着爸爸嘴里的咀嚼声。

律。你看我,以这个角度站着,你是不是只能看到我半边脸,还有一只耳朵?还有鼻子和嘴的轮廓?我要是转一转呢,”他说着,把最后一块饼放进了嘴里,就稍稍转了一下……

我高兴地说:“能看到那只耳朵了。”

他明显不高兴了,说:“能看到吗?看不见,你只是在看我的头和我的面部,如果你非要看到我的耳朵,那我得这样,”他说着,又要转,可是,他却紧张起来。

从不远的楼里,走过来两个男人。他们一个戴眼镜,一个不戴。戴眼镜的是范主任,不戴的是一个很高个儿的男人。

爸爸显得有些紧张,说:“你先走吧,回家去,对妈妈说,我今天画完的早,就早回家。”

我说:“下午没课,我看你画画。”

爸爸说:“走,回家。”

我却仍是不走。

爸爸的眼神里显出了无奈,甚至于有某种恐惧,显然,我在这儿使他更加紧张。

我看着爸爸的眼睛,有些犹豫了,如果他再要求我走,那我就听他的,可是他已经没有了时间。

这时,那两个男人走到了跟前。

其中那个没戴眼镜的高个儿看了看画,说:“像,真像,我在天安门广场见到的就是这样。”突然,他愣了一下,说:“为什么只有左边耳朵,没有右边的?”

我有些得意,爸爸肯定错了,而且是我最先发现的,只是他还不肯承认。

爸爸看着画像，对他说：“范主任，申总指挥，这是透视规律，你想想……”

那人看着爸爸，说：“什么规律？你赶快上去，把那只耳朵给我补上。”

父亲没有动，只是脸上堆满了笑，就好像他十分喜悦，他说：“补上以后，就不像了。”

那人走上前来，先是抓着爸爸的手，然后，他改了主意，他把爸爸的耳朵用手一捏，然后轻轻拉着，当他发现爸爸没有跟上自己的节奏，就使劲拉起来，并说：“快，爬上去，给我把那只耳朵补上去。”

戴眼镜的范主任一直在笑，并说：“让你补，你就补吧。”

父亲看着他们，犹豫着，他看着范主任似乎在求救，因为，父亲知道，范主任也是知识分子，他不但懂得透视规律，而且懂得更多。

我本来在跟那人一起笑，可是当看到他揪着爸爸的耳朵时，我不想笑了，我想对他们说，你放开他的耳朵，可是我不敢。我似乎感到了自己的耳朵也有点疼起来。

爸爸开始灵活地爬了上去。

我在下边看着他的头发在颤动，他的眼镜上泛出阳光。

他拿起了笔，给画面中的那个人的右边又加了一只耳朵后，我们都愣了：

他的整个脸都变了形，完全不像是一个正常人的脑袋和脸。

那个人说：“你胡画，你把耳朵加得太大了。”

爸爸又擦掉了那只耳朵，把它画得小了一些。

毛主席的形象变得更加滑稽。

然后,爸爸说:“不能加。”

那个人说:“你下来吧。”

范主任也说:“快点。”

爸爸下来了,他跟那两个人一起看着画像,突然,范主任抬手给了爸爸一巴掌。把爸爸打得几乎摔倒。

范主任说:“我知道你心里想的什么。”说完,他讨好地看看那个高个儿。

高个儿的申总指挥说:“你给我全部擦了,重新画。”说完,他们要走。

我冲上前去,拉着范主任的腿,说:“你为什么打我爸爸。”

他笑了,说:“你是小孩子,再大一点就要和他划清界限。”

我死死拽着他,不让他走。

他对爸爸喊道:“快快,把你儿子拉回去。”

爸爸对我吼:“回来,放开叔叔。”

我还是不放。

爸爸上前拉我的手。

我仍然显得固执。

当爸爸发现他狠狠拉我,我竟然不松手时,就朝我屁股上猛地踢了一脚。

我吓得松开了手,感到爸爸真是用力,我感到很疼。

那两个人走了,戴眼镜的人一直在跟打爸爸的说着什么。

爸爸一直看着他们走远,才问我:“疼吗?”

我摇摇头。

爸爸叹口气,说:“下午开始重新画,画一个完全正面的像,那样两只耳朵就都有了。”

我说:“他打你,你为什么不还手?”

爸爸说:“他个子高,我打不过他。”

爸爸说着,看看我抽搐的脸,就轻轻拍拍我的头发。

我看着爸爸刚才被揪的耳朵,说:“那你为什么要打我?”

爸爸笑了,说:“傻儿子,我不打你打谁?”

这句爸爸的笑话进入了我的回忆,现在人们经常爱说:总有一种力量让我们泪流满面。此刻我也重复一下吧:“总有一种力量让我们泪流满面,那就是看着父亲挨打的时候。”

4

晚上,我在床上睡不着,爸爸挨打后的笑容一直闪现在我的面前,像是风雨中晾在窗外的衣服,晃来晃去,使我像是睡在了摇篮里。然后,我听见了另外一间屋子里传来了爸爸的哭声。我感到恐怖,那声音就像是乌拉泊风口的抽泣,很有些绝望的味道。

我悄悄起身,到了爸爸妈妈的门口,轻轻推开一点缝,朝里看着。

爸爸的确是在哭,他说:“他们今天真的打我了,我的左脸很疼。他们不懂,什么都不懂,你没有办法跟他们解释清楚。”

妈妈为爸爸摸着脸,说:“是不是这儿疼?”

爸爸仍在可怜的哭着,说:“我真是没有想到,去年开批斗会的时候，也没有批我，也没有打我，今天，他们是为什么。”

妈妈说：“可能今天是他心情不好。”

爸爸像是一个充满依恋的病人一样，对妈妈说：“我的白头发是不是又多了？”

妈妈看着微笑起来，说：“来吧。”

爸爸顺势把头伏在妈妈的腹前，低下去，让妈妈开始仔细地帮着他找白头发。

妈妈找得很仔细，然后，一根根地拔下来。

爸爸舒服地享受着，就像是一只不停哼哼的狗，主人的每一个举动，都让他产生了极大的快感。每一根白头发下来，他都会轻轻地叫一声，然后把头挨着母亲更近些。

母亲也很愉快，她叹口气，说：“又是春天，又是一年过去了。”

爸爸说：“这样的春天，不来也好。”

母亲拔得有些累了，说：“你好些了吗？”

爸爸说：“你猜白文是死在谁的手里？”

妈妈一愣，说：“他是自杀的呀。”

爸爸说：“不，他是被他妻子杀死的。”

妈妈不解地看着他。

爸爸接着说：“如果他妻子像你一样，那他不会去死的，自杀的男人都是被他们的妻子杀死的。”

妈妈说：“昨天做梦还梦见了他送我们的那张唱片。”

爸爸说：“我突然想听音乐。”

妈妈说：“不行，没把咱们赶出这套房子，没让咱们去铁门关，去焉蓟就不错了，你还敢听这些东西。”

爸爸说：“我只用很小的声音。”

妈妈说：“那也不行。”

爸爸不听妈妈的，他悄悄地从床底下拿出了留声机，又取出了那张唱片，说：“在苏联学习的时候，我在音乐会上听过格拉祖诺夫这首小提琴曲。”

音乐声响起来，妈妈让爸爸把声音搞得更小些。

我听着音乐，在门缝中看着爸爸把妈妈抱起来，为她脱衣服。

妈妈说：“刘爱睡着了没有？”

爸爸不说话，把灯关上了。

在黑暗中，妈妈的呻吟和小提琴的诉说混在了一起，就像是一条混合着沙子的河流，最后你什么都分不清了。

我躺在了自己的床上，似乎妈妈叫床的声音从很远的地方飘来，格拉祖诺夫是我平生知道的第一个作曲家，他高贵的气质永远地跟爸爸妈妈可怜的做爱连在了一起。

就好像是男人的精液和女人的阴水融进了清水里。

第　二　章

1

我们学校淡黄色的山字形的楼也是父亲设计的，直到现在我还保留了他当时画的彩色的效果图。俄罗斯式的斜屋顶，是用绿色的铁皮搭起来的，有些像是一个穿着米黄色大衣的人戴了一顶绿帽子，他的老婆跟别人睡了，他不知道，仍然神气活现地站在那儿，让我们这些孩子的歌声和笑声，对了还有读书的声音，从他的像是眼睛一样的窗户里传出来。

爸爸在走运的年月总是显得有些神气活现的样子，他经常是忍不住地对别人夸耀自己的成绩,他对自己的学生宋岳说:“我为自己建造了一座纪念碑,在通向那儿的路径上青草不再生长。”

宋岳总是睁大眼睛,拼命点头。所以,我常想,搞个人崇拜哪里是从毛泽东开始的,明明是从我爸爸开始的呀。

他说人民剧场和八一中学的山字形楼是他的杰作,他们将比他的生命活得更长久,不朽的建筑不光有俄罗斯的教堂,还有乌鲁木齐的剧场和学校。

可是,爸爸在吹牛时从来没有意识到,就是在他当年走运的时候,面对着自己的夸夸其谈沉默着的学生中,也有不喜欢这类风格的人。他们说透过外边旧式的造型,你可以从大门口走进里边长长的过道,如果两边的门不开,那这条狭长的走廊将会像坟墓一样黑暗。白天也要开着灯,从阳光下走进楼内,你会感到阵阵晕眩,灯光昏暗的色彩让你喘不过气来。

2

我就走在这样的过道里,抬头数着顶上的灯泡,经过了男厕所和女厕所,然后上楼梯,朝着黑暗的深处走去。角落里传来了雪花膏的香味,这使我觉得异样,爸爸设计的过道里,从来都散发着一种霉味,那是因为从天山深处采来的松木地板已经开始腐朽了,眼前这陌生的香味是从哪儿来的呢?我有些激动地张开了嘴,拼命呼吸着,突然,角落里的一扇门打开了,强烈的阳光从屋内朝我刺来,一个穿着体面的男人跟阳光一同走出来,他油亮的头发和着白茫茫的色彩叫我睁不开眼睛。然后,那个门又关上了,黑暗中的灯光让我看清了他的轮廓,一个挺拔的男人,脸上被剃须刀刮得有些发青,他走路时胸挺得很直,在他的胳膊弯内夹着一本厚厚的词典,还有一本我们刚发过的英语书。

回想起来,那是我第一次看到那本词典,英文词典。很厚,深蓝色很硬的纸壳的封面,它被紧紧夹在这个男人的臂中,显得非常不同于一般的毛主席语录。当时,红色多,黑色少,而蓝色就更少。在以后的岁月里,我渐渐地意识到,在我少年时代的乌鲁木齐,那是惟一的一本英语词典。

显然,他就是我们的英语老师,那个叫王亚军的男人,他的出现真是显得有些神秘,在我们那样的学校里还从来没有英语,我们是天山脚下的城市,我们有许多维吾尔族的同类,于是我们要学维语,我们离苏联比任何地方都近,所以我们要学俄罗斯语,但是英语有什么用呢?英国和美国都离我们太远了,是谁在那个连庙宇都拆了的年代突然让我们学习英语?可惜,我今天查遍了首都图书馆的资料也没有找着那个伟大的人。

王亚军应运而生,女同学们都等不及了,她们从前天就开始翻弄着那本红皮子的英语书,她们一直都没有压抑自己的好奇和幻想:那个懂得英语的男老师,他会代替阿吉泰站在讲台上,然后他的目光经常会停留在女生身上。

王亚军不会让女生失望的,他有着高贵的姿态,在他走到我跟前时,我应该给他让路,可是我因为紧张而有些一时不知道该怎么走,结果他朝左边,我也跟着朝左边,他朝右边,我也跟着朝右边,即使是这样,他的头也没有低下看我,仍是看着前方,而我有些不好意思地想笑,最终才给他让开了路,我站在了一旁,不敢看他的脸,那时开始觉得有些尿憋起来。

他好像看了我一下,又好像没有,他挺着胸,朝前走着,在我的注目下他没有回头。

我回头进了厕所,就我独自一人,想想刚才与王亚军的碰面就感到奇异,这种男人真是没有见过。

突然,脚步声告诉我,王亚军又回来了而且也走进了厕所。他似乎没有注意我,只是站在尿池上,迅速地掏出了他的那个东西。

我忍不住地朝他那边一看,吓得我一哆嗦,太大了。从没有见过哪个男人长得像他那么大。小的时候,跟着爸爸走进男澡堂,看到每一个男人都长着一个这样的东西,我就感到世界不可思议,在室内的雾气中,被热得有些舒服的象征物们在晃动。他们无数次地进入我的眼帘,留在我的记忆深处。

英语老师王亚军真是让我太失望了,他竟然和别的男人长着一样的东西,而且太大了,这真的让我精神恍惚。

我不敢再看他,却紧张得尿不出尿来,直等到他尿完。

他开始仔细地洗手,我仍然没有回头。

突然,英语老师问我:“你叫什么名字?”

我一愣,紧张地回头看他,他也正看着我。

我说:“刘爱。”

他似乎有些意外,说:“刘爱? 哪个爱?”

我说:“我爱北京天安门的爱。”

他笑了,缓缓走出了厕所。

我这才松了一口气。

脚步声渐渐远了，一个长得像英语老师这样讲究的男人，竟然也和我一样撒尿，而且长着那么大的一个东西，这真是不可思议。

我忍不住地笑了，一边撒尿，一边笑得更厉害，而且越想越可笑，于是笑得肩膀开始抖动。

这时，突然有一个人从后边冲过来，朝我的屁股上重重地踢了一脚，差点把我踢到尿池子里，我回头一看，是李垃圾。

他说："笑什么呢？"

我被踢得很疼，心中大怒，却又说不出什么。

因为我跟李垃圾之间有个约定，那时在我们乌鲁木齐的许多男生之间都有这样的游戏约定，就是进了学校大门，甚至于在操场上，都必须用手摸着自己的屁股，假如没有摸，那约定的对方只要发现了，就可以狠狠地踢它，就是把你疼得昏了过去，你也活该。

我疼得咧着嘴，说："操你妈，也不轻点。"

他说："你笑什么呢？我看你连肩膀都在抖。"

我又开始笑，说："我看见英语老师的有那么长！"我说着比划了一下。

李垃圾睁大了眼睛，说："你骗人。"

我说："不信你哪天跟着他来厕所看看，太吓人了。"我说着，又狠狠地盯着李垃圾，希望他在跟我说话或者撒尿时能忘了约定，那样我就可以照他的屁股还他一脚。可是他一边撒尿，一边用左手摸着自己的屁股，我没有任何空子可钻。

他又说："你骗人，只有驴的才有那么长。"

我说:“他身上有一股香气,是雪花膏的味道。”

李垃圾说:“我说呢,厕所里都有雪花膏的味道。真香呀。”

3

校长站在讲台上,他像平常一样严肃,说班主任老师郭培清他妈死了,由他来带课。又问谁是语文课代表。

我身边的女孩儿黄旭升站了起来。

校长说:“你们语文该学什么了?”

黄旭升说:“纪念白求恩,这已经是第五次学了。”

校长在黑板上写了“白求恩”三个大字,说:“那你带大家念。”

黄旭升大声地念:“白,白,白求恩的白。”

我们跟着念:“白,白,白求恩的白。”

黄旭升:“求,求,白求恩的求。”

我们跟着:“求,求,白求恩的求。”

不知为什么,校长脸上很快地闪过一丝笑意,但是,他忍住了。

当第二次再念时,李垃圾首先笑起来,他意识到这个白求恩的“求”与那个男孩儿们身上长的那个“求”是同音,他大声说:“求,求,白求恩的求。”

全班哄笑着。

校长也笑了,在我的记忆里,他从来没有这么轻松地笑过。

黄旭升的脸红了,她哭起来,大叫道:

“我再也不当语文课代表了。”

4

Long Live Chairman Mao.

狼立屋前门毛。

Long Live Chairman Mao.

狼立屋前门毛。

我站在桌前,认真地念着这句英语。我知道自己的英语生涯就是从这儿开始的,好像早晨的太阳要从东方升起,阳光灿烂照耀天山。

王亚军说,你的发音不对,应该是 Long Live Chairman Mao。

我跟着学了一下,由于紧张,发音还是不对。

全班人都笑了起来。

王亚军让我坐下。然后,他带着大家念。

大家都跟在王亚军的后边念得非常起劲:

同样是毛主席万岁,英语和维语就不一样,跟俄语也不一样。女生们简直发疯了,从来没有见过她们如此对待一种语言。

王亚军穿着深灰色的制服,有些像是中山装,但不同的是那衣服的上方只有左边的口袋,插着一支银色的笔,而且领子比一般的要高,把他长长的脖子衬得很直。他左手拿着书,右手松弛地下垂着。他边念着英语的单词,边在课桌之间的走道里踱着步,走路的姿态优雅,这符合我们的想象,英语只能从这样的男人身上发出。他走到哪里,就把雪花膏的香气带到哪里。当他走过我身边的时候,我甚至能从他的呼吸中体会到一种原野上才会有的薄荷的凉爽……

他突然停下了脚步,把我的书拿了过去,他看着,有些高傲地笑了一下,说:"刘爱,你再念一下。"

我又站了起来。心里感到自己真是丢人。

我说:"我不会。"

他愣了一下,说:"不会,更要念,发音是基础。"

我一时不知道该怎么办,脸红了。

他似乎一点都不理解我的窘态,说:

"以后不要用中文字为英语注音,用我们上海话那叫洋泾浜英语,别人是听不懂的。"

他的"别人"肯定讲的就是英国人和美国人。

全班很静,女同学们都在看着他。

王亚军看了看坐在我左边的李垃圾,说:"刘爱左边的那个男生,你起来念。"

李垃圾脸红了,他慢慢地站起来,说:"坐在你身边的人倒霉了。"

英语老师说:"你在说什么?"

李垃圾说:"什么?"

大家笑了。

王亚军没有生气,也笑了,说:"你念吧。"

李垃圾说:"念什么?"

大家又笑了。

王亚军说："念课文。"

李垃圾说："不会。"

大家没有笑，有些紧张。看着王亚军。

王亚军似乎没有注意李垃圾的挑战，只是说："请坐，那我们找个会的。"

他的眼睛在女同学们的脸上扫了一下，然后，他发现了坐在我旁边的黄旭升。像所有的老师都能发现他们自己的女生一样，他终于找到了黄旭升。这个瘦女孩子，脸很白。他站在她跟前，看着她的书，意识到她是这个班里惟一没有用汉语在单词下注音的人。

他的脸上有了笑意，回到了讲台上，说："刘爱旁边的那个女生，你起来念。"

黄旭升的脸上开始由白变红，她起身大声地念了课文。

英语老师兴奋无比，说："Good。"

女孩子都是聪明的，她们从来都能意识到在自己的身边究竟发生了什么事。即使她们还很小，也不会例外。

黄旭升就意识到了，她的脸开始发红，她抬头看看英语老师，又低下头。女生们的羞怯和内心里不安分的渴望从来都是这么表现的。

王亚军没有再说什么，他肯定有了自己英语课代表的人选。

然后，他回到了讲台上，在黑板上写了四个大字，并说：

"一个月以后你们就可以学国际音标。"

大家都有些愣地望着那四个字。

他又说："学会了国际音标，你们可以独自拼出世界上最难的英语单词。”

全班沸腾了，国际音标四个字让大家心里充满了感动与渴望，就好像我们可以乘着戈壁滩上的大风，越过塔里木沙漠，越过额阿尔泰那边的额尔齐斯河，一直漂到欧洲的英国，最后才落到美国。

下课后，我跟着他走到了教室外面，我拉住他说：“老师，以后，你不要总是叫我起来念，有那么多人，不要老是叫我。”

他笑了，说：“在你们班，我暂时只知道你一个人的名字。”

我说：“你应该知道其他人的名字，不要老是说刘爱左边的，右边的，后边的——他们会恨我的。”

王亚军说：“恨？真的会恨？”说着，王亚军笑了，说：“不要老想着恨，记着，你的名字叫刘爱。是与恨相对立的爱。”

数年后，许多英语单词都已经遗忘，但是有两个词总是忘不了：

Love 还有 Hate。

5

第二节英语课是这样开始的。

已经打过铃了，黄旭升才进来。

她抱着一台小型的、看上去很单薄的留声机。她把留声机放在课桌上，然后，兴奋地从讲台上回到自己的桌前。

然后，王亚军匆匆走进，说：“来此比根。”

黄旭升大声用英语说：“起立。”

全班人站了起来。

没有办法,这句话我还是用汉语注了音。因为我老是怕我记不住。

在课上,我感到黄旭升有时会把目光停留在英语老师身上,她似乎在幻想着什么。

王亚军轻松地带领我们诵读着。

当他再一次读“B”时,李垃圾终于笑出声来,他已经忍了很多天了,他想靠这个单词的读音来把大家带笑,让大家想起女性身上的东西。

但是,没有一个人笑。

大家对于英语的狂热和好感还没有过去,只有李垃圾除外,他从来没有喜欢过任何语言,无论是维语,俄语,英语,还是我们乌鲁木齐方言的那种汉语。

黄旭升在课间休息的时候,允许我看了她的英语书,那上边果真有国际音标注音。

我说:“你都会?”

她说:“我有一天晚上没有睡觉,记了二十个国际音标。”

她的话我不信,我从小就不相信在这个世界上有天才,她们真的能自己学会类似于国际音标这样的东西?

黄旭升突然说她想看我的书。

我说:“没有什么好看的,还是用汉语注。”

黄旭升吃惊,说:“你还这样?”她想了想,又说:“教你一个办法,你可以做一些卡片,装在口袋里,平时走路的时候都能随手掏出来背诵……”

我听着她说，眼睛却突然注意到了机会：李垃圾正站在讲台上，他的手没有扶着屁股。

我猛地翻过课桌，朝讲台冲了过去。

在李垃圾突然意识到想用手扶屁股之前，朝他那儿狠狠地踢了一下。也许是因为报仇，我踢得太重，李垃圾因为吃惊而回头看究竟是谁踢他时，眼睛里竟然充满了泪水。

我得意地笑起来，觉得自己沾了大便宜。

他看着我，知道自己不能说什么别的，是约定的，而他恰恰又没有扶屁股，所以他只能说：

"你妈逼—哎哟。"

在场的人都笑起来。

我回到自己的座位上，黄旭生起身，让我进去。

我心情很好。

她说："你这种人为什么跟他那种人还开这种玩笑？"

我没吭气。

她说："呵？"

我说："我是哪种人，他是哪种人？"

她说："他爸爸是泥工班的，他们家五个孩子，他天天在垃圾堆捡垃圾，要么，他就在锅炉房的后边拾煤核。"

我知道她的意思，她是嫌李垃圾脏。

我跟黄旭升家都是一个孩子，我们是独生子，那时独生子太少了，这样的家庭不是父母太强大，就是太软弱。孩子太多的家庭往往在学校里是抬不起头来的。

她又说："李垃圾从来不洗澡。"

我说:“我也不愿意每个星期都去洗澡。”

她吃惊地说:“为什么?”

我说:“太麻烦。”

她说:“每到星期天早上,澡堂一开门,我就去了,经常是第二个进去,我总想第一个,又老是第二个。”

我有点好奇,说:“为什么?”

她说:“第一个从来都是阿吉泰。”

我的心里一颤动,阿吉泰像雕塑一样从天空降落下来。

她说:“李垃圾从来不洗澡,他喜欢在澡堂旁边转,好像那儿有什么秘密。”

我说:“那天在厕所里他踢了我一脚。”

她不理我了,自己翻开英语书,开始认真地看起来。

6

也许是一个月过去了,也许是两个月,反正记忆中的时间是那么的不可靠,所以当我说时间的时候,连自己都不能相信是准确的。

反正字母学完了,几句常用语学完了,国际音标似乎也学完了,或许是学了其中一部分?记不清了,能记得清的就是那个女孩子。

她是国际音标学得最好的一个女生,现在是我的同桌,她的名字叫黄旭升。

我之所以那么想说她的原因,是因她在我的人生中起到了很大的作用,如果不是她,可能我跟英语老师之间的故事不会那样发生。

黄旭升——

那是她爸爸给她起的名字,黄,再就是旭日东升。她们家只有一个女孩儿,所以她们家就总是有些好吃的。她把那些吃的放在口袋里,在上课时,偶尔会悄悄地朝自己的嘴里塞一块什么。我坐在她的身边,每当她吃什么的时候,都会受到强烈的刺激,我咽口水,闭眼睛,不看她,想很多的办法,避免饥饿对自己的伤害。

其实,王亚军也注意到了黄旭升吃东西的习惯,但是像所有男老师一样,他也喜欢秀气的女孩,特别是那种聪明任性白皮肤的女孩儿。

显然,黄旭升学会了全部的音标,可以拼出一些单词,比如:

父亲,祖国,河流……等等。

王亚军喜欢黄旭升这样的女孩儿,在上课的中间,他总是让黄旭升去他的房间拿留声机和唱片过来。

她已经成了英语课代表。

有一天,当她把留声机放在讲台上,坐回我身边时,我突然忍不住地问她:

"你进了王亚军的宿舍了?"

她点头。

我说:"有一天我从那儿经过,里边有雪花膏的香味。"

她笑了,说:"他的宿舍一点也不像男老师的房间,很好看。"

我说:"除了这个留声机还有什么?"

她说:“还有什么?”她想了想,说:“还有一本很大的词典。英语词典。王老师说我们现在用不上。”

下午放学了,我做完值日,突然,又想起了阿吉泰,她离开学校后,我就没有再见过她,不知道为什么,在我那样的年龄,每当想起阿吉泰这样的女老师,心中竟会有种说不出的忧伤,你从她身上从来闻不到强烈的雪花膏味,但是,她身上的气息却能让你难过,就好像内心里有着说不出的压抑。

我走在学校黑暗的过道里,顶上的灯光像是野猫的眼睛。当我来到了拐角处的时候,从王亚军的宿舍内传来了笑声,是黄旭升在笑。

王亚军也在笑。

然后,留声机开始响了。

是一个男人在朗读课文,每当他说一句英语,你就会听到黄旭升在跟着他念。

不知道为什么,这使我有些仇视王亚军,天下的乌鸦一般黑,世界上所有的男老师都是一个球样,他们总是喜欢单独给女生补课。

笑声再次传来,原来是黄旭升念错了。

我紧挨着王亚军宿舍的门,透过贴着报纸的玻璃,我拼命朝里看着。

什么也看不清,只有声音从里边传来:

那是英语。

我有些懊丧地离开了那门,独自走在回家的路上。

王亚军身上为什么那么香,结论是他为了吸引女生,像黄旭升这样的，从来没有用汉语为英语注音的女生闻到了那种香气，就会像风中的纸片儿一样地被吸进他的宿舍。

英语再次从宿舍传来，过道里很安静，我听着一个个陌生的单词从身后飘过来，那是黄旭升的气息……

不知为什么，我更加怀念阿吉泰给我们教维语的日子。

7

我好像忘了告诉你们，黄旭升家跟我家住在一个楼内，她爸爸是国民党起义的，据说还是一个少将。不知道我说的起义跟你们理解的一样不一样，在乌鲁木齐起义并不意味着国民党向共产党投降，而是立功。

但那时候在我们家的楼上国民党的将军并不值钱，一单元住着刘行，是个少将。二单元住着马平林也是将军，据说还是中将，是一个师长，三单元住着黄震，那就是黄旭升的爸爸，她爸爸是旅长。

我们家也住在三单元，在四层，她们家在一层，原因是她爸爸当年骑马时受过伤，腿不好。

两年前我家刚住进这座楼时，爸爸经常对妈妈说：我这个共产党培养的总工程师，竟然要住到四楼。他的腿是跟共产党打仗出的问题，却能住在一楼。

妈妈就说："你也不能说是共产党培养的，你上大学不是在圣约翰吗？住在四楼挺好，不吵，用不着听楼上人的喧闹。"

爸爸说："我当然是共产党培养的，我是解放后清华的研究生，他们为什么送我去苏联留学？我没有去英国，美国，法国，日本，我去的是苏联。”

从小，每当爸爸谈到苏联时，我都能感到他有很强的优越感，或者说，他很骄傲。现在回想起来，他的表情灿烂，像是被教堂的光辉沐浴过的圣像。其实，他这样不好，有些忘本的意思，我爷爷，也就是爸爸的爸爸，也是搞建筑的，他设计的房子现在还留在了南京和上海。爸爸从小上的是教会学校，以后又在圣约翰读书，他怎么能说是党培养的呢？要说党，也应该是国民党，不该是共产党，可是，也不对，那苏联呢？他留苏了，他喜欢俄罗斯建筑，他想方设法入了共产党，而黄旭生的爸爸，是不可能入党的，永远只能是党外人士。

现在让我重新评价父亲，我渐渐发现他是一个善于钻营的人，他爱我，他更爱母亲，可是他想方设法成了红色工程师，他成了组织上最重视的人，他要求进步，并在他的领导面前哭泣，表示自己的决心，据说反右的时候，他在苏联揭发了自己同宿舍的人，那个人成了右派，去了大洪沟挖煤，死在一次瓦斯爆炸里，很惨，连脑袋都被黑色大块的煤砸坏了。以后，许多年过去了，爸爸没有为这件事有过任何忏悔，只是对我，或者对妈妈，好像是对自己说：“吴之方这个人，就是说话太不注意了。”

就好像他的死与爸爸的揭发没有任何关系一样，就好像吴之方只是太爱说话了，他仅仅是被爸爸眼中那些坏人，比如打过他的范主任害死的一样。

爸爸就是这样获得了民族剧场的设计资格，然后他开始骄傲，说了自己为自己建造了纪念碑之类的话。

可是黄旭升住在一楼，我家住四楼，爸爸感叹："看来有时当国民党，还是比共产党好。"

晚饭后，我要出去，妈妈问我去哪儿。

我说："去黄旭升家。"

妈妈显得有些犹豫。

爸爸说："去干什么？"

我说："我想跟她学会国际音标。"

爸爸眼睛一亮，说："她已经学会了国际音标？"

我点头，说："英语老师给她单独补课。"

妈妈说："他是男老师吗？"

我点头。

爸爸妈妈互相看了一眼。

爸爸说："算了吧，她爸爸黄震最近心情不好，你去了大人会烦的。再说，学什么英语。"

我说："我要去。"

爸爸像是要发火。

妈妈说："让他去吧，说不定以后英语又有用了，你下了那么大功夫的俄语又没用了呢？"

爸爸说："苏联就是再跟我们吵，它也是社会主义国家，他不过是修了，可是，英语……"

说到这儿，爸爸叹了口气，坐在椅子上闭上眼睛。

我看他这样，就很快地溜了出去。

我敲开了黄旭升家的门时，她发现是我，就显得很高兴，她说："进来，小声点，我爸爸这几天特别不高兴。"

我们两个进了她的房间,我说:“你给我教会国际音标。”

她说:“你怎么知道我全都会了?”

我说:“王亚军不是给你补了课吗?”

她说:“你看见我进了他的宿舍?”

我说:“你不愿意让别人看见?”

她说:“是王老师有些怕别人看见。”

我说:“为什么?他是不是怕男生恨他?”

黄旭生笑了,说:“你恨他吗?”

我说:“有点。”

她说:“他不怕男生,咱们是小孩子,他怕什么。他怕大人,我听数学老师说,王亚军这人作风不好,让我别离他太近了。别单独进他的房间。”

我说:“那你呢?”

她想了想,说:“我觉得他很正派,他光是说英语,我去过他那儿几次了,他除了英语,对别的事都没有兴趣。”

我说:“你以后还会去他宿舍吗?”

她说:“当然,只不过现在他每次都不关门,把门开得很大。”

我笑了,说:“王老师心中有鬼。”

她说:“你为什么这么说话?”

我说:“要是我,单独跟一个女的在一起,心中就有鬼。”

她说:“那你跟我呢?”

我说:“我们不一样,住在一个楼里,又都是小孩儿。”

这时,突然听到另一间屋子里,黄旭升的爸爸黄震在跟她妈妈吵架。

她爸爸说:“你胡说八道,我把什么都跟组织说了,你还要我说什么?你说,你天天跟他们混在一起,回家都这么晚,你以为你每个星期都写一份入党申请书,他们就会让你入?你太不理解我了,你知道我的压力有多大?”

她妈妈也不示弱,跟她爸爸顶来顶去的。

黄旭升捂上耳朵,闭上眼睛。

我说:“上我们家去吧。”

她没有听见。

我拉开她的手,说:“上我们家去吧。”

她点头。

我们到了我家。

妈妈客气地问,“你爸爸好吗?”

黄旭升就不说话,眼中生出忧伤。

爸爸跟妈妈的眼神又互相对视了一下。

那已经是乌鲁木齐的六月初了,夏天没有真正地来到,春天也没有过去。我总觉得在我小的时候,乌鲁木齐的季节跟现在不一样,更是跟内地不一样。榆树是在这种季节结出一种叫作榆钱儿的花朵,许多人家粮食不够吃,孩子太多了,他们就会爬上树去采榆钱儿。然后,把它跟玉米面搅在一起,放在锅里蒸,散发出一种香甜的气息。

在母亲与父亲怀疑的目光下,黄旭升开始给我教音标。

在她给我教音标的时候,那种香甜气息就从窗外飘然而入,使我的内心里充满快乐。

这种快乐也许是春天带给我的,也许是黄旭升带给我的,你们认真回忆一下,在小女孩儿的身上从来都有一种凉爽的清香,经常会从她们的头发上,和衣服上散发出来,如果你们真的忘了这点,那太可惜了。

快乐的确在充满我的内心,在那种时候,我忘了离我们而去的阿吉泰,也许,这种快乐真是英语带给我的。

8

黄旭升说英语有点骄傲,别人都不好意思那样发音,可是她好意思,她学着王亚军的口气,模仿着他的每一个起落,我发现无论她口袋里的好吃的,还有她的发音方式,都在刺激着我。我想像她那样说话,可是我不敢,因为作为一个男生,如果那样说英语,是要受到耻笑的。

事情总是那样,如果黄家不出事,那她永远是课代表,我跟王亚军的关系就不会改变,更不会有我跟这个英语老师之间在以后发生的一切事情。

那天王亚军说下节课要学 family。这是一个温暖的词汇,家,家庭。家乡。全家福。

王亚军说:要学这个词汇,最好大家都把自己全家的照片带来。要全家福的。大家当时都不懂什么叫全家福。王亚军解释说:全家福就是全家人共同的照片。

结果是全班人里只有一个人带了自己的全家福照片,这个人就是黄旭升。

她从我身边站起身,朝讲台上走去,当走到了英语老师面前时,她的脸上洋溢出如同朝霞般的微笑,然后,她把一个很有些四旧味道的相框递给了王亚军。

王亚军看了一眼,说:这是我见到的照的最好的一张全家福。

黄旭升当时脸就兴奋得更加红了。她止不住内心的喜悦,转身看看我们,然后低下了头。

我仔细地看了一眼那张照片,发现黄旭升他们一家三口的眼睛并没有朝一个地方看,而是各看各的。他爸爸看左边,妈妈看右边,而她,看中间。从这张照片上看去,我觉得黄旭升他们家并不团结。果然这是王亚军看到的最好的全家福吗?长大以后,当我接触了一些外国人之后,发现他们很客气,说你这也是最好,那也最好,其实都是一种说话的方式,每当那时,我就想起了王亚军,他说:那是他看到的最好的一张全家福。

黄旭升那天真是风头出尽,她在王亚军微笑的注视下,端着自己家的照片,指着男人说:"father。"指着女人说"mother。"最后她说:"I love my family。"

然后,黄旭升作为课代表,开始带领全班人高声念着:"爸爸。爸爸。妈妈。妈妈。家。家。"

我有些嫉妒她,其实我也很想当英语课代表,但是我不如她,只有她才能在英语课上,用英语那么响亮地叫着爸爸。

那天是一个有雨的日子,我们从学校回家。

黄旭升走在前边,我跟在她后边。她走路的姿势很灵巧,她的头发在晃动。阳光时时地从云层里穿出来,又马上回去,雨像是丝线一样,五光十色。我走得比她快,当要超过她的时候,她突然对我说:"那天你爸爸挨别人打我看到了。"

我不看她,心情不愉快,我不希望别人提起这样的话题。

她说:"你爸爸就是少画了一只耳朵。"

我不理她,很快地从她身边走过去,想把她甩掉。

她说:"就算是画得不对,他们也不该打人。"

我说:"最后,我爸爸把另一只耳朵补上去了,更不对了。"

她看着我,说:"你爸爸和你妈吵架吗?"

我说:"不吵。"

她说:"你们家多好,你妈对人的态度真好,我想我长大以后,要像你妈那样,当个知识分子,对人亲切,有礼貌。"

我说:"说这些干什么。"

她说:"我妈太厉害,天天跟爸爸吵,爸爸说他自己年纪大了,受不了。"

我不想跟她说这些,就加快了脚步。

她在后边又说了几句什么,但是我听不到。

我们住的楼到了,我好像在前边说过,现在再强调一下,她与我在同一个单元,我家住四楼,她家住一楼。

一进单元,我立即感到出了什么事了。

传来了哭声,是黄旭升她妈的哭声,而且不能够叫哭声,应该叫鬼哭狼嚎。

我本能地朝左边拐去,而没有上二楼。那儿是黄旭升家,门口围了一大群人,大家都在看着里边,可是没有人进去。

我以为她爸爸妈妈又打架了,就冲过去,想看看热闹。

大家显得有些安静,只有她妈的喘息声。

我从大人的身子侧面,或者说是底下钻过去,看见她爸爸吊在房上,舌头伸出很长。

显然,黄伯伯,黄旭升的爸爸,这个国民党的将军上吊了。

我直到现在都记得黄旭升看到爸爸吊在房顶时的表情:

她先是睁大了眼睛,接着她像是被鬼吓着了,然后,她朝后一仰,像是背越式跳高一样地,朝后跳起来,倒了下去。

有人开始喊着,先把他放下来。那时,在我的眼前再次出现了黄旭升刚才在班里的讲台上展示的全家福。

我内心感到恐怖而刺激,童年时没有什么戏剧可以看的,我们所能看到的就是有人挨打,或者有人自杀,老实说,内心被恐怖环绕,有时是很愉快的。就像是你在看一部小剧场的话剧,里边的所有戏剧因素都紧紧地围绕在你的身旁,画面,静默,人物的动作,声音,光线,表情,最重要的是那些参加进来的所有的人的话语——台词。那些恐怖因素永远会使你感到激动。没有什么事,比突然听到了你熟悉的人的死亡更让人心动的了,那是平静生活永恒的兴奋剂。

我正在充满惊吓的愉快之中,有人突然在身后狠狠拉我。

我回头一看是父亲,我不想跟他走。

他硬是把我拉着,甚至于揪住了我的耳朵,就像那天那个人揪他的耳朵一样地离开了死人,离开了躺在地上的黄旭升,离开了她妈妈现在已经变得有些悠扬的哭声。

父亲把我拉回家里,对我说:“以后别凑这种热闹。”

我说:“为什么人吊死之后,要把舌头伸出来?”

父亲想了想,说:“可能是他生前还有些话没有说完。”

我说："人的舌头比猪的都长。食堂杀猪时，我看过猪的舌头，才这么一点。"

我用手在空气中晃了一下，比划着。

爸爸笑了，说："你还天天看杀猪。"

我点头，说："放学之后，只要食堂杀猪，我老是爱看。"

爸爸笑了，甚至有些幸灾乐祸的样子，说："黄震早该死了。"

我一愣，不知道是不是自己听错了。

爸爸想了想，又说："以后，不要老是去看杀猪了，那儿太脏了。"

妈妈回来了，一进来时也面有喜色，说："黄震死了？"

爸爸点头。

妈妈说："今天食堂又杀猪了，赶快去买大米饭。"

爸爸边拿盆，边说："他们说从他家的箱底搜出了手枪。"

我说："真的？"

妈妈说："出去别胡说。"

爸爸妈妈的情绪让我吃惊，别人家发生了死人的事情为什么会叫他们有一种像是突然过节一样的喜悦。我只是兴奋，可他们是喜悦，为什么？黄旭升刚才还说长大了要像妈妈一样呢。说她文明，有礼貌。

我以后发现他们也把这种内心的东西传给了我，在一个新的世纪到来的时候，我经常隐约地发现自己身上存在着某种品质，尽管自己有时极力不去想它，就是想到了也尽量回避：

看见别人倒霉总会使自己内心轻松。

食堂里已经是人山人海。

我跟爸爸妈妈分别排着队：

一条是买红烧肉的。由爸爸排着。

一条是买大米饭的。我们那个地方喜欢管米饭叫大米饭，现在没有人这样叫了，不知道你们是不是当年也这样？由妈妈排着。

还有一条队是免费领不要钱的米汤的。我排着。突然，我感到有人在身后拉我，回头一看，是李垃圾。他端着一份红烧肉，笑着说："今天豁出去了，吃一份红烧肉。"

我知道李垃圾他爸爸是泥工班的，他家穷，吃一份红烧肉就算豁出去了。

李垃圾看我不说话，就说："吃大米饭，你们家三个人来排队？没出息呀。"

我看看那边挤在人群里的爸爸，妈妈，看着他们饥饿而贪婪的表情，就有些不好意思。

他说让我排在你前边。

我让他插在了我前边。

李垃圾说："你信不信，我能把那一大锅大米饭全吃完。"

我说："不可能，谁有那么大肚子？"

他说："我把头伸在这儿，把屁股撅在厕所茅坑里，边吃边拉。有多少都能吃下去。"

我笑了，对他说："知道吗？黄旭升的爸爸自杀了。"

李垃圾显得有些吃惊，瘦小的脸上突然出现了像老人一样的皱纹，说："刚才在班里还看了她的全家福照片呢。怎么死的？"

我说:“自杀的。”

我跟李垃圾都不说话。直到我们打了米饭,离开食堂。

回家的路上,我发现了不少我们楼里的邻居,显然,他们都知道黄旭升的爸爸死了,他们跟爸爸妈妈打招呼,彼此相告最新的情况,说革委会来人了。已经定了性。这类混帐话我有些听不懂,但是,我能感觉到他们的兴奋。

进了单元门,我端着米饭到了黄旭升家门口。那门还是开着的,里边站着不少人。她爸爸已经被拉走了。黄旭升伏在床上哭。

李垃圾竟然站在她的旁边,手里端着米饭和肉菜,并用碗碰着黄旭升的背,让她吃饭。他没注意我正在看他,显得很专注。我转身离开了黄旭升家,心中因为李垃圾的善举,而有些不好意思。

我们一家三口吃得很香。

从爸爸妈妈的嘴里,都发出了很响亮的咀嚼声,就好像他们从来没有吃过大米饭和红烧肉。就好像他们不是高级知识分子,跟李垃圾的爸爸妈妈一样,也是泥工班的。有时,人很怪,你看到自己身边的亲人的吃相,听着他们嘴里发出的声音时,你真是想用鞭子抽他们,而且要朝死里抽,直抽到他们不能吃饭为止。

我感到无聊,也许是黄旭升爸爸的死,突然让我想起了一件事,我问爸爸和妈妈:“你们说,大家都说毛主席,他能活到二百岁,是真的吗?”

妈妈听我一问,脸色突然变了,她提起筷子就朝我的头上狠狠地打了一下，速度太快让我反应不过来，她说："我们怎么知道？"

爸爸看着我，脸色也有些难看。

我被打得很疼，似乎那一刻湖南民歌从遥远的地方传来，萦绕在我们家的屋内，和着黄旭升妈妈的哭叫，和母亲惊恐的眼神。我没想到这样的问题能引起妈妈如此强烈的反应，她打得太狠了，就好像我不是她的亲儿子，就好像她从来没有给我起一个男不男，女不女的名字，叫刘爱一样。我捂着脑袋，龇牙咧嘴，想让他们看看我有多疼。

爸爸最终接受了我的撒娇，他沉重地说："今后，在任何地方都不能问这样的问题。听见了吗？"

我不说话。

爸爸提高了声音："听见了吗？"

我看看他，从他的眼神后边，我发现了狰狞，就说：

"听见了。"

屋子里有些热，妈妈去打开了窗户，歌声缓缓地从外边飘进来，那是宣传队的女孩儿的歌声：

"我们共产党人好比种子，

人民好比土地。

我们到了一个地呀方，

就要同那里的人民结合起来……"

她们唱得很慢，就如同这是一首徐缓的民歌，加着口琴的颤音，节奏像是水面上飘浮的稻草，我不知道为什么，这歌让我很感动，尤其是女孩子们以这种节奏唱它，我还从来没有听到过，好听极了，就像是从天国里传来的圣歌，那时候我不知道有教堂，只知道有清真寺，歌声从有宗教的地方传来，深深地藏着信仰，纯洁而高贵，我忘了母亲打我的疼痛，平生头一次沉浸在对于音乐的百感交集之中，女孩儿的嗓子使我想到了她们清亮的眼神，还有我小的时候在一次不经意中看到的黄旭升的身体，那天她正在家里撒尿，蹲在一个盆上，也许是她妈刚给她洗完了澡，她蹲在那儿的时候身上光着，强烈的灯光照在她身上的每一个角落……

我吃着，听着，想象着，突然，爸爸说：

"黄震这个人也有优点，上回他先挨斗，给他糊了很高的帽子，可是叫他跪下，他就是不跪，直到别人从身后踢他的小腿，他挺不住了，才跪下去。"

妈妈不说话。

爸爸说："我没有他那么傻，别人说让我跪，我就跪。"

妈妈说："不要说这些了，不要说这些了。想想都可怕。黄震这一生就是没有找个好太太，她那个老婆太厉害，不过，有一次你忘了，我的钱包掉在一楼过道里，是她捡上了，送上来的。还有一次刘爱出走，从幼儿园跑了，他们都帮着出去找，一直到半夜……"

爸爸说："我早就说过，男人如果自杀，那一定是被他妻子杀死的，他轻生，就像是斯坦尼斯拉夫斯基学派的表演一样，是演给别人看的，最主要的观众就是他的太太。他在绝望里想以死来感动她，让她对自己好一点，他在自杀前就已经想象过自己死后，妻子和孩子们伤心的表情。"

妈妈突然显得异常难过，眼泪渐渐地从她的眼睛里流了出来，她无声的哭泣感染了爸爸，他拉着妈妈的手说："我是不会这样去死的，你放心，我要活到一切都正常的那天，春天和阳光谁都不能垄断。"爸爸说到"春天和阳光"这样的词汇时，眼光显得很恶的样子，就像是他也想去杀人。渐渐地，爸爸的眼神变得柔和而忧伤了，他说："我，萱琪，你听我说，我这一生也许没有任何成就，民族剧场也好，山字楼的学校也好，都不是我的成就，什么纪念碑，只有普希金才佩有纪念碑……我一生最大的成就，就是，就是找了你，一个像你这样温存的女人。要不是你，我在刚开始那会儿就受不了了，就坚持不下去了。"

妈妈还在哭，只是变得有了声音，这让我心疼，即使她刚才打了我，我也忘了，我不愿意听到妈妈的哭声。

但是看着爸爸妈妈紧紧拉着手的样子，我一时有些不知道该怎么办，只恨不得有个地缝，能钻进去，不看他们手上的表情，尽管里边也有哭泣。

9

米饭和红烧肉吃完了，米汤凉了，黄旭升的爸爸黄震的长舌头却永远地存留在我的记忆之中了，多少年以后我进了超市，都怕看到猪的舌头，尽管我知道那很好吃，可是——

还是让别人去吃吧。

第 三 章

1

我在朗读英语,课文的内容我早已滚瓜烂熟,我学着黄旭升和王亚军的腔调,我不再用汉语注音,一般说来,我是一个文明的孩子,妈妈是建筑师,爸爸是著名建筑师,我是他们的后代,我的血液里流着与一般的穷孩子不一样的东西,那就是文化。

我的发音是黄旭升多次调教过的,直到现在,我都相信,在语言学习方面,女孩子们往往是天才,她们的嘴天生是用来说话的,不管什么话,无论是汉语还是英语,而男孩子的嘴是用来吃饭的,不管什么饭,无论是肉食还是草食。在我们那个叫乌鲁木齐的地方有当地土语,那是甘肃,陕西,宁夏还有新疆的维吾尔、天津的杨柳青和现在生活在博尔塔拉的蒙古人共同创造、发展的一种语言,它们离北京话和当时中央人民广播电台说的普通话相去甚远,撼山易,学普通话难。

"腻从这害儿兹兹哈气,端直子奏,博怪弯。"

上边的句子让今天的人看着一定以为是电脑出了乱码,或是东方快车的程序出了问题,可是我告诉你,上边这句话如果翻译成普通话应该是:

你从这儿一直下去,直走,别拐弯。

来,咱们再体会一下:腻从这害儿兹兹哈气,端直子奏,博怪弯。

如果你把这两句话反复念一下,就会发现它们真的说的是同一个意思,只是发音有如此之大的差距。

男孩子们说着这种话浑然不觉,只有女孩子们才会为她们这种家乡的方言而羞愧。我从小就知道男孩子与女孩子是两种不同的动物。女孩子们从小就学说普通话,而男孩们无所谓,他们甚至一生都说着乌鲁木齐土话,而不知道自己有多土。

再比如英语。

女孩子们如果按照国际音标的方式来念,那是不会有人笑的,假如这个女孩儿长得白,或者眼睛大什么的,那只会有那么一刻,在她发音的一刹那,周围的一切都静下来,黄旭升第一次以她的方式发音时,大家的表现就是这样,可是,我却不同。

我以黄旭升的感觉开始念了第一句时，班里的男生们就开始笑起来，接着是连女生们都笑了，我朗读英语的勇气和激情不知道是从哪里来的，我坚持着，尽管浑身燥热，我知道自己没有模仿错，黄旭升在她爸爸吐出舌头之前，曾兴致很好地教了我一百遍，在我们家，在她们家，在我们双方彼此父母的注视下，又在他们这些混帐的大人们的意味深长的目光交换之中，我学着她，认真地按照一个聪明女生的方式念着英语。

全班的笑声渐渐大起来，像是克拉玛依南边吾尔和的风一样，开始你并不太在意，但是那种像是狂风般的笑声最终可以让你气急败坏。

终于，就连王亚军本人脸上也隐隐透出了些许微笑。

我坚持着，终于念完了头一段，我等着静下来，再念第二段，可是，笑声虽然小了，却仍是欢乐的情绪，我站在课桌前，把目光从英语书上挪开，然后看着周围的同学，我说：

“笑你妈的逼呢？”

大家又笑起来。

就好像我没有骂他们的妈，就好像我这句话也是一句英语。

2

王亚军走到我的跟前，我旁边的座位是空的，黄旭升自从爸爸死后就没有再来。

工亚军站在黄旭升的位置旁，他看着我。

我以为他会指责我的粗鄙，我等待着。他会说什么呢？

不知道,反正我想对他说的话已经在心里闷了很久了:“你跟他们一起嘲笑我,你不是老师,你只不过是另一个李垃圾而已。”

我等待着,似乎很有耐心,看他会怎么说我。

然而他拿过我的书,看着上边用国际音标注出的读音,他脸上的微笑更加明显了。

我没有看他,低着头。

他说:“再念这段。”

我接过了书,开始念。

他站在我的身边,为了鼓励我,他不离开,并连连点头。

这时,我突然意识到周围的一切安静下来,就和黄旭升念英语时一样,大家没有其他的声音,只有默默地呼吸,孩子们的呼吸。我在这种氛围中从容地念着,英语的单词滋润着我口滑,我的声音渐渐变大,我就像是吉里在唱意大利歌剧一样地高声诵读着关于伟人的赞美诗。

我感到自己是在中心,是在舞台正中央明亮的地方,在我的四周,一片黑暗,我就是黑夜里的灯光,我激动在自己的歌声里,让雾气般的阴影散去,似乎所有的目光都在我的身上,不,不是似乎,而是真实的场景,男生女生的目光,他们在凝视着你,他们不再笑,在他们的眼神中有了更加复杂的东西。

我念完了。

王亚军一直站在我的身旁,他不再微笑,只是看着我,然后又看看大家,他离开我,朝讲台走去,用英语在黑板上写了一行字,最后他说:

"把这句翻译成汉语,你们知道是什么意思吗?"

大家愣着,没有一个人说话。

我尽力看着,心却在跳,我不敢肯定自己看出的意思。

王亚军大声说:

"向刘爱同学学习。"

全班沸腾,气氛再次活泼起来。大家交头接耳,说个不停。

王亚军向我走来,他看着我,似乎想说什么,突然,他的目光转向了窗外,确切地说,是被一种东西吸引到了窗外:

阿吉泰从学校的大门里独自走出去,她手里提着包,看来她已经收拾完了自己的东西,真的离开学校了。她走得挺孤独,丰满的背影上透出了犹豫和不情愿。她穿着维吾尔人的裙子,但是那裙子又已经被她改过了,有些像俄罗斯的西服裙,她走着,高贵而宁静,只是她的屁股过于饱满,冲散了一些忧愁。

王亚军看着,忘了我和全班,他的目光里有着某种绝望的东西,阿吉泰走得很远了,他才把头转过来,他不再看我,而是深思。那时,下课铃响了。

大家都跳起来。

王亚军没有跟我们任何人说话,他独自收拾了东西,离开教室,走进了阴暗的过道里。

3

那扇门又开了,阳光从屋内的窗口涌出了门,照在我的眼睛里,让我产生阵阵晕眩。我由于激动,而有些呼吸困难,我头一次走进这个房间,那就是只有黄旭升这样的女孩儿才能进的英语老师的宿舍:王亚军的宿舍。

我一生的好运气来了。

王亚军走在前边,他没有回头看我,只是随手取下在门后挂的彩色的毛巾,他优雅而认真地擦拭着自己的脸,然后他随意地在墙壁上的镜子里照了一下自己,他的脸被剃须刀刮得有些发青,他如果不刮干净,那他肯定是大胡子。不知道为什么,我从小就不喜欢大胡子的男人,他们显得脏,以后漫长的日子里,我有了许多留着大胡子的朋友,而我也有意识地不刮胡子,那是一种新潮的表示,如果再留着长发,我曾经留过很长的头发,那就是说新的一切都开始了,旧的一切都消失了,观念可以改变世界,都留着长发和大胡子,并穿着时尚的衣服了,那么还有什么问题是解决不了的呢?生活中已经完全可以没有苦难了,因为我们这样的年轻人留了长头发,还有大胡子。

王亚军没有留胡子,他一生都没有让胡子长出来,他总是干净,典雅,就像是一首巴罗克时代的乐曲,平衡而中性,他的谦和以及含蓄的微笑让我今天想起来都伤心不已。我常问自己:在记忆里,每当面对他的微笑时,为什么你总是伤心?

那天我站在他的身后,头一次在这间屋子里闻到了雪花膏,不,甚至于是香水的味道。还有四面散放着的薄荷味。他们混杂在一起太强烈了,以至于我感到自己真是肮脏,我浑身上下都散发着臭气,我的袜子已经最少有一周没有换了,我也一直没有洗澡,尽管母亲多次骂我,可是我不想洗。真是有些后悔,我开始责怪自己。在我以后的生活里,我换过许多牌子的香水,但是没有哪种像王亚军的香水一样，那么让我动情。

他说："留声机在那儿，端的时候小心一些，唱头有点毛病。"

他说的南方话我能听懂，只是我的眼神有些不够用，周围的许多东西都在吸引我：有一个印着一对外国男女的罐头盒，色彩缤纷。这样的东西，我小的时候家里也曾有过，但是，早已经被爸爸妈妈扔了。

我还看见王亚军的衣服挂在床上方斜拉着的铁丝上，有好几套，其中有毛料的，笔挺挺的，我们小时候在形容一个人穿着讲究的时候，喜欢说他穿的笔挺笔挺的。现在，好像不太用这个词了。

我还注意到了床上方他的鞋，似乎有两双皮鞋，擦得很亮。

他看着我站着没有动，就再次微笑了，说："你在看什么？"

我的目光停留在靠着北墙的一个小书架上，那上边有些英语课本，但是有一本很厚的，硬壳，墨蓝色的精装书再次引起了我的注意，我走到跟前，想自己仔细看看。

他似乎意识到了我的目光，说：

"认识这个单词吗？字典。"

我说："英文字典？"

他点头。

我说："是大字典？"

他说："这里边的单词如果你都会了，那你就可以像一个地道的英国绅士那样，在那儿生活。你甚至可以超过他们那儿一般的人，因为你水平很高。"

我说："绅士是什么样的人？"

他想了想,说:“就是像你爸爸那样的人。”

他的话让我失望,像我爸爸那样的人?我爸爸是什么样的人?我想起了他戴的眼镜,以及经常显出恐惧的神情,但是,我还是说:“你认识我爸爸?”

他说:“我仔细地看过他设计的房子,我前几天经过民族剧场时,还仔细地看了一下,格调很高。我跟你爸爸说过话,那是在食堂排队打饭的时候,他很谦让,不像他们那样拼命地挤。”

我已经对王亚军描述父亲失去了耐心,而且从那天以后有很长时间,我对绅士这个词没有了任何好的印象,如果爸爸能称得上是绅士,那这个绅士还有什么好当的呢?

他似乎还在说着什么。

我颤动着手,轻轻摸了摸那本书,我怕他会不高兴,就像我爸爸一样,他是不会让我随便动他从苏联带回来的那些图集和画册的。

他看看表,说:“还有两分钟,你可以看看。”

我拿起词典来,很重,我翻开,里边有英文,也有汉语。

他说:“这是双解词典。”

我无法注意他的教导,只是看着这本厚书。

那时,铃声响了。

我放下词典,去拿留声机。

他在我身后拿了两张唱片。

我们离开了他的宿舍,把香水味留在了后边。

4

我一走进教室，大家的目光就全都集中到了我的身上。显然，他们已经知道了，我虽然不是英语课代表，但是我已经在享受着课代表的待遇。

课代表的位置是留给了黄旭升的，我甚至于连临时课代表也没有被任命。但是，我已经有权利抱着这个留声机了。男生倒是无所谓，可是女生们，她们对于王亚军宿舍里的香水气息也许比我更敏感。女生们天生就是要用香水的，可惜那个时候没有，她们的童年白白地被糟蹋了，就像是她们在很小时就被强奸了一样，一个没有香水气味的童年，对于女生来说，就像是没有被露水滋润过的青草，也像是没有处女膜的阴道，也像是没有被诗歌包围的青春，还像是没有被母亲的手抚摸过的头发。

女生们前一段有些嫉妒黄旭升，她爸爸的死，使她从她的女同类们的不满中解脱出来，余下的就是我了，当我把留声机放在桌子上的那个瞬间，几乎是全部的女生都在看着我的脸。

我的脸就是在那一刻红的。

李垃圾说："你看，你看，他的脸红了。"

王亚军走了进来。

全班起立，英语课开始了。

先是听唱片，这次的声调与原来不一样。

王亚军解释说，前几次你们听的都是中国人在说英语，今天你们听到的是最纯正的林格风英语。

他说林格风这个词时有些来劲,念法上充满了洋味,就好像林格风是宗教,是圣经。

我们静静地听着。

他变得很严肃,纯正英语让他的目光里充满了太阳的光芒,他在那一刻有点像是将军,尽管显得还有几分文弱或者温和,但是眼神里却有着坚定和信仰,对了,还有敢于为纯正的英语发音负责的精神。

唱机再次响了,我们听着。

当王亚军开始说英语时,我总是隐约觉得他发音与唱片上有些不太一样,以后我知道了,中国人说英语有一种特殊的味道,其实每个国家的人都有自己的味道。中国人是中药味,日本人,韩国人就更不要说了,他们的电影明星说英语时,总是让我难受,浑身上下可以不停地起鸡皮疙瘩。

下课了,几乎全班绝大多数的男生都在学着王亚军的口气,大叫着:

"林格风。

领郭峰翁——"

对,没错,最后这几个字的注音是最准确的。他长久地萦绕在我的身边,像是森海塞尔的德国发烧耳机一样,终将要伴随着我的一生,陪我度过无聊的岁月,直到走进天堂。

5

"你为什么要叫刘爱?"

“因为我妈妈希望我是个女孩儿。”

“这个名字也不一定就是女孩儿的名字。”

“就是女孩的名字。”

“你知道‘爱’是什么意思吗?”

“爱?不知道。就是男生和女生……不,还是不知道。”

“爱不是别的,是一种仁慈。”

“什么是仁慈?”

“就是,就是,怎么说,就是看见别人受难时,你自己心里也难过。”

“这不可能。”

……

你们猜测一下,以上的对话出自于谁之口?真是反应慢,当然是出自于我和王亚军之口。

那天,我帮着他把留声机拿回他的宿舍的时候,就要出门了,他突然问我话。

他笑了,问我:“为什么不可能?”

我说:“看到别人倒霉了,自己心里怎么会难过呢?是高兴的。”

他有些失望而吃惊地看着我,说:“你为什么会有这种想法?”

我说:“我爸爸妈妈就是这样。”

他不信地看看我,摇摇头,说:“放学之后,能陪我去看看黄旭升吗?她已经有二十天没有来上课了。”

6

我们走进黄旭升家的时候正是黄昏,西边的雅玛克里山上一片红色的云,夕阳也照在黄旭升家的小红旗收音机上,也照在她苍白的脸上。

王亚军说:“你应该去上课。”

黄旭升不说话。

王亚军说:“刘爱现在临时代替你做课代表的工作。”

黄旭升抬起头,看看我,又低下头。

王亚军看看桌上她爸爸黄震的照片,那是一个死人的照片,有点恐怖。

我说:“你妈呢?”

她摇摇头,说:“上班还没回来。”

王亚军说:“从你们家的窗户望出去,能看到天山。”

我顺着他的指点朝外看着,果然,博格达雪山就在远处,在阳光的照耀下显出了金子一样的色彩。

王亚军还想说什么,却突然被黄旭升打断。

她说:

“你们学林格风英语了吗?”

我说:“学了,今天听了唱片,我一直在模仿。”

黄旭升低下了头,眼泪流出来。

王亚军的表情变得沉重,他张张口,又一时不知道说什么好。

我说:“你什么时候来上学?”

她低着头,不说话。

王亚军扶着她的肩,说:“我回头都给你补上。”

我又说:“什么时候上学?”

她说:“不知道,妈妈说我有贫血,不能去上课。”

这时,她家的门开了,她妈妈走进来。

黄旭升的爸爸死了,她妈妈好像变得年轻了。她完全没有像黄旭升一样哀伤的表情和苍白的脸,她显得朝气蓬勃,没错,她就是一个朝气蓬勃的寡妇。

她看着我和王亚军,有些好奇。

王亚军自我介绍说:“我是黄旭升的英语老师。”

黄妈妈的脸上本来仅有的一点笑容似乎在一刹那就消失了,她变得有些冷,她只是点点头,说:“黄旭升有贫血,最近不能去上学,谢谢老师的关心。”

然后,她开始扫地,像是要把王亚军扫出去一样。

王亚军觉出了她对自己的反感,就告辞出来,我跟在他的后边。

黄旭升看着王亚军的表情我直到现在都还记得,她对他是那么依恋,是小鸟对天空的依恋吗?还是妓女对于金钱的依恋?

黄妈妈关上了门后,立即就听到她斥骂女儿的声音:

“都说他作风不好,给你说过好多次了,不要跟着他。会出事的。”

黄旭升哭起来,说:“我要学英语。”

“啪”的一声,肯定是巴掌打在脸上。

王亚军转身有些冲动地想去敲门,但是,他忍住了。他站在门口,很长时间。

我装着什么也没有听见。

王亚军的眼神渐渐变得暗淡,有些像是雪山进入薄暮时分的光线,他一直站在门前,突然,他像木偶一样地转过身去,没有跟我说任何话,自顾自地沉痛地走了,就像是刚刚又死了某个中央领导人,整个楼内充满着哀乐。

7

晚饭时,我问妈妈:

"什么是作风不好?"

妈妈十分吃惊,说:"你问这个干什么?"

我说:"就是想知道,什么是作风不好?"

妈妈变得气愤,她激动起来:"不知道!!!!!!!!"

爸爸生气地看着我,说:"吃饭。"

我忍了一会儿,说:"什么叫爱?"

爸爸妈妈愣了,说:"爱?"

他们互相看了对方一下,还是无法回答我。

我又说:"爱是仁慈吗?"

爸爸盯着我,好半天,他笑了,说:"仁慈,这个词你是从哪儿听来的?"

我不说话。

妈妈有些担心地看着我,说:"这孩子,让我们怎么办呀?"

爸爸叹了口气，说：“仁慈？爱？这些都没法跟你说，你太小了，是什么人对你说的？”

我低头不吭气。

爸爸的脸上显出了忧伤。

夜深了，我睡不着，黄旭升苍白的脸一直在眼前晃动。

突然，我听见爸爸在那边跟妈妈说他要听音乐。

妈妈竟说：“我也想听。”

音乐的声音很小地响起来。

他们听了一会儿。

妈妈说：“上个星期天我给他洗床单，上边糊着一块块的，是不是太早了一些？他还那么小？”

爸爸说：“现在的小孩子都早熟。”

音乐声一直把我拖进了梦里。

那个晚上，我的脑子里一直响着一个词：

仁慈。

仁慈……

第 四 章

1

在乌鲁木齐北门外有个湖南坟园。

我们家就在湖南坟园旁边,或者说,在关于故乡的记忆中,湖南坟园始终是其中的一个部分。

当年跟随左宗棠进新疆的湖南人死后都埋在那儿。里边长满了榆树和杂草。有野兔,野猫,野鸡和黄鼠狼。夜里我经常听到它们的叫声,那种腔调里充满着湖南的口音,就像爸爸常画的那个人讲话,真的,绝不是我在瞎说,我们那儿的小动物说话全都是湖南湘潭话。

我那些时候天天都钻在湖南坟园。

那儿很大，看起来在乌鲁木齐死去的湖南人还真多。

左宗棠之前，左宗棠之后。

据说陶峙岳也是湖南人，他带去的人很多都是他的湖南同乡。特别是他的高级干部，比如说像黄旭升的爸爸黄震。

黄震就被埋在了湖南坟园。他的墓碑上写着黄震两个大字。他是畏罪自杀的，他生前私藏了枪支，可是他死后还能进湖南坟园，一个这样的人能有如此待遇，这是不是说明了天地的仁慈？

黄旭升告诉我说："我爸爸生前是想回湖南老家的，说死也不当新疆乌鲁木齐鬼。但是，妈妈没有这笔钱。"

我不知道为什么突然想起了湖南坟园。

实际上这个地方是不需要想起的，在我的少年时期，只要有了时间，只要我不是在为像英语这样文明的事物而发疯的时候，湖南坟园都是我最美好的去处。

我之所以在这儿说它，是因为与父亲的冲突，确切地说是我害了他。本来想害他的人就很多了，再加上我，父亲如果能活下来，真是算他命大。

对了，湖南坟园与另一个人有关，那就是王亚军，因为在我离湖南坟园最近的时候，往往是离他最远的时候，关于这些得慢慢解释。

2

我的家就在湖南坟园旁边。

在那些日子里，我天天都在湖南坟园玩。

我说过了，之所以反复说起这个湖南坟园，是因为我们又停课了。

很多人说，这次停课是因为大的形势变了，是从北京先开始的。

但是，也有人说，北京的学校仍然在上学，大的形势没有变，只是我们学校——乌鲁木齐北门门外子弟学校停了学，而且原因很清楚，仅仅是因为在校内发现了反标。

有人说："什么叫反标？"

反动标语。

什么叫反动标语？

就是你在墙上突然发现了这样的字句：

"打倒毛主席"

现在写出这几个字，我仍然都浑身颤抖，怕被枪毙。

3

复课的那天早上，我进了学校，在离王亚军宿舍不远的地方，因为手忘了扶着屁股，突然李垃圾不知道藏在什么地方，他从黑暗中猛地蹿出来，在后边踢了我一脚。他踢完就高声笑着跑了。我疼得眼中充满泪水，有的时候你并不想哭，可是太疼了，眼泪就会流出来。当时，我最恨的就是爸爸，而不是李垃圾，我跟李垃圾是有约定的，不捂屁股，就得挨踢。可是，爸爸他真王八蛋，他设计的这黑楼，走在过道里就跟走在坟墓里一样，黑得这么厉害，任何罪恶都有可能在这儿发生……就是在那时，我捂着疼痛的屁股发现了这条反标。

我看着这几个字，内心跳得很厉害。

我去找王亚军来，想告诉他，因为他是老师。可是，我敲了半天门，他却不在。

我回到反标跟前，想擦掉它，可是愚笨的我却只是捡起扔在地下的粉笔，顺手在反标上打了几个巴叉，然后我想了想，还觉得不过瘾，就又在一旁写了“打倒李垃圾”这几个字。

写完那五个字之后，我感到屁股上的疼痛似乎一下子就消失了，所以我终生都懂得了郁闷是需要排泄的。

那是夏天的早晨，我刚走进学校，进了教室，就觉得气氛不对。

首先，我发现黄旭升来了，她坐在我靠窗的座位旁，看着外边，她是在望着雪山发愣。她的脸还是苍白的，她的眼睛里还是有很深的忧伤，她肯定在想她爸爸了。你在少年时，平常可能会挺恨你爸爸的，他的存在让你感到压抑，可是当他突然死了，你发现没有他了，在你晚上正在手淫的时候，他本来可能会突然进来，打断你的性高潮，可是，在一个明媚的早晨，你永远失去他了，在晚上任何时候，他都不会在像过去一样地走进你的房间，摸着你的脸，吻你的额头，在你装睡的时候，他看着你，你那时真是希望他赶快滚出去，可是他仍是那么慈爱地看着你，就像是你看着自己的小鸡巴，那你是什么感觉？你会在第二天晚上真的睡着了，宁愿不知道他是不是走进了你的房间，你讨厌这样的慈爱，因为它每天都在重复，我们都知道重复是不好的，慈爱变成了重复,就变成了折磨。

但是有一天,他突然死去,你在晚上真的可以放松地手淫了,可是白天呢?白天你会跟黄旭升一样地发愣,望着天山发愣。

我走到了黄旭升的旁边,想对她笑一笑,可是她并没有理我。

我心里产生的感觉是世界的末日来了,因为她——真正的英语课代表回来了,我的临时课代表生涯就应该结束了。

一时间,我无比留恋她们家倒霉的日子,她爸爸死了,她得了贫血。她妈妈不让她上学,她把机会留给了我。所以,我长大以后,非常理解为什么美国人总是要打仗,那是因为世界资源有限。为什么美国人不喜欢中国?那是因为中国人太多,而且部分人还聪明,这些人会去跟他们争夺世界资源的。

黄旭升忽然说:

"别人都说学校墙上的那个反标是你写的,是吗?"

我说:"不是,他们胡说呢。"

她说:"那你为什么要在旁边写上打倒李垃圾?"

我说:"那天我在学校玩,突然,李垃圾踢了我的屁股,太疼了,他跑了以后,我突然发现了在墙上的反标,上边写着的字是打倒毛主席,下边扔着一截粉笔,我感到很害怕。就拾起粉笔把墙擦了。然后,我又往墙上写了打倒李垃圾。"

她说:"字体一样。"

铃声响了。

王亚军急速地走进来,他已经自己拿来了留声机,这让我奇怪,从来都是上一会儿课,他才让我去拿的。他现在已经信任我了,总是把钥匙给我,让我独自走进他的宿舍。

我看着桌上的留声机,看着王亚军沉重的脸,感到不对劲。

王亚军朝我走来,当他看到了黄旭升时,眼睛一亮。不知道为什么,他的眼睛这么一亮,我就能意识到在他跟她之间没有阴谋,她的出现让他吃惊,这说明了他们没有任何接触。

黄旭升没有看王亚军,就好像她在为爸爸的死而必须向老师忏悔。

王亚军来到了我的跟前,他看着我,眼神里似乎有很多话说。

我也看着他,仿佛在等着他的宣判,他也许真的会说:"是这样,我想过了,虽然黄旭升回来了,可是她的脑子不正常,她老是看着窗外,她的思想不集中,我们外语教研组经过认真的研究,决定让你当正式的英语课代表。"

我是真的幻想着他会这么说,因为我喜欢学习英语。我是少有的几个意识到自己的乌鲁木齐方言土的男孩儿之一,不,为什么要之一呢,我是惟一的一个意识到自己的家乡话太土的男孩子。

我开始看着王亚军,发现他显然昨天晚上没有睡好,他的眼睛里充满红色的血丝,就好像他得了梦游症,昨天夜里飞进了湖南坟园去吃了死人。

他看看黄旭升,又看看我。然后,他轻声说:"到校长办公室去一下,校长找你有事。"

我紧张起来:校长找我?什么样的大事能惊动校长?别说

一个课代表，就是班长——让我在我们班当班长，校长也用不着见我。

我紧张地猛地站起来，想朝外走。

黄旭升就坐在我的身边，她似乎意识不到要为我让位子，她不起身，我就无法出去。

那时的王亚军已经回到了讲台上，开始在黑板上写着什么。

我推推黄旭升，她好像没有感觉。

我说："起来，校长找我。"

她看看我，似乎不知道我在说什么。

尽管我迫切地想知道校长找我究竟有什么事，可是黄旭升的反常让我内心狂喜：她已经疯了。你们永远不可能让一个傻瓜当英语课代表。

我突然变得兴奋起来，我猛地像跳高一样地蹿到了桌子上，从黄旭升的眼前跳下去。

全班同学都看着我，没有人笑，他们只是看着我，就好像我将要去的地方不是校长办公室，是北极或者中南海。

那时有一首十分流行的歌曲：中南海的灯光哟，照四方，我们的毛委员，在灯底下写文章。

我走在过道里，昏暗中我浮想连绵，不知道是好事，还是坏事。所以，从那个时候我就相信，一个孩子的内心世界是跟大人完全一样的，谁要在我跟前说孩子单纯，清纯，幼稚之类的话，我只能说你单纯。

走进校长室的时候校长没有看我。

他低着头，似乎在酝酿着什么大的构思。

我们班主任郭培清也在办公室里,他对我说,站在校长旁边。

我走过去,站在了校长身边,我闻到了校长身上的一股汗味,还有强烈的烟草味。

他仍是不理我,也不看我,就好像他从来没有招我过来一样。

突然,校长站起来,他挺着胸,像一座山一样地矗立在我的眼前,让我的头脑一时间受到了高大事物的刺激,他太高了,从一个顶点的位置望下来,盯着我,使我没有办法控制自己的紧张,这时,他声音比较小地问我:

“反标是不是你写的?”

我愣了,我知道当英语课代表的事是不需要通过他的,可是,我还是愣了,我说:“反,反标,什么反标?”

他一字一顿地说:“反动标语。”

我说:“什么反动标语?”

我们班主任老师说:“就是在英语王老师宿舍旁边的墙上。”

我的头脑渐渐地清楚了,他这么努力地吓我,实际是在说那条反标呀,我突然轻松起来,开始装糊涂,我说:“墙上写着什么?”

班主任说:“打倒毛主席。”

话一出口,他立即就被吓坏了。郭培清是上海人,出身不好,胆子本来就小,他的脸变了颜色。说:“校长,我,我,我没有别的意思,只是想启发他。”

校长生气了,他看着郭培清,说:“我宣布,你现在就是现行反革命。”

郭培清吓得愣了，渐渐的眼泪从他眼睛里流了出来，他说：“校长，校长，我错了，我不是那个意思，我们家在上海是城市平民，我们也受资本家的欺负，我母亲从小就被卖到了上海的妓院，她在妓院里挨打，受骂，那些嫖客从来都不好好给钱，她也是劳动人民的姐妹。我们家在棚户区，以后又搬到臭气熏天的浦东……”

校长说：“别说了。”

郭培清却还在说：“浦东蚊蝇多，有一只大苍蝇在我睡着以后钻进了我的耳朵，掏不出来，医生说要动手术，我们家没有钱……”

校长说：“别说了。”

班主任老师还在说。

校长离开了我，他走到了郭培清那儿，把他的耳朵抓着，揪着，就跟上回范主任揪我爸爸一样，打开门，把郭培清朝外一推，说：“你先出去。”

然后，校长关上了门。

郭培清在外边推门。

校长烦了，干脆把门锁上。

还听到郭培清在外边喊叫：“校长，我是口误，我是口误。”

校长回到我身边，他对我的态度有些缓和了，这时，门外的郭培清的声音变得小了：“校长，你知道我是猪，比猪还笨。”

校长忍不住地笑起来，他看着我。

我也看着校长，说：“不过，旁边的打倒李垃圾是我写的。”

郭培清这时还在说:“我比猪还笨。”

我说:“我爸爸说,猪并不笨,在动物里算挺聪明的。”

校长听我说“我爸爸”三个字,他眼睛一亮,说:“你爸爸说猪不笨？他还说过什么?”

我像突然意识到什么一样,说:“我爸爸……他还说,还说让我好好学习,天天向上。”

校长的眼神中有些失望,他望着我,思索着。

我看着他,心里因为识别出他对我爸爸的阴谋而有些得意,我补充说:

“我爸爸什么也没对我说过。”

校长说:“我找你来,是有人揭发你,是你写的。”

我说:“打倒李垃圾是我写的,那八叉是我画的。”

校长笑了,说:“有人看到了是你写的。”

我说:“你让他站出来。”

校长显得有些无奈,他拿出一张纸,让我在一面上写出打倒两个字,在另一面写出毛主席三个字。

我犹豫着,想知道这是不是他的又一个阴谋。

校长说:“写吧,写完了就回教室。”

我仍然没写。

校长说:“你不写,就不能回家。”

我还是不写,因为我想好了,他们这次要陷害我。

校长生气了,他说:“有人让我把你关起来,我一直在保护你,懂吗?”

我愣着看看校长,感到不可思议,以为自己听错了。这么有权势的人，竟说他在保护我。

校长说："你回去告诉你妈，让她来找我。说我有话对她说。"

我不再说话。

校长等了我一会儿，然后，他独自出门，说让我好好想想，就出去了，并把门在外边反锁上了。

我呆在校长室，中午来临了，我感到很饿，然后饿过劲了，我就睡着了。等我醒来时，已经是傍晚了，我感到困，仍想睡时，门开了，妈妈走了进来。

她看见我，就冲过来，紧紧抱着我，那时，我的眼泪流了出来。

我对妈说："不是我写的。"

我妈没有看我，她只是很客气地对校长说："你应该早点告诉我，你们不应该把孩子关起来，你们是学校。你不能这样对待我，还有……这，孩子。"

妈妈说话很文明，校长也显得有些不好意思。

但是，我还是感到了母亲语气中的某种说不出的味道。

校长说："这个孩子思想太复杂。要加强教育。"

妈妈带着我，离开了校长办公室。走在过道时，她说：

"儿子，你为什么那么不懂事？"

妈妈的语调温和，这更加让我伤心。这句话直到现在还经常回荡在我的记忆里，像是教堂的钟声一样地此起彼伏地绵绵不绝，有时又像湿地上空的昆虫，若隐若现：

"儿子，你为什么那么不懂事？"

4

我当时没有想到这件事几乎让爸爸跟黄旭升她爸爸一样去自杀。

以下的描写来自于多年以后别人对我的叙述。

校长在离开了自己的办公室之后,来到了父亲所在的单位,他从东门进楼的时候,与一个人撞了个满怀。他认了出来,这就是著名的设计师刘承宗,当然也是我的爸爸。

爸爸也认出了他是校长。所以就抓紧时间对他笑了一下。

校长没有笑,他对爸爸说:“你的眼睛长在勾子里了?”

当然,这是一句骂人的话,父亲听得懂。他在新疆呆了很多年,知道这句话的意思是:你的眼睛长在屁股里了。但是,他想不到的是为什么这话能从校长这样有着良好教育背景的人嘴里说出来。

校长看着父亲,就好像他是一个沙袋。

父亲没有作任何还击,他只是想不通,一个平时还算温文尔雅的知识分子怎么会这样说话,即使现在是非常时期。

父亲的身上处处是油彩,他很愿意这样,这是他的保护色,即使母亲不止一次地想为他洗这件衣服,他也不肯,因为有了色彩,就说明了他是一个很忙碌的人,他在忙什么?为伟人画像。就像是乌鲁木齐有他设计的重要建筑,同时也有他画的巨幅画像。什么朝代都离不开刘承宗,人们,时代,社会,都需要他。

校长憎恨地看着父亲,说:“是你教唆儿子写的吗?”

父亲不知道对方说的什么，就说："谁？儿子？谁的儿子？"

校长："少装糊涂。"

父亲像是真的明白过来了："写了什么？"

校长说："反标。"

父亲大惊："在哪儿？"

校长说："在哪儿，在哪儿？你说在哪儿？在学校。"

父亲害怕了，问："写的什么内容？"

校长说："打倒毛主席。"

父亲的眼睛睁得大了，他拚命看着校长，没有想到这话能从校长的嘴里说出来。

校长说完了吓得差点就地倒下，他看看父亲，想判断对方是不是会抓住自己。在这段时间里，他的眼睛一直在眨着，就像是天上的星星，里边甚至透出了可怜的光。

父亲没有继续为难校长，他只是想保护自己，他说："那跟我儿子有什么关系？"

校长似乎获救了，他说："大家揭发，我们查实，就是刘爱写的。"

父亲的腿一软，就坐在了地上。

校长离开了父亲，他进了一间明亮的大房子。

尽管曾打过父亲耳光的范主任说刘承宗这个人最近画像画得很多，很辛苦，没有功劳，也有苦劳。

但是，校长却不同意，他说打着红旗反红旗。

范主任对旁边的一个人说，去，把刘承宗找回来。

5

我永远忘不了爸爸那么可怜而惊恐的眼神。他显然不希望自己有一个像我这样的儿子。

晚饭就摆在桌子上,已经凉了。

妈妈坐在我的身边,她怕爸爸对我随时采取极端行动。

爸爸的可怜变成了狰狞,他开始狠狠地盯着我。

妈妈一下子站起来,挡在了我和父亲之间。

父亲的手握紧了,但是他看到了妈妈坚定的眼睛。她说:"不是我们写的,我们不能承认,死也不能承认。"

我现在经常想,为什么女英雄很多,她们经得起折磨,而男人的懦弱和缺少忍受力使他们注定会成为叛徒。

爸爸说:"你不承认就行?他这次是冲着我来的,冲着我来的。"

妈妈说:"要不,我去找找他?"

爸爸一听妈妈说要找校长,就像被针扎了一下,浑身僵硬着。

我有些无所适从,心里很后悔在反标旁边写了打倒李垃圾几个字。

突然,爸爸朝我冲了过来,他伸手要打我。

我灵活地躲开了。

爸爸扑了个空,他像酒瓶子一样地倒了下去,然后摔在了地上。

我永远忘不了爸爸那么可怜而惊恐的眼神，妈妈坐在我身边，晚饭摆在桌子上已经凉了。

母亲仍然挡在了我的前边，像是看着一个敌人一样地看着父亲。

我也看着他。

钟表的声音响亮地叫着，像是婴儿的渴望奶水时的呼喊，这说明时间总是在走着自己的路，我们的一切活动都包括在时间里。时间最大，人类最小。

爸爸躺在地上，开始像个可怜虫那样地哭泣，他开始用手打着自己的脸，说自己前世为什么没有……现在却生了一个像我这样的儿子。爸爸还再说着："我都承认了，我不承认不行，我知道不是刘爱写的，可是我却承认了，说是我指使的刘爱。我没命了，我活不长了，我只恨不得现在就去死。"

他一下下地打着自己的脸，本指望妈妈上前去拉他，他在对着妈妈撒娇。

可是，妈妈没有动，她因为恐惧而产生了对于爸爸的仇恨。

爸爸得不到安抚，于是更加想伤害自己，他开始猛地抽打着自己的脸。每一巴掌打在脸上都很重，那响声像是哈萨克人抽打自己的马匹发出的啸声。爸爸边打边等待着，他希望妈妈来拉住他的手，他想在妈妈的温情下撒娇。

但是，妈妈没有动，她今天恨爸爸，她为爸爸的行为感到难过，她头一次对爸爸说："我对你有些失望。"

6

人总是这样的，从来都是亲近的人互相伤害。最残酷的行为往往发生在亲人之间。我是指心理上的。

妈妈对爸爸的失望,使爸爸无地自容。他恨自己,也恨母亲,因为母亲的眼神让他受不了。

我对爸爸说:“我没有承认,因为不是我写的。更不是你教我的,你为什么要承认?”

爸爸不说话。

晚上,当夜深的时候,我装着睡着了。我以为妈妈又要抱着爸爸呻吟,可是却听到了拖鞋的响声,爸爸的脚步声渐渐地来到了我的身边。他看着我。

我闭着眼睛,显出睡得很熟的样子。

他站在那儿,身体与我的胳膊紧挨着,然后,他开始抚摸我的脸,头发,渐渐地我感到了他的嘴在我的额头上,脸上亲着,里边含着很多激情。

我的眼泪流了出来,我睁开了眼。

爸爸有些惊讶,轻声说:“你没有睡着?”

我点头。

爸爸看着我。

我也看着他,我说:

“你为什么要承认?明明不是我写的,你也从来没有教过我。”

爸爸想了想,说:“爸爸承认了,只是爸爸自己的事,就没有你的事了。你还小,别人只能找爸爸,你好好上你的学。”

我说:“不是我写的,你为什么要承认?”

爸爸苦笑,说:“等我死了,你老了,你就会明白。”

我说："妈妈呢？"

爸爸说："妈妈出去了。"

我说："干什么去了？"

他说："不知道，反正出去了。"

说完，爸爸紧紧地搂着我，并说："你也紧紧地抱着爸爸。"

我伸出双臂，也紧紧地搂着爸爸，他身上充满着汗味，还有油彩味，我觉得我从来没有跟爸爸抱得这么紧过。

7

奇迹有时会在爱之后发生。

我与父亲紧紧地搂着，白天终于来了。我所说的奇迹与白天是一起来的。

我像往常一样地来到了学校。

当我走进教室的时候，我发现校长已经到了我们班。而且，他对我的态度有了明显的变化。他仔细地看着我说：

"你长得不像你爸爸，像你妈。"

我觉得奇怪，校长为什么会这样讲话。

我长得不像我爸，像我妈，这一切跟他有什么关系呢？

以后，过了若干年之后，我想起来这个细节，心中就会猛地疼痛着。北京话说操你妈。你想，当你妈被你的校长操了，她是为了保护你和爸爸去干的这件事，你能说什么呢？说你妈是妓女吗？

班主任老师在讲台上说："今天全校的各个班都要进行一次

测试。我们每一个同学，都要拿出一张纸，在正面写打倒二字。在反面写毛主席三个字。听清楚了，在正面写打倒，在反面写毛主席。不能写在同一页上，谁要是写在同一页上，谁就是反革命。”

这时，黄旭升走了进来。

她阴沉着脸，就像是乌鲁木齐永远没有阳光。她缓缓地走着，来到了我身边，坐在了椅子上。

郭培清看着黄旭升，说：“刚才我说的话你没有听见，再重复一遍，给你们一张纸，正面写打倒，反面写毛主席三个字，不能写在同一页纸上。”

黄旭升仍是低着头，她没有看任何人，只是看着自己的脚。

郭培清说：“发纸。”

纸被发到了每一行课桌的前排，每个人都取一张，其余的就往后传。传到我这儿时，我拿了一张，我看着黄旭升，她像没有看见传到了她桌上的白纸。

她身后的人说：“快点。”

黄旭升听到有人催她，就本能地翻了一下白眼。

我说：“你往后传呀。”

她又冲我翻了一下白眼。

我忍不住地笑了。

她竟也冲我笑了起来。

我拿着这张白纸，竟有些激动，我觉得还是有道理可以讲的，眼前的办法就很科学，每个人的字体都变不了，这是最有意义的测试。可是，仅仅在昨天，他们还非要逼着我承认，是我父亲让我写的。我又想，昨天是阴天，今天出太阳，看来晴天就是比阴天好。

我低着头，拿着纸，想写又有些犹豫起来。我真的要完全用自己的笔体写吗？我可以改变一下自己。又一想，觉得自己这是在要小聪明。这时，周围很多人已经写完了，我也不能再拖，于是，我按照要求写了那五个字，分别在纸的正面和反面。

老师开始收，他让每个人还按刚才的方式传回去。

当我们所有人都交了之后，只有黄旭升还在愣神。她把纸用身体压在自己的桌上，沉静在幻想之中。

郭培清走到了她的跟前，说："你写完了吗？"

黄旭升点头。

"那给我吧。"

黄旭升看看老师，又摇头。

大家都笑起来，觉得从她爸爸自杀之后，她的确有些不正常。

老师大声说："别笑。"

然后，老师伸出了手，像是一个乞丐那样地说："给我。"

黄旭升渐渐地把身子抬起来，把那张纸交给了郭培清。

老师接过那张纸，只是随便看了一下，然后，突然他大叫了一声，呵——

我朝老师苍白的脸上看去，他完全丧失了自制力，眼睛变得散光，那张纸在他手中颤动。

全班的目光都涌向了那张让老师失去理智的白纸，上边仅仅在正面写着五个字：

打倒毛主席

老师过了不知道多久才从慌乱中缓过来，高叫着：

“抓现行反革命。”

全班人听到召唤，全都起身朝黄旭升冲过去。

黄旭升哭起来。

我感受着大家的热气，浑身发麻，像是被风吹出了鸡皮疙瘩。

第二节课是英语课。

王亚军进来时，没有人喊起立。黄旭升已经被拉到了校长办公室。

大家兴奋地说着话，就好像根本没有看见王亚军这个人。

王亚军站在讲台上，他看着我们。眼神中有着无奈。他等了很久，大家没有想静下来的意思，他走到我跟前，问我：“黄旭升呢？”

我说：“她是反革命，已经到了校长那儿了。”

王亚军听后，急匆匆地走出我们教室。

8

半年一晃就过去了。

从那天开始，我们又不学英语了。

我们不仅不学英语，而且，我们都不上学了。

学校又关了门，那座淡黄色的楼上充满了尘土和阳光照耀的蜘蛛，里边安静极了，像是一座鬼楼。

现在回想起来,在记忆中一片模糊,我们为什么不学俄语,不学维语,要学英语,现在又为什么停课,让我们成了一群没有人管的孩子,这其中的底细我是无论如何也说不清,我们不能决定任何事,无论被谁生下来并且在哪儿出生这样的大事,还是学什么,不学什么这样的小事,我们都无权决定。

不上学的日子真好,你早上起来,看着窗外,心里一片轻松,没有竞争和自尊的压力,没有想在同学面前显露一下的肮脏心理,没有,什么都没有。

我在这样的情况下,忘了阿吉泰,也忘了王亚军。

偶尔,我看到王亚军从学校的楼里出来,挺拔地走着,穿着还是那么讲究。他朝远处走去,他是去干什么呢?在我们童年的内心里总是会有这种疑问:这些大人,他们每天走来走去,他们到底是在干什么?

9

湖南坟园成了我们的乐园。

我们天天在打仗。

这种玩法现在说起来很没有意思。

一群男孩子分成两边。

分别躲在两道围墙的后边,用石头攻击对方。我以为我这一生都会这样地打来打去,直到有一天我长大了,就跟大人们一样,也开始走来走去。

李垃圾是灵活的孩子,他是惟一的一个敢在围墙上抬起头来观察对方的人,因为他机警,所以当对方的石头扔过来时,他总是能看着石头,闪过去。这一招别人不会,所以李垃圾成了英雄。可是英雄也有眼睛不好的时候。

李垃圾那天刚抬起头,还没有来得及观察什么,石头就已经打在了他的左眼睛上,听到哇的一声,李垃圾大哭起来。

我吃惊地看着身边用手捂着眼睛嚎叫的李垃圾,血从他的手指缝中渗了出来。

两边的战斗停止了,大家都围着李垃圾。

李垃圾疼得咧着嘴。

我说:"快送门诊部。"

在门诊部里,我竟然意外地又看到了黄旭升。

她正在打针,看见她我眼睛一亮,已经有很多天没有在楼里再看见她了。从她成了现行反革命之后,神经就开始有毛病了,医院检查说她得的是神经官能症。在那些天传说很多,有人说她会被送到大洪沟煤矿,有人说她会被送到南疆的巴楚县去劳改,有人说她是小孩子,十五岁以下杀人都不犯法……

我说:"这么久,你去哪儿了?"

她说:"昨天刚从湖南老家回来。"

她问我:"怎么了?"

我说:"李垃圾的眼睛被打伤了。"

她有些鄙视着我,说:"你还玩这些?"

我说:"那我玩什么?"

她说:"我天天都在看英语课本。"

我说:"我的课本丢了。"

她说:“你爸爸不打你?”

我说:“你爸爸才打你呢。”

她不再理我。

我知道自己说错了,其实,我本来并不想提她死去的爸爸。其实,我想对她说:学校都关了门了,还学什么英语呢?

我想了想,又说:“刚才我们在湖南坟园,我看到你爸爸的坟了。”

黄旭升的眼睛里立刻就充满了不幸,她不说话了。

我去包扎室看李垃圾。

他的左眼睛上蒙着一块纱布,在他脸上又恢复了那种兴奋和轻松。

我站在一边看着他。

他说:“看,有什么好看的?”

我笑了,说:“看你眼睛瞎了没有?”

他突然说:“我那天看见阿吉泰了。”

我的内心一颤,说:“阿吉泰?”

他说:“她的屁股更大了,好像个子也比原来高了。”

我说:“你在哪儿看见的?她在干什么?”

他说:“不告诉你,免得你要流氓。”

我不吭气。

现在回想起来,那是个非常重要的日子,因为在那一天,几乎让我忘掉的阿吉泰又出现了。

我们离开了卫生所,在黄旭升忧伤的目光下,我挺直着走,就像王亚军一样。

我们回到了湖南坟园。

我们俩爬上了一棵歪扭的老榆树,坐在那儿,看着远方的雪山。

我说:“阿吉泰不是去南疆了吗?我听说她去了喀什,她妈妈的老家。”

李垃圾说:“你是不是球涨了?”

我说:“你才球涨呢。”

他声音自然地说:“我的球就是涨,每天早上,不到七点,我就睡不着了,我想起来阿吉泰,我的球就涨起来。”

李垃圾说出了我的感觉。

跟他一样,每天早上七点,甚至更早些,六点多钟,我甚至还在梦里的时候,就会有他说的那种感觉。乌鲁木齐时间,比内地总是要晚两小时,我说的七点,相当于你们的五点,六点相当于四点,以此类推,减去两个小时。一个孩子,他在四点钟的时候,就开始像大人一样地出现黄色的梦境,这多可怕?

10

那天晚上,我失眠了。

在我的眼前总是出现阿吉泰,她的胸部,还有她的腰,她的皮肤。

我想着她,就忍不住地一直摸着自己的生殖器,我觉得只有这样才舒服。

第二天,六点钟,我就从睡梦中醒来,我发现李垃圾说得对,我们真是一群球涨的孩子。

吃过早饭,爸爸妈妈刚走,我就朝商店跑去。

商店还没有开门,我在很远就看到了那儿围着一群男孩子,他们有说有笑。

我凑过去时,李垃圾最先看到了我。

他说:“你来干什么。”

我说:“我,我买瓜子。”

他说:“你买球的个瓜子,是来看阿吉泰的吧?”

我说:“你才是看阿吉泰的呢。”

孩子们都笑了。

商店门开了,我们冲进去,可是阿吉泰还没有来。

我们无聊地在这个小商店里闲逛。

这时,李垃圾指着一个玻璃做的器皿问我:“这是什么?”

我说:“是吸奶器。”

他说:“吸奶器是干什么的?”

我对李垃圾说:“就是你妈生了你妹妹,她的奶太多,就跟牛奶太多一样,就拿这个吸奶气,把奶吸出来,不然,她的奶太涨,就疼。”

柜台里边的阿姨笑起来,说:“现在的孩子,什么都知道。”

李垃圾说:“你妈的奶才涨呢。”

阿吉泰就是那个时候出现的,她从里边的门走出来。像阳光一样照在商店里。

我们这些小男孩儿都呆住了,全都看着她。

我发现在所有这些男孩子里,除了像我和李垃圾是一个班的,还有别的班的,还有外校的,大家都凑在这儿,假装看着商品,却把另一只眼睛投向阿吉泰。

阿吉泰走过来,她似乎认出了我,说:“你来买东西?”

我一时不知道说什么才好,张着嘴,半天还是呵着。

阿吉泰笑了,说:“你英语学得怎么样?”

我说:“国际音标都学了。现在忘光了。”

她说:“我听说学校又要上课了,你们又能学英语了。”

我没有心思听她讲学校的事,我只是注视着她的脸。我不知道自己为什么会那么大胆地看她。

阿吉泰似乎有所感觉,被我这个孩子看得竟有些脸微微红起来,然后她又重复着说:

“听到了吗?学校又要上课了。”

在那时,我的眼睛里只有阿吉泰一个人,李垃圾和所有的其他男孩子都在瞬间消失了。我的眼中只有这一个阿吉泰。尽管她是一个大人,而我是一个孩子,但是异性的吸引没有大小,这是永恒的真理。

真理就是真理。

阿吉泰就是阿吉泰。

第 五 章

1

秋天来了,我不知道该怎么样形容乌鲁木齐的秋天。

纪晓岚在他著名的《阅微草堂笔记》里是这样形容的,他说乌鲁木齐的水很甜土地很肥,出北门几里地就是湖南坟园。

其实,我很早就发现了我现在所写的这个地方与纪氏在百多年前的笔记中所写的……是同属于一个地方。

他那时住在阅微草堂,他家几乎就在乌鲁木齐河旁边,在这样的秋天里,鉴湖水中的倒影全是灿烂的金黄色，他在湖边散步的时候常常像屈原一样地在水里照照自己的面容。他会发现自己有些老了，前途如何不知道，他最关心的是老板是不是还会想念着自己，就像他纪晓岚没有一天不在想念着老板，并等待着老板的召唤一样。他的期待让他内心隐隐作痛，水里的影子更显得湿淋淋的，他的目光有些模糊，因为水面始终在颤动，让阳光变成碎片，斑斑驳驳，把天山高贵的轮廓搅得如同被这个世纪污染的一号冰川。可是，当纪昀举目望去时，满目的金黄色让他安慰，他会对自己说也许你来的这个地方还真不能说是世界上最差的地方了。因为有鉴湖，有乌鲁木齐河，还有湖南坟园……所以这些东西都在滋润着他的生命，让他在这两年里的心灵得到调整，于是花花世界和老板一起都变得遥遥渺渺。他生活在乌鲁木齐的时候可能心情真是又坏又平静。坏的是自己被老板扔了，平静的是，他可以像我一样天天写作。

这么说吧，我和纪氏在那样的地方同住，我们是邻居。

纪晓岚是我的邻居，而王亚军是我的老师。

我是想说，有这样两个人给我的精神垫底，那么此生在这个世界上，还有什么问题是我想不通的呢？

2

王亚军再一次朝我走过来的时候，我甚至没有看见他。

学校的大门终于打开了。我从正门走进去时，稍稍感到有些异样。在这些天，从来都是只开靠近小楼那边的一个侧门，那些还住在里边的老师们都是从小门出入的。我进了大门口的厅,上了几步台阶,然后走在了水磨石铺就的过道里。地面闪着光,几何图形和多种色彩被踩在脚下时,让我有了一种走进殿堂的感觉,那种感觉让我想起我卑微的父亲,而且我认为他很伟大。从湖南坟园的阳光下跑着冲进了学校里那狭长阴暗的过道里,任何人的眼睛也适应不了。我的面前总是模糊,泡沫斑斓的色彩像是风中摇晃的青苗,它们时隐时现,使我像是瞎子一样地总是怕前方会碰着头,那种感觉又使我想起了我伟大的父亲,而且我认为他很卑微。

夏天让我的皮肤变得黑了,也夺去了我头脑中几乎绝大部分的英文单词甚至于我在春天里已经完全掌握了的国际音标。

想想真是有意思,有时候你在春天里得到的东西,还没有经历秋天,仅仅是在夏天里,就丢失了。

当我最终认出了那就是王亚军的时候正有一丝阳光从厕所开着的门里射进来,把学校阴暗的走廊照亮,这种感觉让我的记忆总是出现问题,也许阳光不是从厕所进来的,而是从王亚军身上发出的,王亚军像太阳,照到哪里哪里亮,哪里有了王亚军,呼儿害哟……他从黑暗的尽头朝我走来,他走得很快,就像是要参加节日的庆典。

我走到他跟前时,有些腼腆,想躲过去,我担心他已经不认识我了。

其实,小人物们常常误解了大人物的记忆力,以为他们是真的记忆力不好了。不对,除非他压根就不打算再认识你,否则,他是不会忘了你的,就像是你也没有忘记他一样。我们原谅大人物记不住我们，是因为我们懦弱，恐惧，还有，那就是我们与他们之间距离遥远，就像是你把自己的一只脚浸泡在春天的乌鲁木齐河里，那种冰凉让你想起了他遥遥的源头是天山深处的冰山一样。

他看看我，匆匆的脚步缓了下来，然后，他站住了。

不知道为什么，许多年之后，每当我想起来他停下的一瞬间，他的头发在晃动的刹那，我都会非常的感动。他真的可以不认识我，就像是这个世界上从来没有过一个大人跟一个孩子曾经有过对话一样。就像是他身上的香气从来没有感染过那个孩子，让他止不住地面对一个男人觉得自己肮脏。

他看着我，似乎在判断我还记不记得他是我的英语老师。因为时光过了一个季节，那可是整整的一个夏天。因此，我由于紧张和羞怯，而根本不敢叫他一声老师。

我们就那样地站着，有好一会儿，他才说："复课了，你高不高兴？"

我说："我们还学英语吗？"

他说："我还是你们的英语老师。"

他的身上仍然散发出香水的味道，他说话时还是那样地看着你，就好像他刚认识一个有意思的人，他显得很兴奋，精神很好，两眼亮晶晶的，就像是在晴朗夜晚空中的星星，又像是天山上闪着遥远光亮的石头。

我今天几乎很难想象一个大人会像他这样，即使是在一个孩子面前，他也老是挺着，他累吗？他的兴奋是从哪里来的？他始终在微笑，穿的干干净净，裤缝笔直，在竖直的衣领上露出一点点白色的衬衣。他总是这样目的是什么？是因为爱情吗？

老师的世界对于学生而言永远是神秘的，成年人每天做的事情，是一个男孩子根本无法想象的。也许，他真的是为了爱情，在他附近有一个女人，他因为爱她而每天都让自己通体干净，散发出香气。

也许他没有目的，仅是一种习惯，有的人天生爱洗澡，而有的人不爱。

我说："我已经忘了国际音标了。"

他说："全都忘了？"

我点头。

他说："一个都记不住了？"

我犹豫了一下，仍然点头。

他坚定地说："不要紧，我们再从头学。"

3

教室里再次充满了欢笑，所有的人都像是刚度完假，从外地回来一样，朝气蓬勃，脸上长满了阳光。

我们很快就把丢失的英语单词捡了回来，学过的音标才不到一个星期就已经全部恢复了。我发现自己又能学着林格风的唱片一样诵读课文，王亚军有一种丰收的喜悦，当场表扬我说："刘爱有一种绅士风度，男生应该像刘爱一样。"

班里很静，大家都忍不住地看起我来，绅士这个词用得真是太新鲜了，要知道那可是在乌鲁木齐。

王亚军在黑板上写了“绅士”这个词，然后又写了英文的gentleman，他领着大家读了几遍，说：“绅士就是有教养的男人。”

我发现从那天之后，当我模仿着唱片上的口气说英语时，大家已经不太笑了。

黄旭升明显地对我产生了更多的尊敬。

只有李垃圾一个人，他还在故意笑，他甚至于当着全班同学的面，说：“你看他那个球样子。”

我停下来，看着他，然后想了想，又开始继续读课文。

下课了，李垃圾在过道跟大家说阿吉泰，他说得自己神采飞扬：

“阿吉泰下班了，我知道他每天在几点下班，我在门口等她，那天等了半天，还不见她出来，我就进去了，她正在里边换衣服，她看见我，也没有让我出去，在商店后边的院子里，她穿得少，换衬衣的时候只穿一件背心，我进去的时候，她正在穿，她把胳膊抬起来时，我看见她的那儿——”

李垃圾说着指指自己的腋窝，说：“就是这儿，我发现她那儿的毛特别长。反正比我姐姐和我妈的都长多了。”

过道里围着他的男生们都大笑。

李垃圾说：“笑球呢，你们不信？”

有人说：“说，谁不信了。”

李垃圾继续说：“阿吉泰看见我，对我说，你们学英语学得咋样了？我说，球，英语没球意思，还不如维语呢。她就笑了。又说，英语课——”

武光打断李垃圾，说："别老说球英语了，说阿吉泰，她没说让你跟她一起走？"

李垃圾说："当然说了，你们猜她跟我说了什么？"

大家等待着，悬念产生了，李垃圾突然把声音压得很低，他有意看看周围，然后悄悄地吐出了一句话：

"她说，晚上你上我房子来，我房子就我一个人。"

大家哄的一声笑了，都说李垃圾吹牛。

李垃圾脸红了，说："爱信不信。"

我就是在那时走到了李垃圾的跟前，李垃圾看着我。

我说："谁那个球样子？"

李垃圾说："你那个球样子。"

围着的一群男生看我有些急了，气氛立刻变得紧张起来，大家闪开了，围成了一个圈，把我和李垃圾拥在了中间。

李垃圾笑着说："你看你念英语，那个球样子，有哪个儿子娃娃像你那个球样子。"

我感到自己有些无地自容，他的态度更进一步地激怒了我。

李垃圾说着开始学我，他学得很像，他竟然能把课文中的几句话背下来，他太有模仿天才了，而且，他的记忆力极好，直到现在我都在想，李垃圾如果好好学英语，那他一定能成为今天最好的外语节目主持人，他在学我的时候，已经显示了他的字正腔圆，当他说 There is radio on the desk 时，连读、起伏竟然都跟我一样，甚至于连我紧张时候的喘气，都学得比我更夸张，却又有我很标准的影子。

大家笑得更加开心，而这时，竟然连在一边跳绳的女同学们也围了上来,并一起笑。

李垃圾又开始学我挤眼睛,他每眨一次,大家都笑一次。

我看着他,猛然地抬手朝他的脸上给了他一拳。

李垃圾先是一愣,接着他明白了,先是捂了一下脸,接着就毫不迟疑地朝我扑过来。我们俩抱着,一直滚到了地上。

我们互相厮打着,最后当被班主任郭培清拉开时,我们的脸上竟然都是血。

郭培清让我和李垃圾去厕所洗干净。

我们来到了厕所里,我们不说话。

这场架反映出我和李垃圾的实力差不多,谁也不可能占更大的便宜。不像今天的美国和伊拉克,开始就能分出胜负。

洗干净后,我们被叫到了校长办公室。

还是那个校长,他正坐在那儿抽着一支烟,并看着一张《人民日报》,上边的社论在吸引着他,他对身边的老师说:“没有错,细细想想,法权思想很多人都有,就连我也不能例外。全面专政也提得很好。”

郭培清说:“校长说得对。”

校长:“什么说得对?”

郭培清:“法权,还有全面专政。”

校长笑了。

我和李垃圾站在他跟前好久,他才看了我们一下,当他仔细看清是我时,脸上出现了异样的表情,他对身边的郭老师说:“你先去吧,我跟他们谈谈。”

李垃圾看着地。

我看着天。

校长说:“是你,你们打架?”

李垃圾说:“校长,是他先打我的。”

校长说:“闭嘴,我还没有问你呢。”

李垃圾低下头。

校长问我,说:“他说你什么了?”

我看着校长说:“他说看你那个球样子。”

校长像是挨了骂一样地被激怒了,说:“李建民,你是这么说了吗?”

李垃圾说:“校长,我没有说你那个球样子,我说他那个球样子。”

校长一拍桌子,吼道:“说谁也不行。”

李垃圾跟我都沉默着。

校长想了想,对李垃圾说:

“你先回教室去,写检查,要写得深刻,要触及灵魂。”

李垃圾朝外走,到了门口,突然转身回头,看着校长,说:“校长,灵魂是啥?”

校长想说什么,灵魂……他憋了半天,才说:“你先不要管灵魂是什么,先回去写检查。”

李垃圾终于委屈地走了。

我当时也在想,灵魂是什么?为什么要触及灵魂?

校长却对我温和了许多,他说:“你坐下,刘爱,你是叫刘爱吗?”

我点头。

他开始抽一支烟，然后问我："你妈最近好吗？"

我愣了一下，他竟然会问我妈。

他看着我，似乎在等待着回答。

可是，我又在想，他问我妈，为什么不问我爸爸？他内心有鬼。

他狠狠地抽了一口烟，说："你，你爸爸好吗？"

我说："不知道。"

他停了片刻，又问："你妈最近在设计什么？"

我想起来妈妈每天都在设计的图纸，就说："防空洞。"

校长说："防空洞一定要修好，有你妈设计肯定不会差。不过，也是大材小用了。对了，听说你在班里有时很骄傲，还有爱出风头的毛病？"

我不吭气。

校长说："谦虚使人进步，骄傲使人落后，要跟同学搞好关系，不要骄傲，特别是不要总想着出风头，我听说你爸爸就爱出风头，结果怎么样？反动技术权威。"

我还是不说什么。

校长问我："我苦口婆心地对你说这么多，听见了吗？"

我仍是不说话。

校长再次狠狠地抽了两口烟，说："你回去吧，对你妈说校长问她好。"

我出去时，李垃圾竟然还没有走，他对着我笑了，显然，他不是一个记仇的人。

我也忍不住地笑了。

他说："校长跟你说了些啥？"

我说："没啥。"

李垃圾说："没啥？我都听见了，他说要问你妈妈好，怪了，为什么不问你爸爸好，偏偏要问你妈妈好？"

我说："不知道。"

他说："让你写检查了吗？"

我说："没有。"

他说："那为什么要让我写，还要触及灵魂。"

我们开始朝班里走去，过道幽深漫长，我又一次地想起了李垃圾问的那个词：

灵魂是什么？

4

黄旭升还是坐在我的身边，她已经完全正常，眼神里又全都是聪明和幸福，她的爸爸已经被人们忘记了，甚至于连她好像也都忘记了。你就是偶尔让她想起自己伸出舌头吓唬人的父亲，她也不会对你生气，更不会哭。

她妈妈又为她找了一个后爸爸，据说她后爸对她挺好，李垃圾甚至从玻璃窗外看见她每天吃完晚饭都会坐在自己的新爸爸的身上。显然，她是幸福的。

但是，对我来说，黄旭升最大的威胁不是别的，而是她正常了，那她就构成了我的最大的竞争对手，很有可能英语课代表会让她拿走。我们不能忘记历史，我的音标还是她教的。

王亚军没有立即确定自己新的课代表,他似乎有些犹豫,又在选择。他的这种暧昧让我想入非非,我期待着这次的机会能降临到我的头上。有时,他在带领我们读课文时,眼光偶尔朝我这儿看一下,就会让我感到自己有希望。

现在想想真怪,我真是一个热爱文明的孩子,当别人对英语不感兴趣的时候,我就想学好,而且,从小我就是那么渴望权力,当不上班长,也想当课代表。特别是英语课代表,我为什么会那么渴望?是因为我对英语这种语言天生有一种好感吗?那些远在天边的美国人和英国人应该高兴了?一个在天山脚下,乌鲁木齐的孩子在他童年时那样的年代里,竟然喜欢这种语言,这是什么原因呢?英语是靠什么力量征服我们这些在迷蒙中的孩子的?

有那么些天,王亚军总是自己回去拿留声机,他即不叫黄旭升帮忙,也不让我帮忙。

我在细细地观察着黄旭升,发现她似乎并没有为此而伤心,可是,我却不一样,我很伤心。我渴望帮着他拿留声机。我这是为什么?是因为想学英语的激情在燃烧吗?还是我就是想到王亚军的宿舍里去转转?

我有时会到王亚军的宿舍外边徘徊,期望碰见他,并对他说:

"让我当课代表吧。"

5

上学的日子总是漫长而无奈,只有英语课除外。

有一天,我在班里突然举起了手,当站起来后,全班的人都在注视着我,以为我又要出什么风头了。

王亚军看着我。

我问王亚军,我说:“在英语中,灵魂这个词是怎么发音的?”

王亚军一愣,脱口而出:“Soul。”

我又说:“是什么意思?”

王亚军显得有些惊讶,反问我:“你是说 Soul 吗?”

我点头。

全班静下来,连李垃圾也静了下来。触及灵魂这个词每天都在折磨着我们。我们共同产生了一个疑问:

What is soul?

王亚军看着我,当他发现我们都是认真的时候,他的喘气渐渐变得平稳了,他说:

“让我回去查查,这个词我也想过多次,我要好好查查,再想想。”

6

放学时,我跟黄旭升走在一起。

她突然说:“你是不是特别想当英语课代表?”

我点头。

她笑了,说:“男生里边还没有像你这样的人。”

我愣了,我没有想到她会以这种方式表达自己对我的不满。

她说:“你仔细想想,男生里有没有像你这样的人?你和大家不一样。”

我说:“我为什么要和他们一样?”

她看看我,突然说:“长大以后你想干什么?”

我说:“干革命。”

她又笑了,说:“人家没有问你这个,人家真的是问你想干什么?”

我说:“听我们楼上的嘎哩哩说,车床工挺好的,晚上八小时以后,是你的自由。”

她说:“那学英语就没有用了。”

我想了想,说:“那你想干什么?”

她说:“我想像你妈那样,当一个女设计师,我最喜欢你妈妈的样子了,比我妈文雅多了,她在外边总带着微笑,跟别人说话也声音很小,她不急,还有你妈穿衣服,也跟一般人不一样。我听说你妈原来在大学是校花,你爸爸到学校讲课认识的你妈,他们是师生恋,是吗?”

我愣了,说:“我不知道,谁告诉你的?”

黄旭升说:“我妈说的,我觉得我妈嫉妒你妈。”

我说:“我妈在家里跟在外边不一样,她经常对我发脾气,你长大了,别跟我妈一样。”

黄旭升愣了,说:“那跟谁一样?”

我说:“跟阿吉泰一样。又漂亮,又温和。”

黄旭升说:“阿吉泰对你们男生温和,对女生不怎么样。不像王亚军,对男生对女生都一样。”

我说:“还是对女生更好些,他给你单独补课,就没有给我补过。”

黄旭升已经对这个话题不感兴趣了，她突然想起什么，说：“我去湖南之前，有一天晚上在校长办公室看见你妈了，我妈带着我去找校长请假，敲了半天门你妈才从里边出来，我看见你妈好像哭了，脸很红。你妈平时脸都很白的。”

不知道为什么，黄旭升这话突然让我感到不舒服。尽管那时我才十二岁，但是，我隐隐感到妈妈与校长之间似乎有些什么。有什么呢？我不愿意多想了，即使是那时的我，也知道男人与女人单独在一起时，可能会发生什么事。

她说：“你不高兴了？真的，我没有骗你。第二天我就想告诉你，可是，我第二天就去了医院，以后回湖南了，就忘了。”

我说：“你会当英语课代表吗？”

她说：“我想当，王老师想让我当，我妈不让，我妈说王老师像流氓，大城市来的人思想品质都不好。”

我不想说话了，心里更加不高兴。

黄旭升看看我，说：“我跟王老师说说，让你当，好吗？”

我的眼睛里刹那间发出了光辉，我抬起头，看着黄旭升，说：“真的？”

她点头。

7

爸爸打开了收音机，他一听见是一个女人在唱京戏，就气急败坏地把收音机给关了。

妈妈说:“你换个台,听听新闻。”

爸爸说:“有什么新闻?都是那一套。”

妈妈说:“你别总是当着刘爱说这话,他出去胡说。”

爸爸不吭气了,他拿出来自己当年设计民族剧场的图,开始抽着烟自我欣赏。

妈妈鄙视地看了他一下,其实妈妈过去也曾多次跟他一起欣赏这幅对他们而言的杰作。那时,她这个比爸爸小十多岁的建筑系的学生总是用崇拜的目光看着他的。眼前的这个男人,虽然不是什么达官显贵,可是他有魅力,他懂得音乐,更懂得建筑,他也懂女人,他能长时间地跟类似于妈妈这样的女人说起普希金,要知道刘承宗是能够背诵诗歌的人。妈妈当时在他言语中那种特殊的音乐味里激动,与他一起腾云驾雾。

妈妈此时看着自己的丈夫刘承宗,眼光中有明显的不满与轻蔑,敏感的父亲早就能意识到那种眼神的可怕,但是他尽量装作不知道。妈妈在爸爸吐出的烟雾中故意咳嗽起来。她有意识地显示出很呛的样子,爸爸抬起头,看了她一下,仍然看着自己的图纸,并说:“我为什么会有这样的才能?为什么?在我今天看来都是那么不可思议。”

没有人理会他,只是他自己在那儿说。

他又说:“我多么希望再给我一次机会,让我工作,我不求别的,就是让我工作。”

其实父亲天天都在工作,他在画像,这是神圣的,他这样说话无疑是反动的。

他却还在说:“可是,我现在没有工作,我天天画着愚蠢的东西,就像上刑一样。”

母亲显得有些绝望,她看看我,又起身看着窗外,并把窗户打开,外边的喧哗声传来,是高音喇叭在响,纯正的普通话从遥远的地方传来显得有些含糊其辞。但是,足以淹没父亲像伤感女人一样的自言自语。

父亲可能有些嫌吵,他抬起头来,看看窗户,又看看妈妈,然后他把头低下来,继续看图,但是他的眼神也有些可怕,那种亮光明显闪了一下,这是一个信号。可是,妈妈并没有把窗户关上,她等待着爸爸说什么。

可是,爸爸什么也没有说。

妈妈显得有些无奈,就也拿出了自己正在设计的防空洞图纸,开始看起来,她边看边说:

“湖南坟园这块过去一直是湿地,地下水太多,要把防水作好。”

爸爸不理她。

妈妈对他说:“你说这种土质在结构上怎么处理才更节约一些?”

爸爸不屑于去谈什么防空洞,说:“好了,不要拿防空洞来折磨我了。”

妈妈说:“怎么是折磨?防空洞是为了打仗时保护人的生命,也是有价值的。”

爸爸冷笑起来,那声音像是喜鹊在叫一样,他说:“打仗?天天都说打仗。跟谁打?跟苏联?挖什么防空洞,劳民伤财。节约什么?天天都在像犯罪一样地浪费,还说要节约。”

妈妈不理他了，她放下图纸，去打开收音机，她开始听京戏，并学着唱了起来，妈妈有很好的音乐感觉，她学得很像：“我年龄十七不算小呀呵，为什么，不能帮助爹爹操点心，好比说，爹爹的担子有千斤重……”

爸爸突然再次笑起来，说：“你十七？我还十八呢。”

他说完，就冲上去把收音机再次关掉了。

我以为妈妈会再开开，可是她没有。

余下的就是最沉默的时间，有很久谁都不再说一句话了。

我在拼着英语单词，当拼到母亲这个词时，我轻声念了一下：“mother，”然后突然想到了什么，对妈妈说：“妈，校长今天让我问你好。”

妈妈的脸在瞬间就变得不自在了，她看看我，说：“嗯，好，你继续学英语吧。”

爸爸却突然站了起来，他看着我，忍了好半天，可还是走到了我的身边，对我说：“你在哪儿看见的校长？”

我说：“在校长办公室。”

他说：“你到校长办公室干什么去了？”

我猛地紧张起来，犹豫着，不想说真实的原因。

爸爸走得离我近了。

妈妈也紧张得朝我这边靠着。

爸爸再次说：“你到校长办公室干什么？”

我说：“我，我打架了，我今天念英语……”

我的“英语”两个字还没有落地，父亲仇恨的手就朝我打来，他狠狠地打在我的脖子上。他打完了第一下，又打第二下。

我没有躲闪,心中只有委屈与仇视,我盯着父亲,狠狠地看着他,尽管他打我打得很疼,我也仍然看着他,我想起了烈士们面对敌人的样子,内心充满了对抗到底的决心。

父亲真的被激怒了,他跳起来,开始在屋内寻找可以打人的东西。父亲不善于打人,他在我小的时候,从来没有打过我,他本身是一个温文尔雅的知识分子,但是今天他简直是想杀人了。

他在屋子里转着,像是在跳舞,他的脖子上抽着筋,完全跟一只公鸡一样地浑身上下的羽毛都在发着抖,他终于在床底下找着了一个鸡毛掸子,那掸子上的金红色的美丽的毛像风中的蜻蜓一样地在飞翔。父亲拿着它就像是拿着凶器,朝着我扑了过来。

我突然也冲过去,抓住他手中的鸡毛掸子,说:"你如果再敢打我,那我就去告你,说你……"

父亲愣住了,他看着我,说:"你说,说我什么,你说?你告我什么。"

我说:"我就说你说,你每天画的都是愚蠢的东西,像上刑一样。"

母亲突然冲过来,朝我脸上猛地打了一巴掌,她打得非常狠,就像打苍蝇一样,只听啪的一声,屋内回音荡漾。

父亲惊讶,不解,委屈,恐惧地看着我,就好像他是第一次见到我这个人。

妈妈费劲地挪过来,挡在我和他之间,乞求的目光看着父亲,说:

"要打就打我吧,别打他了。"

父亲的手高举在头上,他看着母亲,自己的嘴唇却在颤抖,眼泪一直在眼眶里闪,像一个高明的演员一样地没有流出来。

我抚摸着自己的脖子,感到很疼。但是我没有再看父亲一眼。

8

也就是在那时,突然有人敲我家的门。

黄旭升正在外边高兴地喊我。

我没有动。

只听见外边叫着我的名字,并喊着:“快开门,有事告诉你。”

我有些害怕父亲再次咆哮,但仍去开了门。

黄旭升与我一起站在过道里,她走近我一看,说你的脖子怎么被打破了?

我不吭气。

她说:“王亚军老师说让你去他那儿拿留声机,他同意让你当课代表了。”

我看着她,却高兴不起来,父亲的神经质与母亲像小偷一样软弱的表情老是在我的面前晃动。

这时,父亲突然出来,要拉我进家门。

我坚持着不跟他进去。

他无奈而绝望,竟然冲着黄旭升喊叫:

“你以后不要再到我家里来了。”

母亲也冲了出来,她对父亲说:“你怎么能对别人家的孩子这样呢?”她说着温和地看着黄旭升,并用手轻轻摸摸她的头发,又回头对我说:“刘爱,回家。”

黄旭升看着父亲发红的眼睛,有些不知所措,她微微张着口,就像是眼前的这个男人不是我那么体面、有教养的爸爸,而是一只猫头鹰。

妈妈这时先是把父亲拉进了屋子。

我不好意思地看看黄旭升,说:“你先回去吧。”

黄旭升看看我,说:“你们家咋了?”

我不理她,进了屋,关上了门。

屋里的沉寂让人难受,这时,外边再次有人敲门。

爸爸妈妈抬起头,互相看了一下,显得有些紧张。

我是真的渴望现在家里边能来人。

但是,爸爸妈妈谁也不说话,他们想装出家里没有人的样子。

门仍然在被敲响,而且越来越重。

爸爸说:“是不是黄旭升她妈妈找来了,那我就向她母亲道歉。”

这时,一个男人的声音喊起来:

“刘承宗,刘总。”

爸爸愣了,现在的人能叫他刘承宗就已经不错了,还叫他刘总,那是总工程师的时代,这个人是不是发疯了,他来自天外。

妈妈也显得有些糊涂,她看看爸爸,看看我,然后去开门。

9

进来的是范主任和一个解放军。

范主任介绍说这是马兰基地的领导。

他们在家里坐下。

范主任看见了扔在地上的鸡毛掸子,又看看妈妈脸上的泪痕,再看看我的表情,说:“夫妻吵架打孩子了?就是嘛,别人都说咱们这些知识分子文明,家里不吵架,跟工人农民不一样,其实有什么不一样,吃的都是五谷杂粮,穿的也都是棉布,我经常开玩笑说,我和工人农民早就打成一片了。哈哈哈哈。”

解放军也跟他一起笑起来,说:“不过老范,你们这些知识分子吵架和我们这些当兵的是不一样,你是北大毕业的吧?”

范主任说:“不,说起来不好意思,是清华。最早是美国鬼子办的学校。说起来真是不好意思,当时就想考高分,结果就考了高分。当时还自命清高,现在想想,真幼稚。我们真是要好好改造思想。”

解放军说:“都是为人民服务,范主任,你也不要总是自责。好了,跟刘总说说吧。”

范主任认真起来,他的表情让我再次想起了那天打爸爸耳光的时候。他说:“组织上有个决定,昨天就想告诉你,可是没有时间。简单说吧,基地要盖试验大楼,需要总工程师,你刘承宗即懂建筑,又懂结构,所以我们选定的是你,你有经验,又是技术……现在不能再说什么技术权威了……”

解放军这时突然严肃地说："但是，我们也需要技术。"

我在一边听着，从那时起，我对解放军的印象就永远是很好，他们天生不是为了打仗的，他们天生是来做好事的。他们在今天抗洪，明天地震救灾，当年他们进了我们家，我们家就得到了解放。

爸爸开始变得不知道如何是好，他双手时而互相搓着，时而他又站在那儿来回摇晃，他想为他们倒茶，家里却又没有茶叶了，他显得着急。

范主任笑了，说："刘承宗是个书呆子，他就是这样。"

解放军也笑了，他说："我们就需要这样的人。"

妈妈只能为他们倒了杯白开水。

范主任说："你去了基地，一切待遇都按照部队的，工资，服装，还有补助的白沙子糖，每月一斤清油。"

父亲的眼神里涌出了无限的希望，他问他们：

"试验大楼的建筑和结构都由我负责？"

解放军和范主任都点头。

我这时看着爸爸，突然又觉得他很伟大。

爸爸眼睛里渐渐地显现出感激的光辉，他说："谢谢组织上对我的信任，可是我有一个要求。"

解放军说："什么要求？家里有困难尽管提，我们部队尽量帮你解决。"

爸爸脸上产生了像革命烈士就义前的微笑，他说：

"我要求不给我任何待遇。只让我工作。"

许多年都过去了，父亲的话此时此刻还是像寒冷的北风一样地从很远的地方吹过来，它们盘旋在我的书桌上，把我的纸和笔都吹得来回动着，使我抑制不住它们的抖动。

爸爸的嗓音在颤动：

让我负责整个大楼。

整个大楼。

整个大楼……

10

深夜里，我被一种声音从睡梦里吵醒。再次听见了父亲母亲的大床发出的吱吱扭扭的声音，先是妈妈叫，然后是爸爸叫。

然后，我听见爸爸对妈妈说："我这辈子不求别的，就想一直工作到死。我就是累死，也要死在自己的办公桌上。"

妈妈笑了，那笑声在我听来无论如何都显得有些淫荡，她说："那我一定要想法为你买一张新办公桌。"

爸爸咳嗽起来。

那是幸福的咳嗽。

第　六　章

1

王亚军正对我解释着灵魂这个词。

那是在我为他把留声机送回了宿舍之后，我正想离开时，他让我先不要走。

然后，他说："你们不是想知道 soul 这个词吗？"

我一愣，先是不解，然后渐渐明白了，我都忘了，过了两个月了，可是他竟然还记得。

其实，我现在并不关心这个词了，我们当时的好奇与这个词本身的意义在今天、在昨天看来都是不同的。

他的语气很重，就好像这是个很大的词，他的态度严肃，就好像如果不以这种面目对待，他王亚军就不是他了。

而我那天恰恰有些疲倦，总是想打哈欠，却又不好意思张嘴，我是一个爱面子的男孩子，不能对像王亚军这样的人没礼貌。

他说："你好像精神不好？那以后再说吧。昨天晚上没早早睡觉，你干什么了？"

王亚军只是随便一问，可是，我却不知道该怎么回答他。

昨天晚上我去干什么了？说来不好意思。我竟然悄悄地跟踪我自己的母亲，我对她的怀疑天天在加重，特别是父亲离家去基地的这三个月里，我总是觉得母亲有些怪异，她甚至于在某一个晚上穿上了她多年不穿一直放在箱子里的高跟鞋。父亲不在，她穿给谁看呢？

母亲出门时，让我早早睡觉，她态度温和，刚梳过的头有些湿。我似乎感到了她身上也有某种香水的味道。

我说："你干啥去。"

她说："有事。"

我故意装着没有看她穿着的高跟鞋，但是，那鞋像是月亮一样地闪着光。

她说："妈妈一会儿就回来。"

我点头。

当她一出去，我就立即伏在了窗前，看着她出了单元门，然后朝学校的方向走去。我也下了楼，并远远地跟在了她的身后。

进了学校的大门时，我有些犹豫了，我这样做好吗？但是，高跟鞋的声音从远处传来。那是说明妈妈已经上了楼，朝二楼的某个角落走去。

我跟在后边，在昏暗的过道灯光下，看见妈妈修长的身影正在摇晃，她的个子比以往任何时候都要高。她本身就是一个高个子女人，现在穿上了这双鞋，就显得更高。在夜色里，别人是不会注意她穿着高跟鞋的，在那样的年代里，她竟然穿上了这种鞋，她真是疯了。

母亲走得渐渐快了，当她走到了校长办公室门前时，脚步竟然停了下来。然后，母亲还没有敲门时，那门就开了。我听见了校长的声音："怎么才来，我刚才已经在楼下等你半天了。"

门关上了。

我悄悄地到了门前，仔细地听着里边的动静。

母亲说："这鞋好看吗？"

校长不说话。

母亲说："你那么着急干什么，我就是因为要找这双鞋，才这么长时间。"

然后，没有人再说话了，似乎听到里边的地板上咚咚地响着，然后，就听到了母亲的呻吟声。

尽管声音很小，可是我却听得清清楚楚。

我肯定能想象出里边发生的事，我应该喊叫起来，可是我呆若木鸡。

许多年后，母亲对父亲忏悔，说她当时是被迫的，她是为了保护我和父亲。因为反标是要枪毙人的。她说她虽然不干净了，但是却是由于爱才这样做的。

父亲相信了她的忏悔,原谅了她,并更加尊重她,对她比以往任何时候都好。因为在父亲的理解中,母亲虽然这样做了,可是她的内心却在滴血,一个女人在这种时候所受到的折磨,远远超过了她们在受刑时的程度,比如说江姐在监狱里,别人拿针朝她的指甲缝里扎,那不过是肉体上的疼痛,而母亲却受到的是精神上的摧残,母亲承受的是我们这个民族的灾难。

父亲是个傻逼,他其实是个大傻逼。他被人骗了,并长时间地戴着绿帽子,却还想着一个国家和一个民族的疼痛,你说他是不是个他妈的大傻逼?

为了安慰父亲,心疼他脸上一再增加的皱纹,我始终没有告诉他,母亲那天是穿着高跟鞋去的,母亲在那些日子里没有被摧残,她只是在享受。

母亲在那个秋天里,却享受着春天里的东西,她在三十多岁时,却体验着二十多岁的激情,这其实是我人生中最重要的秘密,今天我把它说出来了,不管你们这些内地人听了这段故事之后,灵魂里是什么感觉,反正我这个新疆人乌鲁木齐人是从灵魂里开始轻松了。

2

一个人对他自己的母亲这样说三道四,真是不好,很不好。

可是,故事就是在那个时候发生的,那个时候父亲不在家,他已经走了三个月了。他经常给母亲写信,母亲也经常给他写信。这些信我以后也都看了,里边充满思念,当然不能说那都是假话。但是，只是想问，如果你妈跟我妈一样，发生了这样的事情，你们会像我这样说出来吗？或者这样说，通过对于一个像母亲这样被扭曲形象的描写，道出了一个时代的非正常状态，如果我没有把它们定性为那是一个民族的悲剧，你们会骂我吗？那我能怎么办，我最好还是不说，让它成为一个永远躲在坟墓里的东西，就像是湖南坟园里躺着的那些冤鬼，他们或者她们有多少有趣的、委屈的事？当时没有什么人说，以后只有少部分让纪晓岚给说了。

那是不是母亲一生中最愉快的时候？

我不能随便下这样的结论，因为她也是学建筑的，她不如爸爸那样出名，她清华大学毕业后没有留苏，她年纪太小，她只能作为爸爸的学生辈，在爸爸大谈自己的体会时，瞪着大眼看着爸爸，并且眼里全是柔情和好奇，当然也有敬仰。她肯定当时就已经彻底地垮了，她知道自己爱上了这个有激情的老男人，尽管这个老男人也才三十岁多一点。其实母亲那个时候正在与另一个女人暗中争夺谁是校花，她善于在舞台上诗朗诵，而还有一个女人，母亲有她的照片，她善于在篮球上表现。其实那个时候已经不太说校花这样的词了，可是她自己却偶尔津津有味地说着，就好像别人真的在当时很关心她的风度与美丽一样。其实，她长得比阿吉泰差得远了。不过，那是我的标准。

总之，母亲就是在那种心境下认识了父亲，他像是英雄一样地走过了自己的母校清华，同时，在自己的身后背着一个箩筐，母亲只是跟在他的身后观察了一小会儿，然后一阵风过，她与他开始相互致意，就被他装在了身后的那个箩筐里。她谈不上狂热,只是心里觉得这个从新疆回来的男人身上有种大师的风范。不仅仅是因为他的名气,还由于他的品德。他在跟母亲谈起建筑中的人性时,不光是说起了音乐,还说起了文学,甚至于哲学。他说了很多像母亲这样的女人根本没有想过,也从来没有注意过的名字。都是外国人。这是以后母亲的日记告诉我的。

父亲的成功是那天晚上,他把母亲带到了圆明园,在那几块象征着中华民族无限耻辱的石头上,父亲向母亲发起的进攻却取得了伟大的胜利。他不光是亲吻了母亲的嘴,而且还差点把母亲的裤子全扒下来。我在这里用扒这个词,无非是想说明大师的粗鲁之处。在胜利旗帜的飘扬下,有母亲的眼泪(那是一个少女的眼泪,一个女大学生的眼泪),还有她心中掠过的一丝阴影。她以自已敏感的内心体察到了父亲粗鲁或者说粗心的一面。

那时,太阳西下,山边上一片火红,当然,那是北京的山,不是新疆的山。新疆乌鲁木齐比北京要晚两个小时,圆明园里将要进入傍晚了,夕阳已经像是将熄的炭火了,而我那天山脚下的老家还是阳光灿烂的时候。

母亲在日记里说,父亲当时没有太注意她的感受,使她感到了这个男人有些自我中心,他的激情有些自私。其实,她早已作好了准备,让父亲把她的长发盘起,并为她作好嫁衣。可是,父亲的手在朝她那儿伸的时候有些急,把她弄疼了。

然后,是长时间的接吻,其实,母亲的日记显示出了一个像她那样的少女的自我中心和粗心,甚至于粗鲁。

父亲的日记里,也清楚地记下了圆明园里的那个傍晚。

爸爸作为一个进攻者,他似乎并没有描绘太多的园内的景色,诸如夕阳呀,青草呀,他只是强调了自己对于跟母亲头一次接吻的失望。他说,没有想到与她接吻是那么让我失望,湿漉漉的,远没有想象中那么好,为什么在她的嘴里会那么湿,这是他想不到的,令他惊讶无比。然后,当他开始把手伸向母亲身体深处的时候,母亲开始反抗,他说自己最多只摸了一下,就想去洗手。

父亲心中的阴影是那么巨大,他的感觉并不良好,他的激情在那个时候已经受到了打击。可是,母亲却只是想到了自己类似于失身的委屈,她真是粗心,一点也没有想到另一个男人在与她头一次接吻并摸了她的私处之后的委屈。

敏感的男人和敏感的女人彼此是那么不重视别人的委屈,而只想着自己,这是不是他们在以后的日子里特别需要思想改造的理由或者基础。

然后,圆明园里渐渐变得黑了,游人都已经走了,只有热恋中的父亲和母亲还呆呆地站在那儿,他们觉得有些冷,他们作完那事之后,有很长时间都没有看对方的眼睛,好像是互相一看就都会变成瞎子。

他们两个人都在日记里写下了晚上吃的是北京的炒疙瘩。上边有一层油,而且油并不太新鲜。父亲把母亲送到了校园门口,他本来还要求把母亲一直送到她的宿舍楼门口,但是,母亲拒绝了,她的内心很乱,需要自己早点想想,她想独自安静一会儿。父亲在回到自己的住处后,肚子不舒服,他拉稀了。

看来男人和女人的日记角度会经常不同,父亲写了自己肚子不舒服,晚上去了三次厕所,可是母亲没有写。

父亲和母亲多年来恪守着一个规矩,他们都有自己的独立空间,他们从来不互相看对方的日记。他们都有着自己的抽屉。而且,他们从不随便打开,既不打开自己的,更不会打开对方的。但是,他们以后有了我,一个他们爱情的结晶,是个男孩子,他长着母亲瘦高的身材,有着她那样白皙的像是女人一样的皮肤,却有着像父亲一样复杂的心肠。而且,这个男孩子从来不考虑父母的隐私权,他在很年轻的时候就打开了他们彼此的抽屉,把他们那点破事看了个够,他做着这么没有原则的事情竟然丝毫不感到羞耻,没有认为自己不要脸,这是不是物种的退化?

一个人在小的时候会偷看很多东西,你没有成人的权利,就只好在任何事上都当小偷。这几乎改变了他的一生。其实那个时候很多孩子都是在这种情况下走路的,他们的一生就该那样走,像小偷一样走。

不要以为我在这儿有多么悲愤,想控诉那个社会,就像是今天的少年老是想控诉教育制度一样,没有,我没有父亲进攻母亲的激情。我只是想说明自己是个小偷,因为没有很多权利,所以每样东西你都必须靠偷才能获取。

我想,偷这个词是这部作品的关键词之一,我不知不觉地把我故事流动的血液引向了这里,是我的讲述快成功了的标志,记住这点很重要。我就从来都没有忘记,我不能大言不惭地说,我曾为偷而深深忏悔,但是我记住了那个字眼,就像是我记住了母亲人生的污点一样。

她为什么要去做那种事,就算开始是被迫,她为了救我和父亲，因为反标的事情把我们家彻底压垮了，可是，后来呢，后来她一次次地朝那儿跑，还能说是被迫吗？再说，校长是她的校友，他跟母亲同出自一所大学。尽管在学校里他们并不认识，但是他们肯定用过同一个图书馆，甚至于借过同一部苏联人写的小说。他们先后来到了新疆维吾尔自治区乌鲁木齐市，他们都是这块土地上的精英，校长是不是不那么自我中心？他面对母亲时内心的节奏是不是更让女人感到能接受，透出了某种内在的文雅？于是母亲在一种特殊的情境之下朝他那儿跑，并在夜色中在没有人能看清她的情况下，穿上了高跟鞋，那时可是没有人穿这种鞋的，大家都穿着胶鞋，布鞋，我甚至想不起来有没有人穿皮鞋，当然，只有王亚军除外，阿吉泰除外。

那天晚上，母亲进家时，我装着睡着了。她轻轻地走过来，站在我的身边，看了我一会儿，那时她的身上香气袭人，那是一种从来没有在她的身上感受过的味道。在这种我十分排斥的香味之后，有一种我童年时那么熟悉的皮肤的清香，这种躲藏在后边的味觉让我心酸不已。我害怕自己会忍不住地哭出来，就装着对于灯光无限反感地转了个身，继续睡着。母亲关上了灯，然后，她回到了自己的屋里。我就是在那个时候下意识地摸了摸自己渐渐流出眼泪的脸。不能让自己的母亲看到自己流泪，而且，泪水里蕴藏着许多对于这个叫作母亲的女人的幽怨和茫然。

3

父亲回来了。

他走在我们湖南坟园大院里的路上,穿着军装,甚至还有领章帽徽。他穿的真是解放军的衣服,只可惜他没有一点点那种风度。他的个子不高,戴着眼镜,挺着脖子,背还有些驼。我想,有的人一穿类似于像军装这样的衣服就会显得威风凛凛,而父亲则是相反,这种衣服几乎把他压得趴下了。

但是,父亲的脸上是充满骄傲的,很有一些小人得志的意味。他走着,一上一下很有弹性,尽管浑身上下没有一个地方是伸直的,可是他还是朝气蓬勃,好像早晨八九点种的太阳希望全都寄托在他的身上。我那时就常想,人是不能太得势的,不能太走运,人只要是一走运,就会变。

现在变的是我穿上军装在马兰基地设计大楼的父亲,明天变的就会是我。

我是他的种,又能好到哪去?

父亲的这种走路的姿势本应该成为大人们的笑柄,可是没有人笑他。很多人竟都恢复了以前对他的称呼,叫他总工程师。

那时,我们正在上课,黄旭升对我说:你看,你爸。

我看着从远方渐渐放大的那个黑点,感到一点也不像。就笑了,说:那是个当兵的。

黄旭升惊讶地说:你连你爸也不认识了?

我再次看看,还是没有发现那是爸爸。

这时,下课了。

黄旭升大声说:你们看,刘爱的爸爸。他成了解放军。

这时,大家都凑到了不同的窗户跟前,一睹解放军的风采。

我从那眼镜片的闪光上认出了父亲,他走得近了,他本来就黑的皮肤现在显得更黑,只是两眼有种神气的样子。

大家都叫起来,说:刘爱,你爸爸真的成了解放军了。

只有李垃圾一个,他看着父亲走路的样子,说:他的军装像是偷来的。

有几个人跟着李垃圾的话语笑起来。

我看着走过来的父亲,竟有些激动。我想喊他一声,嗓子像是被堵着,嘴都有些张不开。我心里着急,现在的父亲不是那时天天画像的父亲,当时他缩着脖子,现在他挺着脖子,当时他挨人打,现在说不定他就可以打别人。黄旭升甚至问,你为什么不叫爸爸。我不说话。也不看她。她对我说,要是我,我就叫。说着,她的眼睛竟然红了。我知道那是因为她想起了她死去的爸爸。

班里的许多同学似乎都对这个穿着解放军衣服的男人感到兴趣,他们围在我的身边,就像是我成了明星,而舞台在窗外,里边只有一个演员,在他的四周是布景,原来我们从来不太注意的老榆树,还有长在屋前的骆驼刺,以及铺洒在父亲身边的光线和他脚下的阴影,一切都显得极其不同凡响。

父亲沿着校外的大路,朝我们这边走,有那么一刻,他朝我们这个窗户看了一眼,我以为他看到了我,我的内心有些感动。三个多月了,我都没有见到他。可是,父亲没有看到我,他的目光朝这边扫了一下显然是有些漫不经心的。黄旭升说:“你为什么不叫。你再不叫,他就走了。”

我仍然没有叫,我只要想象一下自己在父亲面前叫的样子,就会羞愧难当。

父亲进了学校的大门，我想他是穿越学校的过道，从西到东，从另一个大门出去，那是他设计的房子，他熟悉这儿的黑暗。

我们纷纷离开了窗户，刚才由于过于激动，所以一刹那间我感到了累，就像是刚刚参加完一场校队的比赛。我坐在那儿，看着前方，想起了李垃圾说的话：他的军装像是偷来的。心中开始产生怒火，我看了看李垃圾，心里知道他不过是想说句俏皮话而已，但是我还是感到自己受到了侮辱，我犹豫着是不是找他算账时，他却走了过来，说：我刚才不知道那是你爸爸。别生气。算我胡说。

李垃圾的道歉当时是让我吃惊，以后是让我终生难忘。然后他又说：穿着军装的人真是威风。咱们院子很少有穿上军装的人进来。我长大了一定要当兵，穿上军装，拿上枪，去霍尔果斯。

突然，奇迹发生了，父亲竟然出现在了我们教室的门口。穿着军装的他正在不停地看着我们班里的人，他的目光扫视着，想发现我在哪里。

黄旭升悄悄地为我让开了路，我朝他走去。在那时，我的心都要跳出来了，我更觉得自己像是一个演员。一路上我都看着父亲的眼睛，希望他也能看我的眼睛。可是，直到我走到了他的跟前，他也没有认出我来。当我站在他的胸前时，他的眼睛还在朝远处看，他甚至于认出了黄旭升。我站在他面前，推了他一下。他低下头，愣了片刻，忽然他意识到这就是他想见的儿子刘爱时，脸上出现了笑容，并说：你好像变矮了？

我一时不知道该跟他说什么。也许是父亲真的长高了。

他又说:把家里的钥匙给我。

当我把钥匙递给他的时候,他笑了笑,说:你好像就是变矮了。

4

父亲转身时正好碰见了王亚军。

王亚军向他点头。

父亲也向王亚军点头。

在那个瞬间之后的几年里,王亚军曾多次对我说那是两个绅士之间的致意。

王亚军看着父亲穿着军装的样子开始显得有些惊讶,但是很快地他就明白了,并且接受了父亲有某种尊严的现实。他首先对父亲笑着,然后伸出了自己的右手。

父亲先是愣了一下,然后,也微笑着伸出了自己的手。

我在小的时候就对大人们握手的习惯表示怀疑和不满。如果他们刚拉完屎呢,如果他们刚擦完屁股而又把屎沾在了手上呢,如果他们没有洗手,或者洗手又没有洗干净呢?这种事很有可能发生在大人之间。

爸爸的手与老师的手紧紧握着,好半天都没有松开。他们两个人的目光都是坚定的。我觉得他们两个人在那一刻都有些学着周恩来,目光坚定,手势有力,抬头挺胸,而且握手时还在有节奏地上下摇,那种不减的力度很像是俄罗斯人钢琴协奏曲中的最后乐章的高潮,能坚持得住,而且一环比一环要往上往前推,为什么叫高潮,那不是射精,而闭着气,并使气息不断地向下向上,向左向右鼓舞,并久久地坚持住,不是说泄就泄了。

反正爸爸与王亚军握手让我记住了一生,那是这两个男人在我眼前的第一次交汇。就像是两条河流终于在这儿碰到了一起,也许他们还会各自流向别处,因为他们本不是同一条河流,也许他们的归宿还真的是大海,可是他们在这儿相遇,并很有礼貌地笑着,神采中的浪花飞溅起来。直到父亲的手与他慢慢松开,转身走向他自己设计的黑暗的过道。

我想我在这儿反复说他设计了黑过道,不是在有意地贬低他,而在向你们说明他是一个设计师,不知道你们记住了这点没有,记住这点很重要。

王亚军脸上的笑容没有消失,他对我说,只是声音比平时要显得兴奋一些。他边说边从口袋里拿出了钥匙,说:"你去拿留声机,今天讲新课,要听唱片的。"

不知道为什么,看着那钥匙,我激动起来。他竟然相信我,把钥匙给我,他不怕我随便拿他房间的东西,他相信我品德高尚,是一个文明的好孩子。

我几乎是冲到了他跟前,接过了钥匙,沿着黑暗中的过道,朝王亚军的宿舍跑去。在快到校长办公室门口时,我再次与爸爸相遇。他看着我,正想对我笑时,校长从办公室里出来了,由于阳光的照耀,他的脸上显得很有朝气,白里透红,全然不是父亲的黑瘦的感觉。

爸爸看着校长,眼睛里闪现了一道冷光,然后,他的表情平静下来了。

校长看着爸爸,没有认出来,他只是把爸爸当作一个普通的解放军了,但是,穿军装的分量不同一般,所以校长礼貌地微笑着。

爸爸看着微笑的校长,竟然主动地伸出手去。

我倒吸一口凉气,再次看着两个大人的手握在了一起。

校长是突然认出爸爸的,在那一刻里,他显得有几分紧张,也就在同一时刻,他也看到了在一旁看着他们的我。

校长渴望尽快结束握手,但是,爸爸似乎不肯,他还是紧紧地握着校长的手,在他的脸上仍然有微笑,但微笑后边藏着杀机,而且就在那一会儿,爸爸的眼睛开始变得有些红了。两只手仍在握着,就好像他们是因为亲热而不愿意松开。

然后,是校长说:“要不要进去坐坐?”

爸爸说:“好。”

爸爸说完,就主动拉开了校长要关上的门,就像要进自己家一样地走了进去。

校长好像一时有些犹豫,被动地跟着父亲走进了自己的办公室。

那时门还没有关上,我朝里看着。发现父亲正在来回地审视着这间屋子,而且,他的目光先是停留在窗帘上,然后他四面寻找着什么,也许是在找床,但是,让父亲失望的是里边竟然没有一张床,他不知道看脚下,他没有意识到自己正踩在木地板上,有些事情就是在木地板上发生的。

那是从天山深处伐来的红松,劈开之后加工成两公分厚十公分宽的板材,一根根地很长地从这头铺向那头,地板温暖而柔软,就像是山上的草原一样,散发出松木的气息。那上边经常有两个清华大学毕业的老毕业生,一男一女在上边滚。

今天,又来了一位穿着军装的清华毕业生,而且还是从苏联回来的留学生,他想了解什么,却只是望着天,没有想到地下。

我也凑到了门口,我看着父亲,希望他的目光能冲着我,我说不定会以目光告诉他某些秘密,但是父亲没有看我,他脸上还带着微笑,接过校长递过来的一支烟,说着我不会抽烟,却也抽了起来。

我张开了嘴,不知道该怎么办的时候,门被突然紧紧关上了。

父亲抽完那支烟后与校长究竟说了些什么,这是我永远没有弄清楚的事情。两个男人在里边能说些什么?父亲会对校长怎么样?

父亲打校长,他可能不会是校长的对手。尽管校长显得比父亲和气,可是他比父亲高得多。尽管父亲有时会暴怒,甚至于自己打自己的耳光,那不过是神经质而已。校长不用那样,他只是平和地微笑着,就可以把全部的事情都做了。这其中包括与父亲的老婆睡觉。

不知道,永远也不可能知道了。

5

我悻悻地朝前走去,来到了王亚军的宿舍。

香水味从地下的门缝里钻了出来。

我打开门，首先看见的又是那本大词典。似乎那本书会发光，或者说它本身就能奏出某种我从未听到过的音响？要不为什么它能在那一瞬间就吸引我的目光，让我朝它走过去？

它其实很平静地躺在书架上。

我看着它，心里感到这是一部与自己有关的书。在这样的思索中，我开始在宿舍里转悠，就好像我是一个茫然的闲汉，不急着去做什么，而是要在这间屋子里像今天的女人逛街一样地消磨时间。我对王亚军的很多东西都发生了兴趣。指甲刀，红色的衬衫，鞋油，毛巾，蓝色的牙刷和牙膏，还有他床下放着的一个棕色的皮箱。

所有这一切都在吸引我。

这时，我又看见了他平时经常穿着的一件衣服，质地很好，说不定就是毛料的。深灰色，很挺，这样的感觉你只有看见周恩来在接见外宾时才有，我想起王亚军平时穿着它从大院中走过。他就是靠这些东西在引人注目的。

我拿起了那本词典，开始翻着。我似乎忘了时间，直到黄旭升突然推开了门，她走了进来，她对我说："你怎么了？王老师都着急了，大家等着听留声机呢。"我慌忙把那个大词典放回了书架。

她过来，看着大词典说："王老师曾说过，如果我好好学习英语，那他有一天说不定会把大词典送给我。"

不知道为什么，黄旭升的这句话让我特别生气，我几乎有一种愤怒的感受，今天想起来，这分明也是一种性别歧视。他竟然会把这本书送给她，凭什么，不就是因为她是个皮肤很白的女生吗？女权主义知识分子们，请你们注意，在男权社会里，当一个男老师面对你们女生的时候，你们真是受宠，男人对女生好是因为有目的，他需要女人身上的东西。男老师对女生好，也是一样，他们也需要女生身上的东西。那是东西和东西的交换。

黄旭升说："快走呀，大家都等着呢。"

从王亚军宿舍出来，我们经过了校长办公室。

我抱着留声机，突然站住脚，本能地朝里边望着，听着。

黄旭升说："你爸爸已经走了，我看见他从里边出来。"

我看着黄旭升，跟着她走着。

我们才走了几步，黄旭升突然又说："好像你爸爸脸上有点血，他用手绢在擦，但是没有擦干净。"

我愣了，问她："真的？"

她说："他的嘴角上红红的，就是血。"

我把留声机递给了黄旭升，转身朝校长室走去，刚走到门口，又感到不对。我冲进了厕所，我记得里边有一截破钢管，是换水管时扔在那儿的。我在装手纸筐的后边找着了那根管，我抓起了它，就朝校长室跑。

黄旭升竟然还没有走，她仍然站在那儿，看着我，她问："你怎么了？"

我站在校长办公室门口，用脚踢了一下校长室。

门开了，校长的脑袋探了出来。

我举起钢管，朝校长打去。

只听哎哟一声，还有噗的一下，我感到有血溅了出来，阳光从室内照在过道里，让血的颜色分外好看。

黄旭升吓得尖叫起来。

校长捂着头,一时有些慌乱,他还没有意识到发生了什么事。

当我把钢管再次举起来时,校长似乎有了反应,他躲过了我的打击,一把抓过钢管,狠狠地从我手中夺过去,然后,他用另一只手把我抓住。他的力气很大,我感到自己不是他的对手,我等待着他的报复。

校长的脸上流出了血,他顾不上擦,先是看着黄旭升,对她说:"不许对任何人说这件事,说了我就处分你。快回班上去。"

校长说这话时,阴暗的过道里十分安静,只有读书声传来。

黄旭升吓得抱着留声机朝教室快步走去。

校长回头看着我,眼里充满了杀气。

我也看着他,内心充满仇恨和恐惧。

他说:"你先回家去吧。"

我愣了,以为自己听错了,我以为他要把我朝死里打。现在钢管在他的手里,权力也在他的手里。他可以想怎么打我,就怎么打我。我早已作好了挨打的准备。

校长再次说:"快回家去吧。"

我这次认为自己没有听错,我开始后退,但是仍然惊慌地看着他,怕他改变主意,我刚才在愤怒之下的勇敢早已经飞到了九天之外,我神经质的冲锋不过是病人的挣扎。我不是英雄,我是爸爸的后代,爸爸的软弱和突然狂躁的冲动显然已经传到了我的身上,我其实是一个胆小的人。我那么热爱学习英语和普通话,就说明了我不是一个"儿子娃娃",我虽然长着球巴子,却不是一个真正的男子汉。

校长又说:“走吧,别回班上了,明天再来上学。”

我开始朝后退,眼睛还在看着校长,等待着他随时改变了主意,我挨打时能挺得住。

校长也掏出了手绢,开始擦自己脸上的血。

我慢慢地退着,当离开他有十多米时,突然,我转过身去跑起来。

过道里昏暗的灯光照着我脚下的木地板,我正在逃离死亡。我越跑越快,并感到了周围有风,还有王亚军在领着大家念英语,留声机夹在他们的声音中间。

那可是真正的林格风英语。

6

我进了家门。

父亲正坐在他和妈妈房间的椅子上。

看到了爸爸,我突然觉得自己身上又有了力量,我走到了他身边,想看看他脸上的血擦干净了没有。

父亲脸上没有一点点血,他只是坐在那儿愣着神。他没有穿军装,只是穿着衬衣,并把脖子那儿的扣子解开着。

我站在他的身边,半天没有说话,想要看着他,渐渐又有些不好意思。

爸爸说:“你怎么了?”

我不说话。

他开始认真地看着我，说："你为什么不继续上课？"

我说："班里没有课了。"

他说："你们不是有两节英语课连着上吗？"

我说："不上了。"

他显得有些愤怒，我撒谎的口气激怒了他，他突然说："到底发生什么事了？你为什么不上课？"

我紧张起来，说："我，我。"

父亲站起来，走到了我的跟前，他抓着我的脖领子，说："告诉爸爸，是不是学校又整你了？"

我摇头。

父亲的目光变得残忍起来，他已经准备好要打我了，可是，他还是问："发生什么事了？"

我说："我用钢管打了校长的头，把他的脸打破了。他流血了。"

父亲惊讶了，他张开了嘴，想说什么，却说不出来。

我又说："黄旭升告诉我，说你的脸上有血。我知道是被校长打的。"

父亲低下了头，他重新坐在了椅子上，他没有看我，只是坐在那儿。

我站在他的身边，不知道是该离开呢，不是继续站着，我等待着他的判决。

突然，父亲抬起了头，他看着我，我看见他的眼睛里充满了泪水。

这时，从食堂那边传来了猪的惨叫声。

7

晚上,食堂吃红烧肉,猪的惨叫声总是给人带来好运。

母亲回来后,我们一家三口又去食堂排队,跟上次不同的是父亲穿着军装。这使他在食堂里十分显眼,即使是王亚军进来,他穿得那么洋气,人们的目光也仍然是停留在父亲的身上。

母亲在排着另外一队,她看着父亲,眼光中有某种骄傲。

晚饭后,我总感到家里会发生点什么事。爸爸会对妈妈说什么,也许会问她什么。

可是,爸爸什么也没有说。他的心情挺好,说了一些在原子弹基地的事。

妈妈听了也觉得有趣。

那一夜家里很平静,我也早早睡着了,只是在睡梦中,眼前老是出现血,父亲脸上和校长脸上的血。

第七章

1

父亲走的那天恰好再次把钥匙送到了教室里，这次他穿着军装的样子没有像过去那样夸张，相反我从他的眼神里看到了某种忧伤。他的脖子不再朝前伸展，像是一只瘦鹅那样，而且他走路的速度也慢了些。他把钥匙在教室门口给我的时候，我觉得他似乎有很多话要对我说，这使我内心紧张起来。

早上，我刚从他的口袋里偷偷拿了五元钱。这在当时是大数字，就像是现在的五万一样。拿你父亲的钱算是偷吗？这个问题值得每一代人探讨。

当你恨一个人的时候，去偷他的钱。

当你爱一个人的时候，去偷他的钱。

……

我把这些句子排开来，就是说此刻我有了写诗的激情，因为你悄悄地从一个人的口袋里，在他不知道的情况下，你拿出了钱。这是一种复杂的感情，一般人不善于总结，只是想让这事很快就过去，或者说，让他成为往事之后，他们一边笑着，一边为往事干杯。

那种动不动就说要为往事干杯的人，真是头脑简单操蛋透顶。他们把自己的浪漫强加到了那些还记着仇的人身上，以为自己的小资情怀可以打动天下一切人呢。

他们是我的父母，他们的钱本来就应该是让我花一部分的，可是，他们从不这么想，他们代替我买了一些基本的东西，他们以为这就够了。我不能同意他们，从小我就知道，钱只有从自己的手里花出去，才会有快感，才是自己支配的钱。

我以为父亲发现了，他戴了绿帽子心情不好，正在找着某种机会表达自己的情绪，也许他会追到学校里来打我，或者当着同学的面把我羞辱一番。

但是，他没有说，他只是在转身的时候，突然说，秋天了，你要多穿一些。

我看着他的忧伤，点点头。我意识到了从我把校长的脸打出血了之后，他忽然变得多愁善感起来，他从来也没有对妈妈发火。甚至也没有对妈妈说什么。他没有像谈别的事那样，比如说音乐，或者建筑之类，他也没有跟妈妈谈男人和女人的事，尽管这次他探家住了最少也有一个星期，可是我没有看见他对妈妈发火。

他用忧伤和平和对待内心的流血，并且对待母亲和我。

对了，你们从小有听房的习惯吗？

不知道为什么，我在很小的时候，就养成了听房的习惯，当父母以为我睡着了，其实，我在那个时候比任何时候都要清醒。我总是能趴在他们的门前，去听母亲与父亲的嗓音。但是，这次，直到父亲走的前一天，也就是昨天晚上，他才与母亲在床上互相叫着对方的名字。父亲在最后的呻吟中说：

我真是没有办法，我爱你。

母亲什么也没有说。

接着听到了父亲重复地说着刚才那句话：

我真是一点办法也没有呵，我爱你，你听见了吗？

母亲还是没有动静，她好像哭了，但是声音太小，可能母亲像许多我今天认识的职业女人一样，在云雨一番之后，带着享受的身体和心境，流出眼泪，丫流的是幸福的泪水，丫流的是忏悔的泪水。

父亲不停地重复地说着废话，像是对着世界解释：一个女人，你爱她，你怕她，你能拿她怎么样？

这似乎是一句名言。一个女人你爱她，怕她，你对她无可奈何。我以后听过一代代的人都说过这句话，这说明了它的分量。

母亲一直沉默。

2

父亲转身的时候,他的背影还是年轻的,即使他的忧愁也反映在了背上,可是年轻就是年轻,一个三十多岁的男人,他就是被某件事情打垮了,可是,他也仍然能够从他的背上显示出他与四十岁的不同。

父亲没有想到他一转身就与王亚军面对面地相互挡住了对方的路。

父亲以自己的敏感很快地意识到了王亚军身上的香水气息,这使他皱了皱眉头,就好像是他突然被一种强劲的风在毫无思想准备的情况下吹着了一样。以后,他多次对我说过,你看,在那样的时候还抹香水,能不出事吗?

王亚军友好地对父亲笑着,但是他的眼神中也有着某种让人摸不清的东西,他好像知道什么,又好像不知道。但是,显然,他对父亲是尊重的。

父亲还是首先伸出了手,王亚军犹豫着,也把手伸出来。

父亲先开了口,说:"听刘爱说,你教得很好。他这个年龄是该学英语了,再不学,一辈子就耽误了。"

王亚军说:"现在他是我的课代表。他很认真,他喜欢英语。"

父亲说:"对他管得严一些。"

王亚军笑了,他之所以笑是因为明白父亲在跟他说客气话,或者说就是没话找话。

父亲似乎不知道王亚军为什么要笑,他有些疑惑地看着他,然后,也跟着笑了起来。

王亚军突然叹了一口气,说:“现在学习环境太不好了,他们什么资料都没有。”

父亲说:“什么时候有机会到口里看看,我回南京老家,或者去清华找找老同学。”

王亚军斩钉截铁地说:“口里也没有,我在上海看了。没有,什么都没有。”

父亲听王亚军这样说,本能地有些紧张,他尽管穿上了军装,现在虽然是戴着绿帽子,那也是戴着绿帽子衣锦还乡,这种大好形势来之不易,他要珍惜这一切。他看了看周围,然后说:“我得走了,去基地,下次回来,欢迎你上我家来。”

王亚军点头,他们再次握手,然后各走各的。王亚军以后多次跟我批评过这种动不动就握手的习惯,他认为这样很不好。

不好的事为什么天天都要发生呢?

我跟王亚军一起走进了教室,我问他:今天拿不拿留声机。

他像是在想别的事,没有听到。

黄旭升给我让了位置,我刚坐下,父亲又再次地推开了门,他向我招手。

我看看王亚军,他已经在黑板上写着什么了。

我无奈而又紧张地出了教室门,看着父亲,等待着他的判决。

他没有看我,只是在掏着自己的上衣口袋,然后,他拿出了十元钱,对我说:“拿着,自己想吃点什么就买,你太瘦了。”

我犹豫着,心里突然有些感动,我不知道他是什么意思。

他说:“爸爸昨天晚上亲你,你知道吗?”

我摇头。

他转身走了。

拿着这钱,心潮澎湃。我说过了,当时的五块就是现在的五万,那当时的十块,就是现在的十万,显然,我已经是一个富人了。

我推开了教室的门,正要进去,啰嗦的爸爸再次喊我,就好像是他这次一走就不回来了,他舍不得离开我,要跟我永别一样。

我看着他,等待着他说话。

他离我有三四步远的距离,目光中充满了王亚军所说的仁慈,他问我:

“你现在一共有多少钱。”

我愣了一下,说:“十块。”

他说:“我是说一共。”

我犹豫了片刻,还是有些含混地说:“就是十块。”

爸爸的眼睛里放出了灿烂的微笑,他说:

“是十五块,我知道。”

3

天黑了,起风了。

我还在外面瞎转着,我在焦急地寻找着黄旭升,她刚刚从家里跑出来。她的母亲正在过道里痛苦地哭泣。

刚才,当我还站在过道里的时候,我看着难过的阿姨,知道有罪的是我,因为是我这个黄旭升的同班同学,从小就在一起的伙伴才让她跑出家门的。显然,她妈妈已经在外边找了很久了,可是大人们永远不会知道孩子们会在什么时候并在什么地方哭泣。

黄旭升母亲哭的表情有些特别,很像是在笑,她哭得越伤心的时候,就像是她笑得越厉害的时候,请我们都回忆一下,看看自己身边是不是有这样的人。她哭的时候,先是把嘴咧开,然后把眼睛眯上,然后断断续续的声音从嘴里发出来,使你觉得她已经开始笑了。然后,在眼泪流出来之前,她笑得更加厉害,脸上所有的肌肉都在朝着欢乐的方向滑行,直到她的眼泪大量地流出来时,你才会被她的这种伤心方式震惊,那时哭泣就真的来临了。

黄妈妈就是这样引得我想笑出来,我往旁边看看那些站着劝慰她的大人们,发现他们都是在极力忍住自己的笑容,他们也和我一样地注意到了阿姨的这种表情。

4

我当然要寻找黄旭升,她是因为我而跑的。

5

她母亲早已从自己丈夫死亡的痛苦中得到了解脱,最近正在谈恋爱。一个恋爱中的女人是富有激情的,无论哪个时代都是一样的。惟一不同的是面对的男人不同,比如她上吊的前丈夫是一个国民党的将军,而她现在的男人则是一个真正的共产党员。我见过那个男人一次,那是我有一天忘了带英语作业,在课间我回了一趟家,刚进过道,就发现了她妈妈带着一个高个子男人匆忙地走着,然后很快地进了她们家。他们经过我身边时,由于激动和兴奋,甚至都没有意识到我的存在。我悄悄地来到了黄旭升家的门口,我说过了,我有听房的习惯,隔着门在听着里边的声音。果然,黄妈妈和我妈妈一样的呻吟声很快地传了出来。

说不清什么原因,那竟是我一生中最受刺激的事件之一。我当时感到自己已经不行了。我甚至于就想隔着门缝一边听着一边就摸自己的那个东西。有时,我想,我这一生中为什么老是留恋那些比我大一些的女人,我老是爱她们爱得死去活来,我在黑夜里无比渴望她们身上的气息,那是一种成熟女人身上散发出的香气,里边有着清清树叶加着红烧肉的味道,而对于纯洁的少女们,我总是感到没有意思。我发现她们身上的味总是有种狗尿一样的味道,我是说纯洁少女的味道像狗尿,你们家养过小狗吗?它在一个清新的早晨撒完尿后你快去闻闻,你那时就会知道我是什么意思了。

我站在那儿,听着黄妈妈的叫声,不愿意离开。

楼道里很静,大人们在上班,孩子们在上学。

只有黄妈妈在和高个子男人享受着他们彼此的身体。

回到了教室里,我看黄旭升正在背着英语课文。她说,王亚军对她说学英语不能光记单词,更不能光学语法,而是要背诵课文。要培养出一种语感。更为重要的是,还要渐渐形成一种用英语思维的习惯。

我说:"这是他跟你一个人说的吗?"

黄旭升点头。

我立刻被某种嫉妒征服,心里对王亚军产生不满:

王亚军他妈的从来没有对我说过这些,尽管我还是他的课代表。

我当时就在想这是操蛋的男老师对于女生的额外报达。

但是今天黄旭升没有对我说这些废话,她在聚精会神地学着,她已经把课文背得滚瓜烂熟。

我悄悄地对她说:

"你们家出事了。"

她像是受到了惊吓一样,眼睛睁得比平时大,似乎尽是眼白,而没有黑色的眼珠。她就那样看着我,使我觉得不能跟她说这些。

我于是改口说:"没有,我骗你呢。"

她说:"没有,你现在才是骗我。你说,我们家出什么事了?"

我不说话。

她说:"是不是我妈被人打了?"

我说没有。

她说:"那有什么事?"

我说:"你自己去看吧。"

她放下英语书,就朝家里的方向跑去。

在下一节课上了一半的时候，她满脸红着回到了教室。当她在座位上一坐下之后，就有些愤怒地对我说："你骗人。我们家什么人都没有。"

我一时不知道该跟她说什么。只是听她再次重复着说：

"你骗人。"

那时的王亚军正在讲现在完成时，他说：

"I have just……"

然后，他打断了黄旭升对我的抱怨，向她提问：

"你给大家总结一下，什么是现在完成时。"

黄旭升说："就是刚刚完成的事情。"

我几乎忍不住地想笑出来，还说我骗人，这个时态不就是在说她妈妈刚才做完的那件事吗？

王亚军让黄旭升在黑板上举例来说明这个时态。

她起立走了上去。

下课之后，她抓着我不放，问我，为什么要跟她开这样的玩笑。

我说："我没有开玩笑。"

她说："那我妈妈发生了什么事？"

我只好说："我看见你妈和一个高个子男人进了你们家。"

她只是愣了一下，说："那又怎么样？"

我说："就这些。"

她说："那你为什么要说我们家出事了？"

我说："我……"

她说："我什么？我什么？"

我不想说了,我不愿意刺伤她了。

她看着我,对我说:“你以后不要这样。”

我说:“好,不这样。”

她想了想,又说:“看你的样子,又不像骗人。你说,我妈跟那个男人怎么了?”

我说:“那我不知道。”

她说:“你肯定知道。”

我只好说:“放学后,晚上吧,我告诉你。”

6

“你看见我妈跟那个男人干什么了?”

黄旭升问我这话的时候,我们正在放学回家的路上,不知道我前边说过没有,我们学校离我们家所住的那栋新四楼只有几百米远,即使走得很慢,也不过是几分钟就能到家。所以,黄旭升显得有些急躁,她希望在路上,在能看到天山雪峰还没有被阴影遮住的时候,她就能搞清楚她妈跟那个男人究竟干什么了。

看着她好奇的眼神,我真的笑出来了。

她说:“你笑什么?”

我说:“你说我笑什么?”

她说:“不跟你说这些,你说,他们干什么了?”

我说:“你说他们还能干什么?”

黄旭升好像突然明白了什么,她愣了半天,才突然真的生气了,她看着我,狠狠地盯着我,突然大声说:“你思想复杂。”

黄旭升说完这话，就开始疯跑起来。你有过这样的女同学吗？她聪明，数学好，长得瘦，跑起步来飞快，连我们这些男孩都追不上。此刻的黄旭升就是这样地跑着，她委屈地边跑边哭，即使我在后边想拼命追上她，也显得有些力不从心。

我们就是这样的一前一后地进了过道。

黄妈妈正好在过道里站着，把刚晒成了干片的西红柿从外边收回来，准备为自己的女儿做饭。我从她的脸上看到了一个女人在享受了欢乐之后的幸福，因为她正在随意地哼着一首新疆维吾尔民歌，歌词大意是撒拉姆毛主席。

黄旭升看着她妈。

她妈停止了歌唱，有些奇怪自己女儿的眼神。

黄旭升大声说："你是不是忘了爸爸？"

黄妈妈愣了，她一时不知道该如何回答女儿的问题，她低下头，看着站在眼前的小女孩子，无论如何也想不通她会提出这样的问题。她张张嘴，手中装西红柿的盆有些倾斜，已经成为干片的西红柿马上就要洒出来。

黄旭升突然冲到母亲跟前，充满仇恨地说：

"你这个女流氓。"

黄妈妈几乎不需要任何反应，抬起手就朝自己女儿脸上打了一巴掌，而且非常重。

挨了打的黄旭升像是被踩了尾巴的野猫一样，尖叫着跑了出去，她的书包掉在了过道里的地上。

黄妈妈去追自己的女儿，她几乎要抓住了黄旭升的衬衣，却被黄旭升灵巧地一躲，她摔倒在地上，眼看着黄旭升跑得无影无踪。

我站在一边,不知道该干什么,只是后悔不应该对黄旭升说出我看到的秘密,暮色正在降临,我的头脑中一片空白。

突然,黄妈妈猛地抓住了我,吓得我几乎把脑袋都缩在了脖子里。

她气喘吁吁地半天说不出话来,脸上的表情跟我爸爸生气时完全是一样的狰狞。我感到自己错了,我以为她知道了是我告诉了黄旭升关于她的偷情,所以我紧张得没有办法,我想对她说我错了,我请求她的原谅。我甚至等待着,疯狂的黄妈妈会把我打死的。在这种恐惧之中,我闭上了眼睛。

意外的事情总会发生,并让你惊喜,黄妈妈不但没有打我,还分明在求我。开始我以为我听错了,接着我知道自己听清楚了,她说:

“刘爱,求你了,帮着我找找黄旭升,帮帮阿姨。”

我看着她,并在内心的喜悦之中,朝着她点点头。

黄妈妈说完,就自己跑出去,喊叫着自己女儿的名字,消失在暮色苍茫之中。

7

那时,我感到自己很饿,我回到家,妈妈没有在,她当然不会在,因为她有了自己的事业。

我现在经常怀念那些放学后的时光。

爸爸走了,妈妈又很晚才回来。她的设计作品已经得到了权力的认可。范主任他们很欣赏母亲的劳动成果，因为防空洞不光是要防止炸弹，更重要的是还要防止原子弹和氢弹。所以，要像建立一座真正的要塞和堡垒那样，要像巴黎城下的污水管道一样，过了几百年，还是那么先进。不能像有的城市街道一样，挖了埋，埋了又挖。当年范主任的话曾使我那么反感，可是现在我想起了母亲的设计和范主任他们这些知识分子精英们的远见。我曾经去专门看过河北的地道，那一看就是农民们应付日本人的豆腐渣工程，不是百年大计。

母亲不一样，她把每一项交给她的工作都当作她事业的梦想那样做，昨天她想在乌鲁木齐设计出超过十层的大楼，今天她又把全部的智慧和想象用在防空洞上。

她现在受到了极大的重视，她回家越来越晚了。开始我以为她是又悄悄地跑到校长那儿去了，可是，我在连续几个晚上观察跟踪之后，发现我错怪母亲了，她可能真的是偶尔去那儿，她的全部心思都在工作和事业上。

他们把湖南坟园里先是炸开了一个大洞，有十几米深，然后他们用钢筋和水泥搭起了穹顶，就像是欧洲的教堂一样。然后，他们又把那儿用土堆起来，使外人看着以为是一座小山。人们可以站在几十米深的地下，望着辉煌的大厅，里边有明亮的大灯，然后从通往各个阵地的隧道中穿行而过，最后到达自己的位置。今天的萨达姆真是应该选妈妈去当他的地下工事的总设计师，那妈妈一定会把自己的全部精力都投入进去的。而美国人也不可能那么轻易地进入巴格达。

巴格达，博格达，仅仅是一字之差，却有着天壤之别。

巴格达是伊拉克的首都，而博格达象征着我的故乡乌鲁木齐。母亲即使在那样的年月里，她也能靠自己的才能找着自己的位置。

因为母亲忙，所以我有了自由。

8

我在家里找了两个玉米面饼，朝上边抹了点酱油，就狼吞虎咽地吃起来，我边吃边想着黄旭升，我知道她妈妈不可能找着她。当我正想出去的时候，母亲突然进了家门。她看着我，说：

“你去哪儿？”

我说：“黄旭升跑了，她妈让我帮她去找。”

妈妈说：“不行，你不能去。”

我说：“我已经答应人家了。”

妈妈说：“不许去，就是不许去。”

我站在门口，看着态度坚决的母亲，有些进退两难。

母亲说：“天黑了，现在外边乱得很，听说最近有许多狼从阜康跑到了乌鲁木齐。”

我已经完全没有了出去的理由，我不怕从阜康来的狼，但是我怕爱我的母亲。

我无奈地坐下了。

母亲就坐在我的对面。

我说：“爸爸给了我十块钱，我想买一本英文词典。”

妈妈一愣，说：“爸爸给你钱了？十块？”

我点头。

眼泪从妈妈的眼中流了出来。她说：

“你姥姥病了，这几个月的钱都寄给她了。一共给你爸爸留了十五块钱。他又给你十块，他只有五块了。”

我内心一紧，突然感到心中难过，甚至有些后悔偷了父亲的钱。他把钱都给了我，那他怎么办呢？

母亲看看我，说：“现在买不着词典，不要说是英文的，就是汉文的也买不着。”

我不说话，眼前只是想着父亲缩着脖子，丧失了自信的模样。他好像老是在我面前走动着，穿着那身永远显得不合体的军装。

他的脸显得黑瘦，戴的眼镜也像是别人的。

母亲很快地擦干了泪，又埋头看起了图纸。

我说：“能给爸爸写信吗？”

妈妈一愣，看看我，说：“你有什么话要对他说吗？”

我摇摇头。

妈妈说：“他那儿是保密单位，一般不要写信。”

我心里想，我偷了他五块，再加上他给我的十块，爸爸现在身上没有钱了。

9

一个小时以后，我再次听到了过道里的哭声，那是黄妈妈的嗓音。

我开了门，下到了一楼，黄妈妈正在大声嚎叫，她想以自己的气势激起全楼的人对她的同情。妈妈躲在门后悄悄地听了一会儿，黄妈妈的哭声实在刺激人，漫长而坚决，母亲终于还是开了家门，朝一楼走去。我也紧随着她下了楼，她回头看了我一眼，没有说话。

楼内的邻居也都出来了，他们围在可怜的黄妈妈身边，商量着应该去哪儿帮她找女儿。

蹲在地上的黄妈妈突然抬起头来，大声说："我们都是好邻居，我求你们了。一起帮我去找找女儿吧。"

说完，她跪在了地上。

母亲上前把黄妈妈拉起来，她帮这个伤心的女人擦泪，并说："我帮你去找。"说完，妈妈突然回头，对我说："你回家去。"她说完，就往外边走。

有许多大人都在响应着母亲，他们纷纷朝黑暗中走去。

我犹豫着，最终下了决心，我要去找黄旭升。

我来到了湖南坟园，蓝色的鬼火在闪，黑夜中似乎真的能听见狼的呼吸，瞬息之间恐怖征服了我，我开始逃离这个地方，边跑边想，连我都害怕，黄旭升肯定不会上这儿来。

我在外边又转了一会儿，突然想起了学校后边的一个地方，那儿有一棵树，是我和黄旭升小的时候最愿意呆的地方。

那时，在夜色中到处都听见了大人们的叫喊声，有些像是鬼哭狼嚎，从那么遥远的时光中传到了我的书房里，并在我的书架中盘旋。

第八章

1

父亲把学校设计成现在这样,有许多嫉妒他的同行都说他是受到了俄罗斯建筑的影响,你要是从天上朝下看,我们学校完全是一个“山”字的造型。父亲曾多次得意地说,知道为什么要设计成“山”字吗?不是向苏联学习,而是为了保护那些古树。

在我童年的时候,乌鲁木齐的确有许多古树,从小我就有一个习惯,愿意爬树,干瘦的我喜欢在树上消磨时间。那时的树跟现在长得不一样。乌鲁木齐的老榆树们普遍长得不正,有点歪风邪气的样子。它会突然在不太高的地方伸长出另一枝来,缓缓地朝天上爬去,就像是通往天空的云梯一样。然后,经常会在某一个很高的地方分出三股叉来,我正好坐在其中,安全而惬意。这是我和黄旭升从小最喜欢的地方。

父亲在自己设计的许多方案中,选择并说服领导用了这个方案,那就是在学校墙体的臂弯里,尽可以多地留下这些树,他经常说:“因为它们已经在这儿生活了几百年,不管你是汉族人,还是维吾尔人,都不要跟这些古树去争,它们知道我们的前生,也知道我们的身后。”

由于父亲的妥协和坚持,许多树都被保存了下来,可是,他没有想到的是,就是因为这些被保存的树,才让他的儿子,一个叫刘爱的男孩儿有了许多他永远都没有办法忘记的经历。

2

我就是在黄旭升出走的那个晚上想起了这些树中的一棵。不知道什么原因,我离开了湖南坟园后,就断定黄旭升会在这棵树上与我相遇。

那棵树在山字一楼与二楼之间,它可能是所有这些树中的老者,多次被雷劈过,被闪电烧过,可是它却那么能活,粗大的身体分成了几部分,似乎是一个树干变成了三个树干,可是,他粗大的枝杈却能向四面八方伸去,有一枝甚至伸到了二层的一个窗户上。

我来到这棵树下的时候,朝上看着,没有任何人爬在上边,我有些失望,黄旭升连这儿都没有来,那她能上哪儿去呢?我想着,就朝树上爬去,当我坐在了那个最高的树杈之间时,月亮出来了。我突然有些难过,我很后悔告诉了黄旭升她妈妈的事情。可是,有什么办法呢?有的人总是喜欢说她妈妈是世界上最好的妈妈,好像别人的妈妈都不如她妈妈好。在我一生的每一个阶段都会碰见这样的傻子,黄旭升就是其中的一个。

我坐在树上,看着月亮,想起了小的时候,我们刚上一年级那年,是她为我戴上的红领巾,也就是在我入队那天,我们又一次地爬上了这棵树,她坐在高枝上,我坐在矮枝上。那天她对我说了她的理想,长大以后要当一名老师。她问我有什么理想时,我正好从她的裙子下边看见了她的裤衩,是白色的,那是我第一次看到一个女孩子的裤衩。

黄旭升来了,就好像她真的能猜到她正出现在我的回忆中一样,她来了。

她站在树下,仰头看着我的样子就像是在早晨看天上的太阳一般,显得有些夸张。

我看着她。

她也看我,说:“你怎么知道我会上这儿来?”

我说:“我就知道。”

她说:“我就知道你知道。”

我说:“你能上来吗?”

她说:“我还没吃饭,你呢?”

我突然又感到了饿,就说:“吃了,没吃饱。”

她说："我走以后，我妈哭了吗？"

我说："哭了，现在楼上的大人都在找你。"

她站在树下开始哭起来。

我在上边看着她哭。当她的哭泣变得轻微些的时候，我说："你是不是上不来了？不会爬树了？"

她竟笑起来，说："我当然能上来。"

说着，她开始爬树。直到今天我都记得黄旭升爬树的样子，她先是跳起来，抓住一棵可以依赖的树干，然后爬上属于我的这棵枝杈。像是一只猫一样地很快地来到了我的跟前。看起来她真是英雄不减当年。那时，我们更小的时候，她从不跟女生一起玩，总是跟我们这些男生在一起。

此时，我们享受着共同的三叉树枝，她问我：

"你都看清楚了吗？"

我说："我错了，我骗你呢，你妈没有跟那个高个子男人在一起，是我骗你呢。"

她说："我知道，你现在骗我。"

我说："你知道男人跟女人他们在一起干什么？"

她不说话。

我说："我就知道他们干什么。"

她忽然说："我冷，咱们回家吧。"

我说："我把我的衣服给你。"

她穿上我的衣服以后，说："你的衣服上有股臭味。"

我说："我妈没时间给我洗，她天天设计防空洞。"

她说："我还是冷，你把我抱住。"

我的脸突然烧起来，然后我把她抱住。

她紧紧地靠在我的怀里。

我更加清晰地闻到了她身上的薄荷香味，而且，我感到她的胸脯上很软，而且有两处地方显然高起来。就说："你们女生都这样吗？"

她说："我比她们都高，别看我别的地方瘦。"

我感到了刺激，浑身上下都热起来。

她说："你出汗了，你真的出汗了，你为什么这么热。"

就在我一时不知道该怎么办的时候，突然，在我们身边的窗户亮了，很刺眼的灯光照射到了我们的脸上。

我和黄旭升都忍不住地闭上了眼睛，当我们睁开眼朝窗户里看时，我们惊呆了：

王亚军和阿吉泰在窗内明亮的灯光下，他们的脸上充满喜悦。

我过去从来没有想过，这棵老树竟然在王亚军的窗户旁边。

6

黄旭升也在看着，她的脸色一下变得苍白起来，即使当我把她母亲的事告诉她的时候，也没有这么苍白。她看着窗户里边，一动不动，就好像稍微有什么动作自己都会掉到树下去。

其实，这个时候我竟然有些失望，因为，我没有在王亚军与阿吉泰的行为中发现任何相同于我幻想的东西。

王亚军的脸上始终有着我所熟悉的笑容，两只眼睛显得很是明亮，几乎都从屋内照射出来，穿过夜色，直到无尽的天空。他让阿吉泰坐下，阿吉泰笑起来。

她的笑容很灿烂，就好像月亮今天晚上没有出现在夜空里，而出现在阿吉泰的脸上。

王亚军让阿吉泰坐下的时候，不知道嘴里说的是什么，反正他的动作显得有些夸张，他作着手势，那是不是就是一个绅士的手势，朝外一摆，随着手势他还微微弯腰，那时他的头发也恰到好处地有些晃动，由于我和他的距离太近了，他的头发在离开了原处之后，使他的前额过多地露了出来，呵，那是列宁或者是毛泽东的前额。现在这样的前额它就出现在王亚军的头上，那头离灯光不远，就像是在阳光下新疆大地上一座奇特的山峰。

阿吉泰一直笑着，我不知道一个像她这样的女人的脸上有了这样的笑容对于一个男人的一生意味着什么，后边的故事当时都还不可能发生，而且没有任何预感。阿吉泰边笑，边看着王亚军，然后，在他为自己倒一种咖啡色的饮料时，她开始审视起这间屋子。她走过来，走过去，然后，她突然抓起了那本英文大词典。

我的呼吸似乎在那一刻都停止了，阿吉泰能看懂这本词典吗？我知道，那时候的乌鲁木齐肯定只有一本这样的英文大词典。现在它就在阿吉泰的手里。阿吉泰只是把它当作一般的东西，她随意地翻着。我的眼睛看着阿吉泰，她翻到了某一页，似乎突然认真起来，她看得很仔细，微微地皱起了她好看而洁白的眉头。她在思索着，就好像其中的某一个英文句子或者词汇让她想起了非常严重的问题。终于阿吉泰把那本词典放回了原

她紧紧靠在我怀里，突然在我们身边的窗户亮了，王亚军和阿吉泰在窗内明亮的灯光下。

处，她又拿起了另外的一本书。

我的紧张过去了，随着阿吉泰在看另一本书的时候，我松了一口气，大量地呼吸了一下，然后，我的注意力又回到了王亚军的身上。

他已经为她把那种咖啡色的东西调制完了。在桌上放着一个好看的罐头盒，上边有彩色的商标，显得十分奢侈，但是它太高贵了，简直影响了我一生的审美。还有一个瓷罐，里边肯定是方糖。在我童年的时候，如果一个人能有方糖，那我除了能说这个人就是贵族而外还能说他是什么？他把这两样东西倒在了一起，并用暖瓶朝里边倒了开水，那饮料热气腾腾。

王亚军似乎又想起了什么，他走到了窗前。他朝外看了看，就是在那一刻，我觉得自己的目光与他碰到了一起，我们互相凝视着，约有好几秒。我以为他要跟我说话了，即使是隔着玻璃，那也很刺激。可是，显然，他以为自己看到的是黑夜，他不会想到我跟黄旭升会在黑夜里的树上，正拼命看着他与另一个漂亮的女人调情。他的目光离开了窗外的我们，他低下头拿起了一个玻璃瓶，里边竟然有牛奶，我们新疆人管那叫“奶子”。“你喝牛奶吗？”不这样说，“喝奶子吗？”这样说。

王亚军肯定是有准备的，要不他这儿为什么应有尽有？他一定是在早晨，就去把奶子打回来，然后，放在这儿，对了，他肯定烧开了，否则会坏的。那时没有冰箱，美国有没有我不知道，反正我们乌鲁木齐没有。他把牛奶兑进了咖啡色的液体的杯子里。

他的嘴开始动了，他一定是在说：“喝吧。”说着，他把那饮料朝阿吉泰端过去。

阿吉泰接过饮料,一时有些不好意思喝。

王亚军再次说了句话。

阿吉泰用小匙搅动着,然后轻轻喝了那么一小口。

王亚军以询问的目光看着她。

她显得愉快而又不好意思地笑笑。

王亚军拿出了一个很漂亮的糖盒,这种东西我们家过去曾有过,可是被别人拿走了。现在这种东西也只有他们上海人才有的。他打开盒盖,自己并不直接去拿,而是把糖盒递给阿吉泰。阿吉泰摇头。

王亚军就从里边抓出了几块糖,他小心地剥开其中一块,并不把糖纸去掉,他的手绝不挨着糖,而是只托着糖纸,把糖留给阿吉泰自己去拿。

王亚军是这么的讲卫生,我大吃一惊,因为母亲曾经为这事与父亲吵过架,可是父亲仍然做不到这点,而我随父亲,在这些方面不太在乎,母亲不得不曾经在我们家的幸福时光里为这种事伤心。

阿吉泰似乎有些犹豫。

王亚军再次屈身,作了个优雅的手势。

阿吉泰接过了糖,放进了嘴里。

王亚军看着她吃,显得很开心。

他们不停地说着什么,似乎在讲他们刚刚看完的一场电影。他们看什么了呢?肯定就是《列宁在十月》,要不,就是《列宁在一九一八》,或者是看了一部新闻片。里边的西哈努克亲王又在宴会上跟周恩来干什么了？要不就是江青与他满面春风地说着什么。

我发现王亚军离阿吉泰近了。

阿吉泰坐在床上的时候，王亚军还站着，现在他也坐在了床上。然后，当他兴高采烈地与她说着什么的时候，他有意识地坐得离她更近了，最后，几乎是要挨着阿吉泰了。

阿吉泰在王亚军几次靠近的时候，礼节地朝后边挪着，她显然不想与他坐得那么近。

可是，王亚军却一点点地忍不住地把自己的身体朝她挪着。

阿吉泰脸上的笑容渐渐地没有了，她看着王亚军开始一言不发。

王亚军仍是离她很近，又说起了什么，显然是个笑话，因为他自己一直在笑着。

可是，阿吉泰没有笑，她的脸色有些冷。

最后，我这一生都不愿意看到的事情终于发生了：

王亚军把阿吉泰的肩膀扶着，然后开始搂她。

阿吉泰挣扎着朝后靠。

王亚军把她用力拉了过来，他把自己的身体与她的正面碰到了一起，当他把她的头扶着，开始把自己的脸伸向阿吉泰的时候，勉强留着最后一丝笑容在脸上的阿吉泰，突然变得气愤了，她在瞬息之间，伸手在王亚军的脸上打了一巴掌。似乎有响声，因为我们在窗户外边隔着玻璃，都听到了。

王亚军愣了，他没有伸手去捂自己的脸，刚才还显得很绅士的他现在有些狼狈。

他看着阿吉泰。

阿吉泰也看着他。

两人互相对视,有很长的时间谁也没有说话。突然,阿吉泰转身走向门口,她开了门,然后没有回头再看王亚军一下,就狠狠地关上了门,走出去了。

留下王亚军一人站在屋内,那时,咖啡色的饮料还在冒着热气,糖纸留在了桌子上。

在王亚军挨打的时候,只听到轻微的咔嚓一声,黄旭升竟然从树上掉了下去,她灵活地抓着了下边的一棵树枝,像猴子一样灵活地在我身下摇荡着。然后,她抓起了一棵树干,慢慢地滑了下去。我连忙跟着她一起跳下去,当我回头最后看着窗户里边的时候,我发现了王亚军显得很孤单。

他站在屋内的地板上,眼睛里充满了忧伤。那是一种与我父亲一样的表情,我当时还不明白,男人们为什么总是那么忧伤,是因为在这个世界上有女人吗?

我跳到树下时,看到黄旭升站在黑暗中,似乎是在等我。我走到了她跟前,借着月光看到了她的脸,却发现她已经是泪流满面。

我们就那样站着,刚才的情景还没有离我们而去,月亮已经升在了天空,为什么旁边没有云彩。

那时我闻到了黄旭升身上散发出的狗尿味,有点清新。

是一个少女的清新。

第 九 章

1

开始我并不知道为什么那天李垃圾仍留在教室里，他从来都是一下课就跑到外边，更不要说放学了。可是，那天他在。他像有事一样地，仍然趴在桌子上写些什么，当我想过去看的时候，那件事就发生了。

的确，那是我亲眼看见的。

在我的叙述里，有些是我亲眼看见的，有些不是，记住这点很重要，我以后不再啰嗦。

当时教室已经没有什么人了，只有

黄旭升和我,我们在做值日,还有一个那就是李垃圾。

王亚军走到了愣神的黄旭升跟前,问她:

“为什么不来补课?”

黄旭升先是不说话,突然,她几乎是大叫:

“不想,就是不想。”

王亚军的脸上显出了惊讶,他停了一下,才说:

“对老师有意见?”

黄旭升不理他,拿起书包,起身离开桌子,就朝外走去。

留下满脸不解的王亚军,李垃圾,和我。

我看着王亚军,等待着他的发怒,可是他没有发怒。这让我感到奇怪,女生可以在男老师面前发脾气,这是不是说明了男老师做了什么对不起她们的事?

王亚军站在黄旭升的座位旁,转过脸来看着我,说:“是不是黄旭升家又出什么事了?”

李垃圾看着王亚军,脸上有明显的不满,说:“她爸爸上次死了,是不是希望她妈妈也死?”

王亚军显得有些生气,说:“不要拿别人家死人的事当笑话说。这样做,不善良。”

李垃圾不吭气了,过了一会儿才说:“善良?什么意思?”

我却在想,为什么这样的词汇即使是在那种时候也会经常从王亚军的嘴里说出,比如仁慈,善良……等等,这是不是因为他是英语老师的原因?

王亚军仍然在看着我,等待着我的回答。

我的脸上出现了那种神秘的表情,我今天想起来,总是为我脸上的这种表情而惭愧，就是那种像是小人或者说像现在电视剧中经常在太监脸上出现的表情，我这种表情有时能在自己骄傲的父亲脸上看见，有时能在自己妈妈的脸上看见。我清了清嗓子，看着王亚军有些犹豫，我不知道该不该对他说：黄妈妈跟那个高个子男人在上午，当别人都在工作的时候，她们却在黄旭升家，在她爸爸遗像眼神的注目下做大人常干的那种事。

因为犹豫，我显得有些吞吞吐吐，我说："可能，可能她们家，她们家出了点事，我不知道。"

王亚军说："她最近的情绪的确有问题，你们住一个楼，又是同桌，她没有对你说过？"

此时我似乎明白了什么，我坚定地说："不知道。"

王亚军说不出是失望，还是茫然，他站在窗前，看着天山，很久都没有说话。

那时，李垃圾已经走了。

教室里只有我和王亚军。

我也感到再呆下去，没有太大的意思，就也想出门，他却突然对我说：

"走，你带着我再去她家。我问问她妈妈。"

我真正地感到了犹豫。

他说："走呀。"

我还是站在那儿。

他问我："你怎么了？"

我说："黄旭升她妈，她妈，那个人有些厉害。"

王亚军说："看着一个素质优秀的学生这样，必须去。"

我说:“你忘了上回她妈妈骂你了吗?”

他听我这么说,就犹豫了。

2

我回到了家,妈妈还没有回来,我拿出饭菜票,正打算自己去食堂,刚走到一楼,就听到黄旭升尖锐的哭声。黄妈妈的骂声从里边传来,我到了她家门口,正想听,突然,门开了。黄妈妈站在我的面前,说:“我正想找你呢,能不能帮阿姨去把你们英语老师找到家里来?”

我有些拿不定主意。

她说:“你不是英语课代表吗? 去吧。”说着,她转身从里边拿出了一个大包子,是白面的,塞到了我的手里,说:“去,就说黄旭升妈妈找他有事。”

我拿着包子,咬了一口,发现是肉的,就感到了幸福,那时这样的包子是轻易吃不上的,这说明黄旭升家的地位已经提高了。能吃上肉包子了。我意识到自己已经被收买了,但还是说:“我怕我妈骂我。”

黄妈妈说:“不会的,我给你妈妈也留一个大包子。”

我飞快地跑到了学校,在过道里看见了正要出去的王亚军。

我说:“黄旭升她妈妈让你上她们家去。她说有话对你说。”

王亚军一愣,说:“那她为什么不来呢?”

我说:“不知道。”

王亚军想了一下,说:“我当然也可以去。”

3

这件事有些不合情理，作为家长要找老师，当然得亲自登门，可是，她却让王亚军来自己的家，这多少说明王亚军心中有鬼，否则他是应该生气的。

我与他走在过道里，灯光都开着，王亚军不说一句话。刚走到大门口的时候，阿吉泰迎面走来。

王亚军有些紧张，他竟然站在那儿不动了，他没有看阿吉泰，却看着我，就好像他正想起了一件遗忘了的事一样。

阿吉泰没有看他，只是看着我，然后笑起来。她轻松地从我们面前走过，从她身上留下了女人的一种特别的香气。这种香气在今天盖过了王亚军身上的香水气息。

我看着阿吉泰，心中涌起从未有过的幸福感，因为她不理王亚军，而是对我笑。看起来她那天晚上打王亚军的那一嘴巴真是打得好，打得及时。它打掉了王亚军的威风，大长了我这个倒霉孩子的志气。

王亚军没有回头看阿吉泰，他只是肩膀显得有些僵硬。

在我仍然看着阿吉泰的时候，他说："走。"

我们来到了我们楼前，阳光洒在门外的老榆树上，王亚军眯着眼看着阳光，说："明天会下雨。"

我一惊，以为他除了会说英语而外还能看天说话，知道气象万千，就说："你会算命算天象？"

他说："我对这些不感兴趣。"

我说:“那你怎么知道会下雨?”

他说:“我听广播,天气预报。”

我大失所望,然后笑起来。

他似乎没懂:“笑什么?”

我说:“天气预报我也会听。”

他更加不解了,像个呆子一样地说:“我没有说你不会听天气预报呀,为什么笑?”

我说:“就是好笑。”

他仍然认真地说:“我怎么就是想不通这里有什么好笑的。”

我不吭气。

他却又问:“说说,你为什么觉得好笑?”

我想了想,说:“开始你说明天要下雨,我以为老师会算命,能看风水,是一个无所不能的人,可是,你说你是从天气预报上听来的,你说,我能不笑吗?”

他停下脚步,仔细地想了想,突然,他开始笑起来,而且笑得很开心。他这样比别人慢半拍的笑,使我觉得他这个人真是有些不可思议。

我以为他笑笑就算了,可是,他自己笑得更加厉害,甚至于有些前仰后合了。

我看着他,感到他是一个怪人,神经可能也不太正常。

他还在笑,说:“幽默,幽默,真是幽默。”

我却突然紧张起来,我说:“老师,你听,黄旭升她妈妈在唱歌呢。”

歌声从过道里传来:

“呵,敬爱的中国呵,我的心没有变,他永远把你怀念……”

黄妈妈唱得很动情,就像那天她在过道里的哭声一样。

王亚军仔细地听着,说:“西哈努克亲王的歌词写得很有真情实感,所以这歌很多人都爱唱。”

歌声还在传来,像流水一样,我们听着。

王亚军说:“她妈妈为什么这么高兴? 好,我们听她把歌唱完,让她尽尽兴。”

我说:“不知道,从她爸爸死了以后,她妈妈就总是这么高兴。”

我并没有意识到自己说了一句很深刻的话。

王亚军仔细地看看我。

黄妈妈唱完了一段,又开始唱谱子:“索——拉索米索拉多——拉索米索西拉——索米来多拉多米——”

王亚军笑了,说:“她唱歌不存在音不准的问题。”

我说:“其实你也可以不来,我就说我没有告诉你。”

他说:“不能这么想问题,最重要的是怎么样才能帮助黄旭升。其实,她不叫我,我也想再来。”

我们来到了黄旭升家门口,门开着。我正想朝里走,王亚军拉住我,并站在开着的门前敲门。

有人走到了门前,是黄旭升,她先是看见了我,目光里有高兴的东西,接着,她看见了王亚军,黄旭升的眼中立刻就出现了难过,反感,失望,她开始关门。尽管我在用力把门推开,可是黄旭升却开始跟我叫劲。

门就这样地被推来推去。王亚军站在那儿没有动,只有我和黄旭升在来回推着那门。我当时明显地感觉到黄旭升不想让王亚军进自己家，但是，我并不知道她是想保护自己的英语老师。

终于，响动声引起了黄妈妈的注意，她问："是谁？"

说着，黄妈妈走了过来，她一眼就看见了王亚军，就说："是你？你还真的来了？"

王亚军说："我能进去说话吗？"

黄妈妈对黄旭升说："你进里屋。"又看看王亚军，说："好。你进来吧。"

黄旭升却仍然固执地用门关上的力量把王亚军朝外推。

黄妈妈有些奇怪，她看着自己的女儿，说："把手松开。"

黄旭升不听，仍是把门用劲拉着。

黄妈妈说："松开，你听见了没有？"

黄旭升仍在关门。

黄妈妈抬手给了自己的女儿脸上一掌，打得不轻。黄旭升脸上有了血印。

王亚军生气了，对黄妈妈说："你为什么打她？她没有犯什么错，你不能这样打她。"

黄妈妈看着松开了手跑进里屋的黄旭升，说："对孩子就像对待反动派一样，你不打，她就不倒，扫帚不到，灰尘照例不会自己跑掉。"

当我们坐在黄旭升家的时候，王亚军说："我今天来就是想问问，黄旭升为什么最近总是没有心思学习，她的病不是治好了吗？我觉得她最近的神情有问题，想来问问你。"

黄妈妈仔细地盯着王亚军看着,说:“我还正想问你呢,你说她为什么这样?”

王亚军像是电影里的外国人那样耸耸肩,我看得出来,他这种动作激起了黄妈妈极大的反感。

王亚军在耸肩之后,说:“我来就是想跟你探讨一下,这是为什么。”

黄妈妈开始抽烟,她把烟直接无礼地朝王亚军的脸上喷去。

王亚军开始咳嗽。

我尽管觉得有些可笑,但是我不想走,想看看后边会怎么样。

黄妈妈又吐了几口烟之后,突然对王亚军说:

“你是她们班主任吗?”

王亚军摇头,说:“不,不是,班主任是郭培清老师。”

黄妈妈说:“我知道你不是班主任。既然不是班主任,你管那么多干什么?”

王亚军说:“我只是觉得她是个好学生,智力超过一般的学生,她如果好好学习,等今后正常了,她会有前途的。而且,她学英语,比一般的人学得好,她的发音准,她模仿力强,我是一个有经验的英语老师,我知道的。”

黄妈妈说:“问题就在这儿,你明明不是班主任,仅仅是个英语老师,你的关心过头了。”

王亚军愣了,他说:“你这话是什么意思?我喜欢这个女生,我觉得她有问题。”

喜欢这个词激怒了黄妈妈,她狠狠地看着王亚军,对他丧失了最后的耐心。

黄妈妈说:“不要装糊涂了,今天即使你不来,我也要去找你。你来了,就说明你心中有鬼。人家都说你作风不好,你自己还装什么傻呀?”

王亚军的脸红了,他一时不知道该说什么。

黄妈妈说:“今后不要再让黄旭升走进你的宿舍一步,你也最好不要让其他那些女生到你的宿舍去,什么补课呀,我可是知道你们这些作风不好的人是怎么想的。”

王亚军喃喃道:“怎么想的?”

黄妈妈:“歪门邪道。黄旭升学不学英语不要紧,只要她今后不再跟你来往,我就放心了。你走吧,不要让我呆会儿把你赶出去。我们以后不学英语照样为人民服务。”

王亚军说:“她学不学英语不要紧,我以后也可以不为她专门补课,你们说我作风不好也行,我今天来只是想问你,为什么她最近的情绪不稳定,你是不是需要带她看医生。我认识一个医生,他对神经方面和心理方面的问题很有研究,他也是被从上海罚到新疆来的,他叫吴承恩……”

黄妈妈说:“好了,别提你们这些上海人了,我真是看见你们这些上海人就够了。”

王亚军无论如何也想不通为什么黄妈妈会这么无礼,就连我也想不通,在我们楼道里,黄妈妈平常不是这样的。

黄妈妈说:“你走吧。刘爱可以留下。”

王亚军说:“我能直接问问黄旭升吗?”

黄妈妈说:“你要是再缠着她,我就对你不客气。我能告你。"

王亚军说:"你告我什么?"

黄妈妈说:"你是来装傻的吗?自己做的事,自己心里不知道?"

王亚军叹了口气,说:"我问心无愧,我为你女儿补课,可是我没有丝毫的恶意。你这样对我说话,我只能说你没有教养。"

黄妈妈开始扫地,尘土瞬间里充满了房屋。

王亚军大声说:"你是一个没有教养的女人。"

他说完,正想走,突然,从里屋出来一个男人。

这是一个高个子的男人,他比王亚军几乎高了一个头,他穿着一身黄色的军装,没有领章帽徽,但是他显得异常有力量。

王亚军一看这个人,竟显出有几分害怕,他喃喃地叫道:"申总指挥。我不知道你在这儿。"

高个子男人缓缓地到了王亚军跟前,他一把抓住我这位英语老师的脖领子,说:"你以为她们是孤儿寡母就好欺负吗?"

王亚军说:"我没有这个意思,申总指挥。今天,是黄旭升她妈妈让我来的。"

男人说:"不,是我让你来的,我让她们叫你来,我的身份不太合适出现在你们学校。你说,你想对黄旭升干什么?"

王亚军显得更加慌乱,他说:"我,我,我只是觉得黄旭升最近情绪不对,想帮帮她……"

高个子男人突然大声说:"你这个流氓成性的家伙。下次不要让我再听说这件事,当心你的狗命。"他说着,几乎是把王亚军提起来,拎着,从家里扔到了过道的地上。

我眼看着王亚军摔倒在地上，就像是一个没有骨头的人一样，不知道是被吓的，还是真的被像块石头一样地扔在了地上的。

门重重地关上了，我再次听到了黄旭升的哭声。开始，我一直以为黄旭升的哭声是因为恨，可是，随着岁月的流逝，我渐渐地明白了，那是因为爱。

出门之后，王亚军问我："你说，我们今天来黄旭升家是不是来错了？"

我说："不知道。"

王亚军说："可是，黄旭升的情绪变化的原因，我却还是没有弄清楚。"

我看着满身是土的王亚军，觉得他有些可怜。那时，我想起了那天晚上当王亚军在屋内的灯光下被阿吉泰打了一巴掌，而差一点从树上掉下去时，心里隐约有着某种判断。可是，我不愿意对王亚军说，他知道了我爬在树上看他，会怎么想？

我什么也没有对王亚军说，但我心里知道，黄旭升的态度，与她看见了王亚军与阿吉泰在一起有关。

但我还是想说几句题外话，那就是关于这个申总指挥，他是很有名的人物，曾经指挥过整个新疆最大的一次武斗。要知道，那是我的童年时代，而这个高个子男人是乌鲁木齐的革委会副主任。尽管，我是这么不情愿在这个故事里用这样的称谓，可是不用就无法说清楚。高个子是副主任，那就说明他拥有无限的权力，他如果真的想让王亚军死，那我们的英语老师就绝对活不到今天。

在以后我与王亚军单独交谈的时光里，我曾问过王亚军："你是不是真的很害怕申总指挥？"

王亚军说："我怕。"

4

还是在英语课上，王亚军的眼神有些变了，尽管仍然在微笑，可是，他时时地会看着窗外的远方，在目光里有着某种忧伤。确切地说，他的这种眼神是出现在阿吉泰打了他的耳光之后。尽管，他仍然时时地给一些女生补课，可是在这些女生之中，没有了黄旭升。

黄旭升的眼神也变了，开始大家并没有太注意，但是一两个星期以后，她的这种表情开始让许多人觉得可疑。

渐渐地，一种不满的情绪滋长起来，当然，不是对着黄旭升的，而是对着王亚军。

她有时会突然在人们面前喊一声，流氓，真流氓。

于是一个疑问产生了：她究竟在骂谁？是骂她妈吗？还是在骂别的什么人。

李垃圾会笑着问她："骂谁呢？"

我也在想，她是在骂谁？是骂自己的母亲吗？因为她的母亲有了一个高个子的男人，还是骂王亚军？因为王亚军曾经总是为她单独补课。

聪明的李垃圾把这个疑问指向了王亚军，因为他曾多次给黄旭升补课，有时的确是单独为她，可是现在她不去了，而且，她的表情很让人难过,像是受到了伤害一样。

王亚军这个习惯真不好,招人恨。许多男老师都喜欢单独给女生补课,可是在目前这种情况,就是大人们经常处于紧张的情况下,男老师们都有所收敛,只有王亚军,他就好像是从天外来的,就好像他们这些来自上海的人,跟别的地方的人都不一样。这是不是因为上海过早地成为了美国人的地方,而美国人又培养了上海人的某种与众不同的习惯呢?

王亚军从不解释,微笑没有离开过他那总是被剃须刀刮得发青却又能显出红润的脸上。而他的忧伤总是在眼睛后边很深的地方。

5

笑声还是从王亚军的宿舍里传出来,那是女生们在笑,也是王亚军在笑。王亚军并不会笑出声,但是,我能想象出他微笑的面容。那里没有了黄旭升,却仍有周晏,有王慧,有高原(原来叫高燕),白央,刘海苹……

我现在回忆起这些同班女生的名字时,心中会产生一种快感,甚至也会有些忧伤。就是时时出现在王亚军眼神深处的那种东西。

我发现自己在这两天里很喜欢用这个词,就好像这个词里有着某种巨大的诗意。父亲在离开我们,去原子弹基地的时候眼睛里就是这种忧伤,而王亚军现在也开始有了。

没有人意识到王亚军的眼神里有什么,大家似乎都开始猜测，是不是王亚军曾经对黄旭升动手动脚。

当许多人开始对这个来自于上海的英语老师产生了怀疑而议论纷纷的时候，王亚军本人却像什么都不知道。

那是一天下了课，我拿着留声机，跟着他进了他的宿舍，我一眼就看见了那个装着咖啡色饮料的罐头盒，还有那本英语词典。

王亚军在我出门的时候，突然问我："黄旭升为什么不愿意来参加补课了？"

我说："我不知道，你应该知道呀。"

他没有再问。

我也没有了再呆下去的理由，我于是出门。就在我将要把门关上的一刹那，突然，我不知道从哪里产生了勇气，回身开了门，再次走进他的宿舍，像个小太监一样，压低了声音，像是他的朋友那样问他："你是不是对黄旭升动手动脚了？"

王亚军没听清楚，问："你说什么？"

我说："大家在后边都说，你在给女生单独补课的时候，对黄旭升动手动脚了。"

王亚军把眼睛睁得大了，他看着我，说："大家？哪些大家？"

我说："同学，还有别的老师。"

他看着我，眼睛还是很大，说："是你们班主任吗？"

我点头，并说："听我妈说，校长也这么说过。我妈问过我。"

王亚军的眼睛渐渐小下来，他说："你看我像这种人吗？"

我看着他，半天才说：

"我不知道。"

他像泄了气一样,看看我,然后走到了窗户边上,那棵老榆树就在他的眼前,它们伸过来,像是在对他招手。

我觉得自己的话已经说完了,就开了门,正要出去的时候,他对我说:

"谢谢你把这件事告诉我。"

出门后,我如释重负,感到自己有生以来,做了一件很大的事,传了一句闲话。

6

再也听不见女孩子们的笑声从王亚军的宿舍里传出来。

白央,周晏,高原们都不去了,而黄旭升,她只要是看见了王亚军就会躲着走。

在放学的路上,我觉得黄旭升似乎有话对我说。

我问黄旭升:

"你咋了?"

她说:"李垃圾给我写条子了。"

我说:"写的什么?"

她不说话。

我说:"他是不是写的喜欢你?"

黄旭升摇头,说:"他是用英语写的,只有一个字,爱。Love。"

我一时说不出话,李垃圾从来不好好学英语,却能用这个单词造句。

我说："那你怎么想？"

黄旭升说："我看见他，就像看见苍蝇一样。"

我看看她，不知道她说的是真话，还是假话。反正，当时，我竟然从黄旭升的脸上看到了丝丝得意。现在回想起来，女孩们真怪，她们从小就很复杂，其实她们就没有真正地小过。

我说："你打算怎么办？给他回信吗？"

她说："回信我已经写好了。"说着，黄旭升站住，从书包里拿出了一张纸，那上边写的全是英语，意思是我们是长在红旗下的好孩子，不应该这么早地想这件事。

我说："你用英语写这样的信，李垃圾又看不懂。"

她说："我想也是的。"说完，她竟把这封信给撕了。

我们走到了楼门口，她突然站住了，对我说："我要利用李垃圾。"

我望着黄旭升苍白而干净的脸，感受着她身上的清新气息，说："怎么利用？"

她说："我想把我妈和那个男人一起毒死。"

我的头皮发麻，看着她，张着嘴，说："杀人是要被枪毙的。"

她说："我知道。"

我说："你不是最恨王亚军吗？"

她摇摇头。

"王亚军是不是对你动手动脚了？"

她一愣，说："没有呀。"

我说："那大家都这么说，你看你妈对王亚军那样。"

黄旭升说："王亚军坏，我妈比王亚军还坏。总有一天，我要报复她。”

我说：“既然，王亚军没有对你动手动脚，你为什么不对大家说呢？”

她说：“没什么好说的，他活该。”

我突然问：“是不是他对阿吉泰好，你恨他？”

黄旭升的眼泪流出来了，她看着我，点点头。

7

李垃圾是我童年里最有诗意的一个人，他因为穷，天天捡垃圾，当时说穷人的孩子早当家，李垃圾的确早当家。他放学之后，总是这样的，先捡垃圾，再到锅炉房后去捡煤渣，他的脸经常是黑的，可是，我并不知道他内心却深藏着爱情。

我现在之所以要说说他，是因为他做的一件事，与王亚军，我和黄旭升都有关。

那是在一个晚上，母亲又是很晚都没有回来。

我一个人在外边实在没有意思，就又来到了学校后边的那棵树下，快走近的时候，我突然听到了声音，是黄旭升在对李垃圾说话。

黄旭升说：“找着老鼠药了吗？”

李垃圾说：“我从我爸爸管的库房里拿了一包。”

黄旭升说：“那你什么时候放？”

李垃圾说：“我知道他们总是在上午刚上课的时候上你们家去，你明天早上把钥匙给我就行了。”

黄旭升说:“光把那个男的毒死就行了,不要毒死我妈,让她活下来。”

李垃圾说:“为了你,我什么都能干。你就像天上的月亮一样。”

黄旭升笑了,说:“你说,天上的月亮这个词该怎么说?”

李垃圾说:“王亚军没有教。”

黄旭升说:“怎么没有教? moon。”

李垃圾学着,说:“母呢。”

黄旭升笑起来,说:“你长大想干什么?”

李垃圾说:“当土匪,抗日,打游击。”

8

第二天头一节课就是英语。

当王亚军在黑板上书写新单词的时候,李垃圾平静地走进教室,没有人注意他。

黄旭升的脸上紧张起来,她看着李垃圾。

我的内心也是充满恐惧。

放学了,我一直有些紧张,我对坐在那儿拼命抄英文单词的黄旭升说:“你不回家?”

黄旭升说:“你先走。”

我看看坐在那儿不动的李垃圾,知道他们有话说,就自己先离开了教室。

刚走到了我家的楼门口,就听到了黄旭升她母亲高亢的哭声。

我知道,楼里又死人了。

过道里有保卫科的人,他们在拍照现场。

可是,他们无论拍了多少张照片,最后都没有查出来是谁给黄妈妈和高个子的男人下了毒,赫赫有名的申总指挥死了,从此不可能再来黄妈妈这儿偷情。据说,最后连乌鲁木齐公安局都来人了,他们想破案,因为我说过,那个高个子男人当时很有地位,是个了不起的人。他们怀疑是王亚军干的,但是王亚军正在上课,有不在场的证据。他们也怀疑过是黄旭升,可是,他们谁也想不到这是李垃圾干的,而且,是因为他对于黄旭升的爱情。

少男少女的爱情,一个很完整的中学生早恋的故事。

9

黄旭升被多次审问,她反复说:“我不知道。”

长大以后,黄旭升曾对我说:“我觉得自己当时就跟江姐和刘胡兰一模一样。”

然而,当时黄旭升显得并没有她说的那么勇敢,她就是哭。

当大人们因为审讯而不让她睡觉,问她为什么那段时间,她的情绪很不正常。他们问的问题实际上是跟王亚军完全一样的,只是目的不同。前者是为了破案,后者仅仅是一个老师想让他的学生情绪稳定,能学好英语。

黄旭升最后为了睡觉,就违心地说了一句话。

当大人们启发她,是不是王亚军在给她单独补课时对她动

手动脚时,她说:

“他对我动手动脚。”

10

也就在那天晚上,黄旭升的母亲,突然敲开了我家的门。

她泪流满面地求我妈妈,想跟我们家换房子住。她说:她克男人,是不是与住在太靠西边的房子有关?如果换了房子就会好的。

我妈妈有些吃惊她的这种想法。

黄妈妈充满忏悔地说:“为什么男人跟我在一起一个,就死一个,不管他是共产党,还是国民党?”

妈妈也愣了,说自己从来没有想过这样的问题。

黄妈妈突然说:“你相信有神吗?”

清华大学毕业的母亲笑了,说:“我是一个无神论者。”

黄妈妈又说:“你相信有鬼吗?”

妈妈笑得更厉害了,说:“既然你已经这样了,那咱们两家就换房子吧。”

第十章

1

那天清晨，我很早就来到了教室，把黑板擦干净了。然后，我站在黑板前，欣赏着自己的劳动成果。第一节就是英语课，王亚军是一个对于黑板的整洁有着近乎洁癖的人。教室就我一个人，安静让我感到了无聊，我拿起粉笔，在黑板上先是写了soul，love，house，change……然后，我又一个个地看着这些单词，想象着他们的意思，又用板擦一个个地擦掉它们，当只留下最后一个词love时，我没有擦，而是把它留在了黑板上。这时，李垃圾正好进来，他看着这个单词，脸突然显得有些红，问我："你是什么意思？"

我说："你是什么意思？"

他不说话，只是夺过黑板擦，把那个词擦掉了。

soul这个词，擦得不太干净，李垃圾把它重新描清楚了，问我："这个词是什么意思？"

我说："灵魂。"

李垃圾又笑了，说："从小到大，我不知道写了多少触及灵魂的检查。可是，我真是不知道灵魂是什么。你知道吗？"

我说："我也不知道。他们说你死了以后就知道什么是灵魂了。"

李垃圾笑说："你才死了呢。"

我也笑起来。就好像死这个字眼真的挺好玩。

李垃圾说："哪天东山公墓枪毙人，咱们再去看，说不定在那儿能看到灵魂。"

我没有理他，把那个词也擦了。

2

上课铃打了半天，没有见王亚军进来。

我们都奇怪，守时的王亚军总是比钟表还准，就是他偶尔生病，也不愿意误课，而是挣扎着继续以他那林格风的腔调对我们说着英语。

我对黄旭升说："为什么他今天到现在没来？"

黄旭升不吭气。

当我反复问她,她就烦了,说:“我咋知道,我又不是他的小老婆。”

小老婆这个词用得很别致,那个时候曾看过半夜鸡叫。里边有周扒皮的小老婆。可是,黄旭升今天用这样的词,真是让我大吃一惊。

一会儿,校长与郭培清进来了。

校长板着脸,说:“从今天开始,你们不再学英语了。”

大家一愣。

有很多人欢呼起来。他们高兴得说,太好了。

只有我心中充满难过。

校长说:“因为王亚军犯了严重的错误。”

我不知道为什么,心中竟然异常悲愤起来,大声说:“最好连汉语也不学了。”

校长很快地看了我一下,他的目光与我的目光对视。显然,他是有些袒护我的。他很快地把目光从我的身上移开。又说:“这节课大家先自习,以后怎么安排,等学校作出新的决定,再说。”

3

下课之后,我飞快地跑到了王亚军的宿舍门口,想透过那个有着花纹玻璃的门看见什么。可是,里边很黑,我趴了半天,什么也看不见。

过道里充满了欢乐,笑叫声不断地传来。

我站在门前,突然忍不住地叫了一声:“王老师。”

里边没有动静。

我又喊了几声。仍是没有任何反应。我有些失望地准备走了。

就在那时,门竟然开了,王亚军站在我的面前。

我看着他,他也看着我。他把门开得大些,让我进去。

里边很暗,像是坏人的房间,我头一次发现他的房间里没有香水味。

他的脸有些灰,尽管仍用剃须刀刮得很光,可是那种感觉就是一种灰色水泥的感觉。

我坐在了椅子上。

他仍站着。

我想问他什么,但是他脸上的灰色让我害怕,我头一次感觉到这个我童年世界里惟一会说英语的人显得有些狰狞。我甚至有些后悔来他这儿。

他看看我,说:“你们不学英语了?”

我点头。

他说:“是谁宣布的?”

我说:“是校长。”

他说:“大家有什么反应?”

我犹豫了一下,说:“大家都很高兴。”

王亚军一愣,似乎没有想到是这样,渐渐地眼泪快要从他的眼睛里流出来了,但是,他很快地就控制住了,我以为自己看错了，但是那分明是泪水。

他的泪水让我更加感到了恐惧，我真不希望他也是个会哭的人，难道这种行为真的在他身上发生了吗？

我不想看他哭，当时就是想离开这个沉闷而又压抑的屋子，可是我又不好意思走。当一个人在你面前哭泣的时候，你真的会没等他擦拭完泪水就离开他吗？我坐也不是，站也不是，显得十分尴尬。

他的泪水流得很少，在眼睛里颤着，然后很快地自己就干了。沉默了一下，他突然就提高了说话的声音，吓了我一跳。

“其实，我并不难过。”

我看看他，站了起来，对他说：“那我走了，马上要上体育课了。”

他说：“你不是不爱上体育课吗？”

我点头。同时，心里也奇怪，他为什么会知道我不爱上体育课呢？

他停了一下，说：“上体育课时，我看你经常站在那儿，也不踢球，你总是像在想什么。”

我说：“王老师，我走了。”

他点头。

当我要出门的时候，他突然说：“站住。”

我再次被吓了一跳，真的非常害怕他就是一个坏人。

他走到我面前，把我拉进屋，然后关上门。

我不知道他想干什么，就像是等待着审判一样地看着他。

他似乎有些犹豫，沉吟着，然后慢而小心地问我：

“黄旭升为什么恨我?”

我不说话。

他又说:“她为什么会恨我?”

我吞吞吐吐地说:“她没对我说,她恨你。”

他看看我,当确定我没有什么话想对他说之后,就重新拉开了门,对我说:“你走吧,以后不要上我这儿来了,对你不好。”

我出了门,回头看看他,在那一刻,我意识到了自己的内心受到了“以后不要再上我这儿来了,对你不好”这句话的刺激,突然涌出了忧伤。我真想对他说,黄旭升是因为你喜欢阿吉泰而恨你的。

可是,我仍然就那么沉默地走了,我什么也没有对他说。

过道里仍是很暗,我的内心更暗,我真是有些仇恨爸爸的这种设计风格。我讨厌黑暗,我渴望阳光。

4

没有了英语课,我就像是没有了灵魂。这个时候才想起了当时非常流行的话语:一天不学问题多,两天不学走下坡,三天不学没法活。有的人就是聪明,他们善于总结,把人类心里的话,只用很少的字,就能说透。我可能就是没法活了。

在上其他课的时候,我时常拿出我自己曾经作的一张张英语卡片,反复地看着上边的单词,和自己为这些词汇画的漫画。比如 face 这个词,我会画一张李垃圾的脸,并有意识地无限放大。比如 fate 这个词,我会用闪电来说明命运。比如 father,我就会画一只爸爸的有些斜的眼睛。反复看卡片的时候,我的内心里总是又甜又苦。

窗外又下雨了,天山在水雾中看不见了。

黄旭升看着那些卡片,她想拿其中一张看,我不同意。

在课桌下,在郭培清讲课的时候,我们俩争着那一张卡片。突然,它被撕破了。

我竟然忘了这是在课堂上,气急败坏地大声对黄旭升说:

"去你妈的。"

班里的同学都惊呆了,在他们的印象里我总的说来是一个文明孩子,为什么竟然在课堂上,在班主任老师的眼皮底下,说粗话。

黄旭升不吭气,流出眼泪。

郭培清让我站起来。

我站了起来。

他说:"你为什么骂人?"

我说:"她撕了我的卡片。"

郭培清过来捡起了那张卡片,说:"鸟?会飞的鸟,英语的鸟,外国人的鸟……看起来你中的毒不浅。"

突然,郭培清愤怒地打开了窗户,雨雾冲了进来。我的脸立刻全都湿了。

郭培清把那卡片扔了出去。

那写着英文单词的鸟朝天空中升着,像风筝一样地被刮得很高很高了。

郭培清关上了窗户,说:"下课。"

过道里的电铃响了。郭培清走了出去,他没有再找我的麻烦。

我正感到有些轻松,李垃圾就走到我跟前,要约我单独出去打架。

看见李垃圾眼睛都红了的样子,我竟然有些害怕他,于是就坐在那儿不动。

李垃圾就站在我们身边。

我不出去,也不看他。

李垃圾说:“你是儿子娃娃吗?”

我仍是不说什么。

我们双方就这样僵持了一会儿,直到黄旭升对他说:“你回去。”

李垃圾这才看看我,又看看她,然后他听话地回到了自己的座位上。

我重新撕了一张卡片,写了 bird 这个单词,我说:鸟,他妈的鸟。然后我又画了一只鸟,展着双翅,在天山中的云上飞着。

那个时候,我又看了一眼天山,它在雨中颤抖,就好像在吸收了湿润的空气之后,有些过分的反应,患了某种疾病。

5

妈妈的设计开始实施,防空洞在湖南坟园里开挖了。

那时候的人很聪明,为了防止侵犯我们的外国人,他们在贫穷的情况下,却能把事做得十分有想法,有创意:

先是平地用石头垒起碉堡，在上边用土堆起一座很大的土包，又栽上树和草，然后在冲着西的一个侧面，像开窑洞一样地留下一道廊，延伸进去，再朝下挖。远处看就像是一座山，从高处看，就像是一座坟。

这真是妈妈的杰作，在没有爸爸的参与下，她这个清华大学建筑系的毕业生头一次显示出了她的才能和想像力。据说，母亲第一次看到她在纸上的图纸变成现实的时候，她哭了。就像是很多经过了曲折最后的成功者一样，她流的是幸福的泪水。

我忘了带钥匙那天，去防空洞的现场去找妈妈，她正忙着，就是看见了我，也没有太理我。因为，她正在与范主任他们商量着什么，显得又认真又有些着急。她站在几个男人中间很有些女权主义知识分子的味道，她与他们争论，那时她的脸有点红，就像草原上盛开的鲜花。没有错，工作使母亲变得美丽无比，我用鲜花去比喻她是没有错的，知道吗？乌鲁木齐往北的草原上只要是过了七月就会有许多花儿怒放，那时天山脚下的回民们就会唱起花儿。如果你听过一首用手风琴拉过的独奏曲你就会知道我是什么意思了，妈妈对待范主任他们几个男人的微笑说明了手风琴好听，鲜花美丽，还说明了人是不记仇的，与树不一样，树有年轮，它们记载自己的历史极其客观，而人不一样，妈妈就好像从来不知道范主任曾经打过爸爸的耳光，她因为工作而忘了私仇。

我站在一旁，等待着妈妈发现我，并听我说我没有带钥匙，并且，我饿了。那时我的饥饿就像天空一样深蓝，辽阔，无始无终，无边无际。它总是在吃过饭还不到一个半小时，就像云彩那样地向我袭来。

我思考着如何打断妈妈与那几个男人的讨论，我想我应该把话说得简短一点，就两句话：

家里没有菜票、饭票了——这是第一句。然后，我要说，我忘了带钥匙，把你的钥匙给我。

可是，妈妈的热情使我感到即使是这两句话，我也无法让她听清楚，把自己的设计变成现实这件事真是太有刺激了。

我从小就明白了这点。创造的实现，可以使一个优秀的女人暂时忘了自己的后代。这么繁忙的地方把我衬托得像是一个游手好闲的人，一个显得比周围的大人们更冷静、更深沉的孩子。我意识到母亲不会马上理我时，饥饿的感觉一下子就轻了许多。一个十多岁的孩子有没有权利在他母亲面前撒娇？对这点我没有把握，也不报希望。

6

我开始在防空洞的现场转悠，像个考古学的专家一样，我认真地看着那些从地里被挖出来的东西。其中有很大的贝壳化石。我又一次地认识到他们说得没有错，新疆过去就是一片海。而如今海水散去，有的地方就变成了沙漠。

为什么一定要变成沙漠呢？这种疑问让我的心开始发疼。那时的我，还没有见过海。对于海的想象使我内心里愁绪阵阵，我也就是在那个时候看见了正从防空洞里出来的王亚军。他明显地黑了，瘦了。而且，没有穿那么讲究的衣服，他竟然穿上了土黄色的仿军服，而且脚上还穿着一个大胶筒，这使他的样子像是变了一个人，有点像是卓别林扮演的那个流浪汉。

当我有些激动地朝他走过去的时候，他竟然没有认出我来。

我站在他面前，说："我是刘爱。"

他看看我，眼光有些怀疑，说："你长高了。"

我说："防空洞是我妈设计的。"

他说："能看出来，这是专业人员干的事。"

我说："你为什么穿雨鞋？"

他说："下边的地下水很多，我们站在水里朝前挖。"

我说："很累吧？"

他点头，说："很累。"又说，"你还在学英语吗？"

我说："都快忘光了。"

他说："黄旭升还好吗？"

我说："好。她参加了学校的宣传队，天天排练。"

他说："排什么？"

我说："草原和北京心连心。"

他笑了，说："草原和北京怎么能心连心？"

我说："你还会回来教英语吗？"

他的眼神有些暗淡，说："恐怕回不去了，下个月我可能就要搬出学校了。其实，我很喜欢那间宿舍，窗外就是树，能看到天山，过道里总是有学生欢乐的笑声。"

我说："我想让你回来。"

他显得有些感动，看了看我，这时，母亲竟然来到了我和他中间。

母亲看看王亚军,对他客气地点点头,又对我说:“你来干什么?”

我正想回答母亲,这时有人叫王亚军,他转身走了。

我看着他的背影,突然朝他跑过去,我挡住了他的路,站在他面前,他看着我,摸摸我的头。我说:“看见你穿着这样的衣服我有些难过。”

他没有说话,看看自己的身上,然后,又摸摸我的头,把我移开,朝地下走去。

母亲把我拉到了一边,说:“那么多老师,你为什么偏偏爱跟他在一起?”

我说:“他是英语老师。”

母亲说:“可是,他作风不好。”

我说:“什么叫作风不好?谁的作风好?你的作风就好?”

母亲伸手打了我一下,她出手的时候因为愤怒而有些狠,可是手在空中时,她控制了自己的力度,当那一下打在我的脖子上时,就已经很轻了。

我转身跑了,甚至于忘了拿钥匙和要钱买饭菜票。事后想起来,那天我一定是扫了母亲的兴,她在自己的工作中,忘了许多,而我又把她拖进了自己的体验和过失之中。我跑得很快,一会儿就回到了学校。我走在过道里,听到了从小会议室里传来了歌声。

“呵,亲爱的中国呵,我的心没有变,它永远把你怀念……”

我从门缝里望着,黄旭升和几个女孩子在跳着,唱着,她们的姿态优美。我好像看见了她瘦瘦的身体在宽大的黄衣服里晃着,当她转过身来时,我发现了她的胸部比前几天又高了。我想起了那个晚上,我们坐在树上,我无意中碰到了她胸部的感觉,突然,浑身上下都感到了热。但是,看她又唱又跳的样子,我想起了王亚军,我的内心里产生了一种仇恨。

我就在这种复杂的心境下看着她们排练,直到黄旭升她们从里边出来。我躲在一根水泥柱子的后边,看着她们慢慢地离开。而黄旭升一个人,进了女厕所。她从里边出来时,已经用凉水洗了脸,她的头发有些湿,脸上的水也没有擦干净。

我朝她迎了上去。

她看看我,没有说话。

我说:“你知道王老师在哪儿吗?”

她看着我,等我说。

我说:“他在挖防空洞。”

她仍然不说话。

我说:“是你把他整成这样的。你得想办法。”

她说:“我在跳舞。”

我说:“你只要到校长那儿告诉他,说他没有对你动手动脚过,就行了。”

黄旭升的脸红了。

我又说:“他现在很可怜。”

我们朝防空洞的工地走着,黄旭升一直跟在我的后边。我走得很快,她几乎在小跑着。我能看到她额上的汗。

她随着我一起躲在了不远处的一棵树的后边,我们只等了一会儿。

王亚军就穿着一身沾满泥水的衣服出来了,他没有朝我们这边看。只是像一个做作的哲人那样望着天空,就仿佛他真的被天上的某种东西给吸引了。

黄旭升的脸色一下子就变得苍白,她没有看我,只是一直盯着英语老师,像是一个伟大的母亲那样说:"他黑了,背也有点驼。"

7

我们再次来到了那棵树上,在夜里,我们商量该怎么办,应该说那是一次会议,是一次带有转折性质的会议。

天是阴的,看不见天上的任何东西,远处的天山也被遮在了云的身后,可能又要下雨了。

她说:"我有些冷。"

我就把自己的衣服脱下来给她。

她说:"这就是绅士,对吗?"

我说:"王亚军说绅士就是这样的。"

她说:"别人都叫你绅士,你气不气?"

我说:"心中暗喜。"

黄旭升笑了,说:"我对不起王老师。"

这时,灯又亮了。从窗户里我们看到王亚军的门开了,他走进自己宿舍的时候,眼光凄楚。

我跟黄旭升都看着王亚军,见他站了一会儿,就开始收拾东西。

我悄悄对黄旭升说:“他们要把他从这儿赶走了,不让他住这儿了。”

黄旭升的眼泪渐渐流了出来。

王亚军有一个很好看的大包,他把一些小东西先朝里边装着,从剃须刀,毛巾,牙刷……直到那本英语词典。

我的心又开始抖动,我真是太喜欢这本词典了。

他拿着这本词典,站在那儿随便翻着,然后,他好像看到了什么词汇,又坐下,显得认真的看起来,边看边念着,突然他笑了。

在我们俩的审视下,他笑得很厉害,是什么词汇和句子让他如此高兴,以至于都忘了自己的艰难处境?

突然,他像想起什么事一样,站起来,朝外走,走出去,又回来,在镜子里照照自己,然后换上那件体面的衣服,又从包里,拿出香水,倒出来一点,洒在自己的身上,脖子上,他做这一切的时候,很仔细,有些从容不迫一丝不苟的样子。

黄旭升看着王亚军,她的脸上充满了迷恋。

我从小就知道了一个女孩子爱上了她的英语男老师是怎么回事,是什么表情。

王亚军在镜子里最后看看自己,然后开门出去了。

她突然说:“我想向他认错。”

我说:“不要对他说,对校长说。”

她说:“万一校长不管,那怎么办?”

我一愣,这事我真的没有想过。

黄旭升突然说:“应该让全大院的人都知道,他没有动手动脚。”

我说:“你有办法吗?”

她想了想,失望地说:“没有。”

我们都渐渐凉了下来。

就在我听见母亲喊我的时候,我突然有了办法。我说:“有了。”

黄旭升看着我,目光期待着。

我说:“我有办法了,咱们像毛主席那样。”

8

黄旭升把一张大字报,贴到了办公楼前。题目叫:“我的一张大字报”。

内容很简单:王亚军老师从来没有对我动手动脚过,我当时神经不正常,胡说了。我对不起王老师,向王老师道歉。我以后决不再冤枉好人。黄旭升。

这在大院里是轰动的新闻,大人们都被震动了,这是沉闷生活里的一个春雷。

许多人都在看,当然都是大人。

当王亚军走过来时,他仔细地看了看内容。其他人都看着他,就好像他是一个外星人。

王亚军看完之后,脸突然红了。他一把撕掉了大字报,并把它撕得粉粉碎。

有人问他:“为什么要妨碍小将们的四大自由?”

王亚军不理他们，独自走了。

有人说："知道吗，他就是王亚军。"

当时，王亚军仍然穿着挖防空洞的大雨鞋，走在路上一拐一拐的，在他身后的人群就像是舞台上的幕布。王亚军走得很快，他的后背瘦弱，他听不见身后人们的议论，就好像他的耳朵里充满了音乐。

校长很快就找黄旭升谈了话。

黄旭升与校长之间的对话是这样进行的。

黄旭升："校长，王亚军老师从来没有对我动手动脚。是我胡说。"

校长："那你为什么那时要说？"

黄旭升："他们天天问我，不让我回家，不让我吃饭，不让我睡觉，我当时烦了，就胡说了。"

校长："王亚军是不是每天都给你单独补课？"

黄旭升点头，说："不是每天，是有的时候。"

校长说："那你点头干什么？"

黄旭升笑了。

校长说："他跟你说些什么。"

黄旭升说："英语。除了英语，没有别的。"

校长说："我们绝不冤枉一个坏人，但也不放过一个好人，你要说老实话。"

黄旭升说："校长，是绝不冤枉一个好人，也不放过一个坏人。"

校长说："我就是这样说的。"

黄旭升说:“没有,你刚好说反了。”

校长看看黄旭升,说:“唉,现在的学生就是不太正常。”

黄旭升那时看着窗外,有半天没有说话,突然,她的声音提高了八度:“假如我骗人了,就让我像我两个爸爸一样的死。”

这话让校长吓坏了,他看看黄旭升,说:“不能这样想,你们青年人朝气蓬勃,像早上八九点钟的太阳,希望寄托在你们身上。世界归根结底是属于你们的……”

黄旭升打断了校长的抒情,说:

“校长,你要是不让王老师回学校,我就说你对我动手动脚。”

校长愣了,他张着嘴半天说不出话来,眼前的这个小女孩让他刮目相看,他说:“你,你,你……”

黄旭升说:“我说到做到。”

校长缓过来之后,问黄旭升:“是谁教你这些的?”

黄旭升不说话。

校长像突然想起来什么,说:“对,是谁让你写大字报的?”

黄旭升想了想,认真地说:“毛主席。”

9

长大之后,我才渐渐地知道了校长与范主任的关系,他们都来自于清华大学,在运动开始的时候,一起造反,在一次由申总指挥操纵的乌鲁木齐最大的武斗中,校长曾救过范主任的命。就是打一中那天,如果不是校长,那范主任就牺牲了。所以,校长在大院里也不是一般的人物。我从当时的会议纪要里查着了以下的记录：

校长："范主任，王亚军没有作风错误，那个叫黄旭升的小女孩子神经有毛病，她家连续死了两个人，她不正常了。"

范主任："王亚军是谁？"

校长："从上海来的，一个教英语的老师。"

范主任："这些小事你们自己定吧，现在学校还上英语课吗？"

校长："停了。"

范主任："英语还是要学的。北京的中小学都学英语，咱们乌鲁木齐虽然离北京万里远，可是，英语还是要学的。"

校长："那我就让王亚军回来吧。"

这是普通的会议纪要吗？这是戏剧中的重要对话，是一部作品的转折点，因为这场对话王亚军的命运被改变了，我的命运也被改变了，甚至于新疆维吾尔自治区乌鲁木齐市的命运也被改变了。究竟是英雄创造历史还是奴隶创造历史，你说是英雄，我偏说是奴隶。从范主任到校长，还有王亚军还有我和黄旭升，还有爸爸妈妈……他们中没有一个是英雄，都是奴隶。

有的时候我常想：一个人的命运被决定就这么简单，是谁在决定我们的一生的命运？它推着我们从生到死，从挖防空洞这样的大事，到学英语这样的小事……我是说，在我这篇回忆录里，事情为什么要这样发生，而不那样发生？

10

王亚军又走在了学校的过道里，他再次穿上了那身灰色的毛料衣服，从他的身上再次散发出香水味。

过道里的灯光很暗，可是王亚军像太阳一样地朝我走来。

王亚军，像太阳，照到哪里哪里亮，

哪里有了王亚军，呼儿嗨哟，哪里人民得解放。

第十一章

1

我是怎么得到绅士这样一个绰号的？

人们都管我叫绅士，就好像这是一个很好玩的词，它可以用来起外号。比如有的人叫镇关西，有的人叫大刀，有的人叫母夜叉，而我叫绅士。我都弄不清是谁为我起的这个外号，可能是李垃圾，也可能不是。

我变了，真的变了。是英语让我变的？还是英语老师王亚军让我变的？反正我真的想做一个绅士，走自己的路，让那些嘲笑我的人见鬼去吧。

我开始改变自己走路的姿态,有意识地学着王亚军。我天生有很好的眼睛,根本不需要戴眼镜,但是,我悄悄地去了当年在大十字的亨德利眼镜店,现在叫红太阳眼镜店,我说我要配一副平光镜。

店里的老头一愣,说:"谁的?"

我说:"我。"

他显然被吓着了,从他镜片后边射出了恐惧的光,说:"我们乌鲁木齐没有你这样的孩子,过去乌鲁木齐没有,现在更没有。"

我掏出了十元钱,说:"我想配一副。"

老头摇着头,笑了,说:"知道吗? 这是资产阶级思想。有人问你,不要说是在我们亨德利,不,不,是红太阳配的。"

我说:"是什么配的?"

他说:"红太阳配的。"

我又说:"谁配的?"

他自觉失语,又说:"现在的孩子真聪明,引得我老头子犯错误。"

我就是在那种情况下戴上了我的平光眼镜,当我戴着它走在学校里的过道和操场上时,从四面八方都传来如同树叶彼此磨擦般窃窃私语的声音:绅士。

绅士之声不绝于耳,我的眼镜和走路的姿势成了大家取乐的对象,就像是白求恩的求一样,是在那段时光里最幽默的因素。

2

我悄悄地把母亲当年留在箱底的一瓶香水拿出来，打开瓶盖，轻轻倒出一些，抹在了头上。我做这一切时，显得小心翼翼，就像是春天里的雨水悄悄地落在了地上。雨丝被风吹动，散落成一片，朝无边的空间游移开去。

我的周围开始弥漫出香味。

那是很奇特的香味，我好像从母亲的身上，在我还是个婴儿时，曾经体验过这种香味。一个少年回想起他在婴儿时期曾体会过的味道，就像是一个老人回忆起了自己的童年，这竟然使他无比心酸。

我就是那个心酸的少年。

我沉浸在无边的香气之中，感到了有些晕眩。

那时秋天里的阳光懒懒地落在屋内的地上，我能看见榆树叶子已经变得枯黄。天空蓝得让我一次次地想起了自己的婴儿时代，并一次次地感到心酸无比。脆弱是这个男孩子的天性，让他在重温的香水气味中无比伤感。

我清楚地意识到自己生命中的一个阶段结束，而另一个新的时期就要开始。这种认识让我又兴奋又惆怅。

我好像能回忆起母亲的身体，那是白色的肌肤，还有她黑色的乳房顶部，就像是黑色的小虫子，在空气中飞舞。

香水的气息让我感到已经长大的我，是那么孤立无援，我看着绿色的香水瓶，从里边又倒出一点液体，把它们擦在了自己的脖子上，然后我开始摇晃那瓶子，又把瓶口对着自己的脸拼命地闻着。

那是我第一次偷偷地使用香水。

当我把香水重新放回箱子之后，我意气风发地走到了楼外的大路上。

乌鲁木齐那时少有柏油路，处处是泥土，昨晚刚下过一场秋雨，满地是黑色的泥巴，我走在那样柔软的泥泞之中，感到全世界都充满了香气。

我看着天山，它在阳光下神采飞扬，皑皑的白雪闪着高雅华贵的光芒，我被四溢的香味鼓舞着，就对天山说：

“老兄，你好。”

母亲在晚上一进家门，就闻到了香水的气味。她今天的心情显然又很不好，是不是她对于防空洞如何抵御氢弹的设计方案没有被通过？母亲的脸色呈现出铁一样的灰色，这使她看上去像是一个肮脏的雕像。

她看着我，足有二十秒，说：“你翻箱子干什么？”

我不敢看她，说：“我，我没有翻呀。”

母亲上来就拧着我的耳朵，说：“你能不撒谎吗？知道吗？骗人、撒谎这都是最可耻的行为。”

我说：“我没有撒谎。”

她又冲我的头上给了一下，说：“我一进门就闻到了香水味。你不翻箱子，能拿出来那香水吗？”

我的脸红了。

母亲说：“为什么做错了事还要骗人？”

我不吭声。

母亲去脸盆处拿了一块肥皂,说:“我要用它给你洗嘴。”她说着把那东西朝我的嘴塞过来。

我转过头去,大声说:“你不是也撒谎吗? 你从小到大就没有骗过人?”

母亲一愣,接着突然变得冷酷地说道:“我从来不骗人。”

说着,她开始朝我身上乱打一气。

直到今天我都难以解释母亲为什么是那么狂躁,就像夏天里沙漠上的龙卷风,母亲是会吃人的呀,她的咆哮,以及她头发的颤动真的是可以吃人的。

母亲为什么会这样,是因为事业上压力太大,还是因为父亲不在家,她缺少男人的抚慰? 要不,就是她过早地进入了更年期,难以自控?

可是,当我今天算算,母亲那时才三十多岁,还是今天的少妇们正瞒了岁数,装小女孩子的年龄,她还没有到更年期,为什么那么可怕?

母亲朝我走近一步,吓得我连忙往后退,她说:“我一闻你满头都是那香水的味道,你没有骗人吗? 你说我该不该用肥皂洗你的嘴?”

母亲说着又看了我鞋子上的泥土,又说:“你还出去了? 你就不怕丢人?”

我以沉默来反抗她。

她说:“你这孩子怎么跟别人家的孩子就是不一样? 你的脑子里天天想的都是些什么?”

我无言以对，是呀，我的脑子里天天想的都是什么？我说不清楚，我就是不清楚我天天想的是什么。

母亲突然提高了声音，说："你是跟那个英语老师学的吗？他是不是爱往身上抹香水？"

我无法否认这点，的确，王亚军身上经常有股香水的味道，那是不正常的，可是，它却深深地打动了我。当王亚军第一次从我身边走过，那浓浓的香味就让我似乎突然明白了，在这个世界上有什么东西是美丽的。

香水是美丽的吗？它来自哪里？是中国还是国外，是东方还是西方？以后，在德国人均格拉斯的作品中，看到了种种香水的闪耀，我的内心却充满某种想哭的感觉。香水和英语连在一起，它们从 Teacher 王身上发出来。

母亲又说："你不团结同学，积极参加集体活动，却天天和那个英语老师混在一起，你究竟想干什么？我听别人说，他作风不好，你知道吗？你是跟他学坏了。"

母亲说王亚军作风不好，这激怒了我："你怎么知道他作风不好？"

母亲说："我就知道。"

我说："他作风很好。"

母亲说："别人都告诉我了，他这个人有很严重的思想问题。"

我突然大声说："谁？是不是我们校长？"

母亲愣了，她没有想到我会在这个时候提起校长，她沉默了一下，脸在那时渐渐变得有点红了，然后，母亲开始哭起来，她说:“我为什么这么倒霉?”

3

第二天,我刚到学校,就听见了一片吵闹声。

学校门口聚集了许多大人,他们都是学生的家长。

校长似乎在那儿对这些大喊大叫的人们解释什么。

我凑过去,知道他们是在抗议为什么让像王亚军这样作风不好的人重新回到学校。

校长说的话我至今清楚地记得,他说:

“他是一个很好的英语老师。那个女生因为家里连续出了事,所以她的神经有毛病。但是,当她正常的时候,她说出了实情。”

有人问:“听说他经常给女生单独补课,有这事吗?”

校长说:“那不光是给女生,也有男生。”

校长说着看见了站在一边的我,说:“刘爱,你不是每次补课时都在场吗?你说说。”

我的脸红了,一时不知道该说什么,好一阵才说:“我有时在,有时不在,对了,我经常不在。”

大人们都笑起来。

校长的脸也红了,他不满地看看我,说:“这样吧,我保证,绝不再让他给任何学生补课。”

家长走后,校长挡住了我的去路,他像我的亲生父亲那样地望着我,说:“你的脑子是不是少根弦?”

我当时还没有反应过来校长这话里所拥有的绝对价值，但是几年以后，有一件事证实了，我的脑子里少了根弦，校长的敌人，我的父亲也是在气急败坏的心情中这样问我："你的脑子里是不是少了根弦？"

那也是以后的故事，留给我在以后再说吧，现在回到王亚军身上。

英语课代表还是我，我仍然像过去一样地抱着留声机，走在黑暗的过道里。

4

我走进了英语老师王亚军的房间里，那儿过盛的阳光还是让我晕眩。

他正站在窗口沉思，见我进来，他没有动。显然，他已经知道了在学校门口发生的一切。

我说："预习完了，现在班里绝大多数的人，都能用英语唱《国际歌》，只有李垃圾和少数人除外。"

他像是没有听到我说的话，只是看着窗外。

我说："用英语唱《国际歌》挺好玩的，就是词曲有时不太好配合，只有黄旭升唱得好。"

他没有接我的话，突然，他说：

"早上，那些家长说的话，你都听见了？"

我点头。

他说："你怎么看我？"

我说:“我觉得你作风没有问题,不过。”

他说:“不过什么?”

我说:“我也不希望你老是爱给女生补课。”

他开始有些发愣,盯着我看了半天,突然笑了,说:“你长大了就懂了,男老师爱给女生补课,很自然。任何事情都有个度。我能掌握的。”

我说:“他们说的太难听了。”

他严肃起来,说:“只要让我回学校,只要让我当老师,只要让我教英语。”

我说:“他们骂你都没事吗?”

他点头。

我又说:“那他们打你呢?”

他说:“不说这些了,你用英语给我把《国际歌》唱唱。”

我的脸开始发红,我已经开始变声,嗓音有些怪异,高音上不去,低音下不来。

他说:“唱呀。”

我说:“让黄旭升来唱吧,她唱得好。”

他笑了,说:“《国际歌》是课本里要求大家唱的,其实,我并不希望你和黄旭升唱。”

我说:“为什么?”

他说:“你问的为什么太多了,不过我喜欢你这样。”

我仍看着他,等着他的回答。

他说:“你和黄旭升的英语都学得很好,你们喜欢英语,应该教给你们真正的英语,但是,不要出去对别人重复我对你说的话，好吗？”

我点头。

他想了想，又说：“真正的英语歌，很优美的英文歌，每一句的韵节都很好，那是少数人唱的歌。是贵族唱的歌，从歌声里，你会渐渐体会出典雅和高贵。”

他说的有些动情，显然高贵的东西正在唤起他的冲动。

我说：“香水是高贵的吗？”

他说：“香水有很多种。在国内，买不上好香水，没有好的。”

我说：“我偷偷用我妈的香水擦了脸，我妈发现打了我。”

他笑了，说：“你还小，没有到用香水的年龄。”

我说：“那什么人该用香水？”

他说：“绅士。”

我说：“那你是绅士吗？”

他的脸在那一刻竟然有点红，他思索着，然后说：“你先回教室吧，我还有事，等以后，再慢慢回答你这么多的问题。不过，你要答应我，千万不要把我们说的任何话告诉别人，他是我们之间的谈话，是我们的秘密。”

我点头，并走到了门口，刚要出门，却又想起了刚才忽略的一个问题，那时我们都听到了上课的铃声，我把门关上，又回到了站在窗前的王亚军面前。

他惊奇地看着我，说：“还有问题吗？上课了。”

我说：“为什么你刚才说男老师喜欢给女生补课？这里有什么道理吗？”

他再次笑了，说：“道理？总有道理，有的道理说得清，有的道理我也说不清。”

我又说:“是不是女老师喜欢给男生补课呢?”

他认真想了想,边笑边说:“不,好像不。”

我说:“那为什么?”

他说:“我很难说清,这得去问弗洛伊德,我是在英文广播里听的,可惜他的书咱们这儿一本也没有。”

我看着他,等着他多说些。

他却把话题一转:“为什么这样的问题,你不问你妈或者你爸爸?”

我说:“我妈很厉害,她会打我的。”

他笑了,说:“你妈是典型的知识分子,怎么会有你说的那么厉害?”

我说:“她真的很厉害。”

“那你爸呢?”他说。

“我爸爸没时间跟我说话,他总是压力很大,有些事我不敢问他,还有些事不好意思。”

王亚军说:“其实,你问我的这些事,他们都懂。”

我转身要走了。

他突然提高声音说:“你妈知道你经常来我这儿吗?”

我想了想,开始撒谎,说:“不知道。”

王亚军的脸上竟然有几分失望。

在我有了很多的人生阅历之后,我有时在散步的时候也常常会想起王亚军那种失望的表情,他是真的希望母亲知道我经常来他这儿,并受到了他有益的影响,他以为母亲跟他一样是知识分子,他们的心灵是相通的。其实,他错了,母亲从来没有喜欢过像王亚军这样的老师,她只是害怕他这种人给她的孩子,以及她的家庭带来危险。

5

有一首英文歌是这样唱的:

Why does the sun go on shining

Why does the sea rush to shore

Don't they know

It's the end of the world

Corse you don't love me any more……

其实,这首英文歌不是王亚军教我的,那是我在成年之后,在一个舞会上偶尔听来自新疆乌鲁木齐教育学院外语系的女孩唱的,她唱得很好,长久呆在乌鲁木齐的我,感觉那就是天籁,她的歌声幼稚,让人在绝望中,体会到某种死亡的诗意。也就是在那天,我突然想起了一首老歌,那是王亚军在当年教我的:

《Moon River》

王亚军是在一个下午,黄昏了,我来到了他的宿舍。里边仍是有香水气息,他看着我,突然问我:

“你为什么要帮我?”

我愣了,他那么严肃,使我感到受了惊吓,我不知道他问的是什么意思。

他说:“黄旭升都对我说了。”

我说:“她说什么?”

他说:“她说,是你让她到校长面前承认她说了假话。”

我说:“我在防空洞跟前看到你身上全是泥水。我想学英语。”

他有些感激地看着我,说:“我教你唱首英语歌。”

就是在那个下午,就是那首《**Moon River**》。

他在阳光的照耀下,凭着记忆用手为我抄下了歌词。

然后,他开始一句句地教我。我曾经说过,他每天都要把脸上的胡子用剃须刀刮得干干净净,显得脸上有些发青,在这点上,他太像是一个外国人了,只有外国人和维族人脸上的胡子才有那么多。王亚军的胡子很多,可是声音却很小,他唱歌的时候似乎显得有些胆怯,但是音很准,在他的声音里,我感到了英文歌的美妙,我跟着他学,在我的记忆中那个下午的阳光永远是闪亮的,而歌声中的月亮河却是那么幽静,就像是王亚军的嗓音。

6

一个孩子和一个大人的友谊就是这样开始的吗?是从《月亮河》开始的吗?是从英语课上开始的吗?是从黄旭升和李垃圾的阴谋中开始的吗?是从一个具体的英语单词比如说:soul或者 Huckel berry 中开始的吗?

已经记不清为什么会对他提出那样非分的要求。

王老师,能把你这本英语词典借我两天吗?

在那首歌里有 My Huckelberry friends. 这样的句子，我不知道什么是 Huckelberry，就分别查了 Huckel 和 Berry，那天我惊讶地发现他的词典真是内容丰富，里边甚至有一些让我看看就脸红的单词。

7

那是一个星期天，学校里没有人，母亲很早就出去了，她设计的防空洞因为好，而获得了上边的表扬。

母亲穿上了一件有色彩的衣服，她从箱子里拿出了两双过去的皮鞋，一双是高跟的，一双是平跟的，与此同时，她也拿出了那瓶香水。

母亲显得特别犹豫，她站在那儿审视着这些东西，突然变得有些难过，她先是叹了口气，然后，又把所有这些东西放了回去，当她转过脸来时，我看到了母亲的眼中竟然充满了泪水。

我当时还真不懂一个女人明明有办法使自己漂亮却又不敢时的心情，我为母亲的哭泣有些惊讶，她是一个硬而且狠的女人，尽管她有风度，在大学里曾经参加过运动会，她在人们的面前总是微笑着，可是她回到家就总是怒气冲冲，爸爸在的时候还好，爸爸不在，她就永远是亢奋无比的女人。

她的眼泪，她望着好看的衣服，鞋，还有香水流泪这当然让我惊讶，甚至感到好笑，我当时就不同情她，现在我仍然不同情她，因为在我的少年时代，她实在太凶了。

母亲还是穿着往日灰色的衣服去接受表扬，那是一次难得的嘉奖,场面非常热烈,规模空前。

我们这些孩子都随着自己的班级排着队,十分有秩序地进了东风电影院。

主席台上坐着显赫的人物,下边是群众,还有我们这些孩子。

那是一次庆功会。

当主持会议的人宣布母亲上台领奖状时,我的呼吸几乎都要停止了。

母亲青春地走上台,她脸上有微笑,她是那么健康而洒脱,在登上舞台的一刹那,她简直就是个运动员,长长的腿,只是轻轻一跨,像跳高那样地,在一千多人的注目之下,她飘上了舞台。

坐在主席台上的人都看着她,仿佛她来自另一个世界,尽管她穿衣服与其他的女性一样,可是她的风度全然不同。

我当时就想,为什么我长得不像我妈,而像父亲,母亲是好看的,而父亲是丑陋的。我肯定是把父母难看的全部弱点都长在了脸上,身上,腿上。我就是短腿的男孩。

黄旭升看着我,班里的几个女孩都看着我,她们的眼睛里有羡慕和对我的好感。

黄旭升悄悄对我说:“你妈真好看。”

我没有看她,只是感到脸上发热。

她又说:“如果我妈像你妈这样就好了。”

这时,范主任让母亲讲话。

母亲拿着奖状,半天没有说出一句话来,突然,她激动地哭了。并断断续续地说:“感谢领导和组织给了我这次机会,人一生中只有很少的机会,我庆幸自己抓住了这次机会,设计好了防空洞,完成了党和人民交给的任务,我还要继续努力,彻底改造自己的世界观,成为工农兵的一员。”

母亲的哭泣让我无地自容,我害怕她的哭泣,特别是当着台上台下的一千多人。

这时,台上的领导高兴地说:

“我们落成的防空洞,不但能防导弹,能防原子弹,还能防氢弹,让一切纸老虎在我们面前发抖吧。”

有人领着呼口号:要准备打仗!

我看看昏昏欲睡的班主任老师郭培清,感到是一个出去透透气的时机,就忍不住地悄悄起身。

离开了会场,我松了一口气,感到自己从燥热走进了凉爽,在厕所里撒了泡尿后,我飞快地跑出了作为大礼堂的东风电影院。

8

不知不觉地我来到了学校。

走进黑黑的过道,我到了王亚军的宿舍门口。

里边传来了歌声,是王亚军在用英语唱《月亮河》。

我轻轻推开没有锁的门,发现他坐在椅子上,手里翻着那本词典。

我犹豫着走了进去。

他看见是我,有些吃惊,说:“你没有去开庆功会?”

我说:“我刚从那儿来,我妈领奖状时哭了。我怕看她哭。”

王亚军说:“她流的是激动和喜悦的泪。是幸福的泪水。”

我说:“防空洞真的能防氢弹吗?”

王亚军没有说话。

我说:“我爸在南疆帮着别人设计制造氢弹的大楼,我妈在乌鲁木齐设计防空洞,真的要打仗吗?”

王亚军摇摇头,说:“我不知道。”

我说:“你害怕打仗吗?”

王亚军看着我,好久,才说:“怕。”

我说:“为什么怕?”

“别人比我们厉害。”

“可是,我爸爸上次回来说,我们会有自己的氢弹。”

王亚军似乎在深思,一会儿说:“打仗会死很多人。最先死的就是我们这些人。”

我们沉默了一会儿。

突然,他再次唱起了《月亮河》。

我也跟他一起唱。

一个孩子的声音,和一个大人的声音,两个男人的声音融在了一起,英语的韵节在屋子里跟香水的味道一起回荡。

9

“能把你的英语词典借给我用用吗?”

“不行。”

“一天,就一天。”

“一天也不行,我每天备课都需要用。我的参考书很少,全靠这本词典。”

很难想象一本书像词典那样地吸引我,它给我带来的知识或者说是享受超过了任何一本别的书,这在我的成长时代也许是普遍的事,我们没有什么可读的,就是那本英文词典,只要是把里边的单词以种种方式排列起来,那全世界的语言都会展现在你的面前,而且它们有韵味,用今天的话说,就是充满音乐性。

直到今天我都被那次拒绝震撼着,当时我的脸像母亲一样地红了。我甚至有些伤心,我想走,却又不知道该怎么跟王亚军说。

我从床上站起来,犹豫着,腿很重,像是一个突然得了大病的老人。

王亚军似乎看出了我的痛苦,他说:

“你可以经常来我这儿翻词典。”

我说:“每天都可以吗?”

“只要我在。”他说。

我最终没有走,而是坐在了他的床上,现在我进他的房间已经不再紧张,命运把我们连在了一起,尽管,我们是大人和孩子的关系,尽管他不肯把英语词典借给我,但是我发现王亚军在宿舍里对我很平等,完全不像是老师和学生,像什么呢? 忘年交,对了,这个词很适合我们,我们就是忘年交。

我拿着他的词典,仔细地翻看着,这真是一部世界上最好的书,里边有很多让人怦然心动的词汇:love,home,sunshine。最

后，我被一个词汇吸引，翻成汉语至今都让人不好意思随便说：自慰。

我问王亚军：

“什么叫自慰？”

王亚军显得有些吃惊，略有些不好意思。停顿了片刻，他说：“这不太好说。”

我说：“你没有学过？你不会？”

他笑了，说：“这是我经常要做的事情，可惜还不太好告诉你。”

“这是骂人的话？是下流话吗？”

“也不能这样说。”

“那到底是什么意思？”

[illegible]

[illegible]那天离开他时，我的内心很失望，词典他不愿意借给我，自慰的意思，他也不愿意解释。

我走在乌鲁木齐的原野上，天空中有风筝，是报纸糊的。它们在雪山的映照下显得很平静，像停留在天空中的大鸟，那时的我就明白，人是不平等的，今天是母亲大喜的日子，她在众人的注目之下领奖状，可以激动得流下幸福的泪水，而我，却像个孤独的思想者，被我敬爱的英语老师拒绝，同时又被自慰所困扰。

望着远处的博格达峰和头顶上的蓝天，我无比困惑。

我是一个早熟的孩子吗？我灵魂里的东西比别人装得更多？我曾经问过王亚军什么叫 soul？我为什么和别人家的孩子不一样？男孩子们总是那么高兴，他们闹着，笑着，十四岁对于他们来说是玩的年龄，因为他们仍然在高声唱着那样的歌：

“洪湖水呀浪打浪，丫头子逼上长白毛，儿娃子手拿冲锋枪，咕噜咕噜上战场。”

而我却像女人那样地忧伤。

10

每天早晨，不，应该说是黎明，窗户上还充满暗影，太阳还远在天山背后时，我就陷入了一种又朦胧又清醒的状态。在那时，我总是感到浑身很冷，我意识到自己需要人来抚摸我，确切地说是异性，是女人温柔的手，她们轻轻地摸我的头发，然后摸我的脸。然后，我不敢想象她们会摸我的全身。

那是一段痛苦而又充满

浪漫，并且，抚摸我的女人也渐渐地变得具体

有两个女人总是在那时悄然而至，一个是阿吉泰，一个是黄旭升。

我睁着眼，望着窗户，期盼着她们的到来。

她们经常会融化成一个人，走进我的房间。

阿吉泰是美丽而丰润的，她身上总是有种热气，黄旭升是弱小而敏感的，她身上有某种凉爽，她们总是一起进来，然后变成了一个人，围在我的身边。

许多早晨我都睁着眼睛等待，我意识到自己必须在那时睁开眼睛等待，机会是在瞬间中消失的，她们一定会来。如果我因为不小心而在那时闭上了眼睛，我就会丧失自己一生的幸福。

每天的我都在焦虑中度过，充满激情的我变得憔悴起来。

母亲注意不到我脸上的变化，她不知道自己的儿子在每个早晨都因为失望而哭泣，又因为希望而亢奋。

我说过，母亲是忙碌的，她从清华建筑系毕业之后，防空洞是她最成功的作品，她因为这个获了奖，她要对得起那些为她颁奖的人。

但是，面对母亲我总是感到自己有罪，她生我养我，她很累，她紧张，她因为一切其中包括我而烦躁，我却不但不能为她帮忙，还有这样的事情发生在我身上，这是堕落吗？罪恶感让我总是想躲着她。幸亏她总是很忙，幸亏她每天回来都很晚。

黄旭升也没有注意到，她在班里有意识地跟我用英语说话，可是我却不敢看她的眼睛，怕她真的知道了我在每一个黎明的愿望和肮脏的念头。面对黄旭升清纯的眼睛，我感到自己肮脏极了，这让我心里时时发出疼痛，一个孩子的凄凉和失落竟像老人一样宽广无边。

可是，有一个人注意到了我的烦躁和憔悴，那就是王亚军，我的英语老师。

11

“你的脸很黄，是不是病了？”

“我每天早晨都睡不着觉，我总是睁着眼望着窗口。”

他走到我的跟前审视着我的脸，渐渐地仁慈的微笑出现在了他的脸上，他说：

“你是盼着有人从那儿飘进来吗?”

我的脸红了。显然,王亚军知道我的心思。

他说:“你这样下去会被毁了的。”

我说:“我为什么会这样?”

他一时没有说话。

我的眼泪流了出来,痛苦使我浑身瑟缩成一块,像是一个装满了煤炭的麻袋。

沉默了很久,当午后的阳光照在我屁股上的时候,他突然说:

“多久了?”

“好几个月了。”

“难怪你最近上课老是看着窗外。”

“我没有办法,我老是睁着眼睛。”

承认这件事,当着另一个人对我而言是无比痛苦的,因为我说过,我的确感到自己肮脏。

他看着我,就像等待着要作出一项重要的决定。

我再次沉默。拿起了那本词典,随便一翻,也许是命运让我成为那样的人,自慰这个词再次出现了,他在我的眼前,闪着光泽,就像是为镜框镶了银边。

王亚军就是在那一刻走到了我的跟前,当看着词典时,他也看到了那个词,他说:“我也曾经有过这样的时候。”

我愣了,当时我可能是张着嘴,一时忘了闭上我的嘴唇,样子一定非常蠢,但是一个像王亚军这样文明的人竟然跟我说他也曾经有过这样的时候。这无异于雨后的阳光,它们的到来显得温暖而又出人意料,它们过于强烈,我因为刺眼而不得不闭上眼睛。有时,天空突然明亮,而你却眼前发黑,你经受不住幸福的打击,因为意识到自己得救了,而感到阵阵晕眩,没有必要坚持了,你会疲倦无比,如果没有依靠,你就会和我一样瘫倒在王亚军的床上。

我看着他,头脑渐渐地恢复了感觉,我听清楚了他的话,他是说了,他说他也曾经有过那样的时候。

就是说,在这个世界上,出了如此大的问题的人,不仅仅是我一个,连像王亚军这样的绅士都是这样,那肮脏的人绝不仅仅是我。

我得救了,我崇敬的人曾经跟我一样。

“你是不是有犯罪感?”

我点头。

“其实,你不必这么压抑,每个人都要经过这样的时期,”说着,他叹了口气,又说:“可惜你爸爸不在,应该让他对你说这番话的。”

“我爸爸不会对我说,他很少看我,他太忙了。”

说这话时,我突然再次被委屈袭击,内心有些潮湿,在这个时候我有些想念我的爸爸,他在哪儿,肯定还是在原子弹基地,他在遥远的地方干什么,在搞氢弹,他为他们设计了大楼,而他们就在他设计的大楼里搞武器,爸爸在保卫祖国,可是他忘记了我,他的儿子。

这个孩子因为自己的成长而感到自己有罪,他渴望交流。渴望父亲的嗓音在他身边回荡。

王亚军听我这样说起父亲，一时有些茫然，他想说什么，又没有说。

我手里仍拿着那本词典，仍是在那一页，自慰这个词就在那儿，我看着它，但是并不知道它与自己的关系。

“你真的想知道这个词汇对于一个人意味着什么吗？”

王亚军说这话时没有看我，似乎他也有些犹豫，甚至有些不好意思。

我抬起头看着他。

就在那个时候，从门外的小会议室里传来了女声和着手风琴的音乐：

抬头望见北斗星，心中想念毛泽东，想念毛泽东。黑夜里想你有方向，迷路时想你心里明……

王亚军就好像什么也没有听见一样地对我说：“你要学会自慰。”

时间久远，每当我回忆起这段往事时，都在想，自己的记忆是不是准确，因为这不是虚构的故事，它来自于我的亲自经历，是什么样的激情使这个英语教师有了那样的胆量？他是不是为了报恩，或者是他也在寻找一个导泄内心的通道，这事在今天由一个老师教给一个学生都有问题，他的激情从哪里来？是从天上掉下来的吗？还是他内心固有的？

“听见了吗？你要学会自慰。”

12

手淫的具体过程是不太需要大人教的,如果他是一个聪明的男孩儿,他就应该天生会做这件事。我的英语老师除了让我学会了那首古老的《月亮河》之外,他还让我意识到每当黎明想念女人,浑身燥热是无罪的。

我的身心解放了,因为我放下了包袱,轻装前进,在乌鲁木齐秋日的泥泞之中,我走路的姿态又开始轻快了。我又回到了那种幸福时光,看着远处闪亮的雪山,又像个快乐的孩子一样,在阳光的照耀下说:

"天山,你好。"

也许还是应该用自慰这个词,那样会干净些,自己安慰自己,或者说,自己抚摸自己,不需要别人的帮助,无论汉语和英语,在说明这个动作过程时,都很准确。

我在这样的过程中度过了第一个黎明,接着的几天,我都不再睁眼看着窗外,我感到自己的身体在几天之内没有再发烧,接着又是第二次,第三次,直到母亲在一个早晨发现了我的动作,并揪住了我的头发。

13

那天我又睁开了眼睛,我意识到自己又需要了。可是,我忘了在晚上小解之后关上门。第一缕阳光快要来临了,我必须做。

今天是想象着阿吉泰还是黄旭升呢？我犹豫着，渐渐地她们两个人又合成了一个人，是阿吉泰。她全身赤裸着，留着长头发，在蒸汽中来回走动。那似乎是个澡堂，我只能看到她的后背，开始我没有意识到她就是阿吉泰，直到她回头看我的刹那，我看到了她洁白而红润的脸上全是水珠，她在微笑，然后她的胸全部暴露在我的面前。她的大腿和腹部全是洁白的，不像是以后当我长大之后看到的任何女人。阿吉泰在我的想象中是洁净无比的，那时我不知道女人身体的结构，以及她们毛发生长的部位，仅仅是阿吉泰的微笑和她光洁的肚腹就让我加快了手上的动作，而不顾一切。

母亲就是在那个时候进来的，我根本不知道，我只是像发疯一样地在动作着自己的手。母亲很可能观察了我一下，然后，她又冷静地看了半天，她肯定是想弄清楚我究竟在搞什么名堂。她先是有些迷乱，接着她开始吃惊，最后她狂怒而粗暴地去拉我的被子。

我就是在那一刻被从自身的迷恋中唤醒，我睁开了紧闭的眼睛，立即被吓得失去了控制。

母亲就站在我的面前，她的眼睛与我的眼睛紧紧地对在了一起。

然后，母亲突然像失去了控制的野兽一样狠狠地拉我的被子，我立即开始反抗，我不能让她拉开。已经开始发育的我有了超过一个像母亲这样的女人的力量，她渐渐感到了体力不支，她拉不开被子，渐渐丧失了气力。

母亲的激情也随着力量一样开始消失，就像潮水消失在沙滩上,母亲的冲动消失在她的眼泪中。

我永远也忘不了母亲在那天的眼泪,她对我的绝望是彻底的。她从来没有想到在她每天的忙碌之中,她的儿子已经堕落到了如此无耻的境地,渐渐流出的泪水模糊了她的双眼,她在痛苦中变得茫然,并缓缓地松开拉着被子的手,转身离开了我的房间。

她在自己与父亲的房间里嚎啕大哭,就像她死了自己的父亲那天。顺便说一句,她的父亲是因为腿断了,掉进她家乡的池塘里淹死的。她的父亲是一个读书人,把她培养成了一个清华的女生,按理说她应该懂得自己的儿子正在做一个男人应该做的事情。

可是,失望让她分不清东南西北,她在自己屋子里哭得极其伤心。她的哭声让我在床上躺不住了,尽管我没有射出来,却再也无法继续进行,我穿上衣服离开了床,走进了她的房间。

我想向母亲说点什么,但是羞愧让我几乎无法面对她的脸。我应该认错了,对吗?就像是我小的时候打碎了家里的瓶子,然后,在父亲和母亲的教育之下,我说:"妈,我错了。"可是,今天打碎的不是一个瓶子,而是我与母亲之间的平衡,是她对少年时代的我的信任。

她一直哭着,就像永远流淌着的乌鲁木齐河。

我一直站着,就像乌鲁木齐河边的榆树。

时间过得很慢,好像过了几个世纪,突然母亲转过脸,她擦拭着眼泪,当她的脸上没有了任何泪水的时候,她说:"是他教你这样做的吗?"

我慌乱地说:“谁?”

母亲说:“那个英语教师。”

我更加慌乱,尽管支支吾吾,答案却早已写在了脸上。

母亲洗脸,梳头,犹豫着用雪花膏轻轻地在脸上擦了一点儿,然后她快步地走了出去,我是从她的脚步声里听出了仇恨的。

14

“是你教刘爱的吗?”

“是我教他的。”

王亚军竟然承认了,他显得那么镇定,就和刘胡兰或者许云峰一样。

母亲狠狠地一巴掌打在了王亚军的脸上。

王亚军没有动,从他的眼神里看不出任何吃惊的成分。

“你这样教唆孩子,我要去告你。”

“你去吧。”

“你会后悔的。”

“我不后悔,我只是对你有些失望。”

“从此我决不让我儿子走进你这个门。”

“我同意。我也不会再让他进这个门。”

“你说话算数?”

“我说话算数。”

对话是在王亚军宿舍里进行的,那个中心人物,那个男孩子就在伸向窗口的老榆树枝上偷听，他看到了一切。他当时作为一个旁观者比这一男一女两个大人谁都看得更清楚，他与他们有一点距离，这正好让他看到了全部的场景。只是王亚军最后说的那几句在今天看来有些造作的话，让他终生难忘，并让他回忆起来就感动得真想流泪：

“我觉得一个女人不应该那样对待孩子。他需要人帮助，他需要朋友。而不是像你这样。”

母亲没有理他，像要摆脱妖魔一样地离开了王亚军的房间。当门重重地关上之后，王亚军开始照镜子，他的脸被母亲打得有些红肿。

他照得很仔细，并轻轻抚摸自己的脸，然后，他摇摇头，开始笑起来，我那时就懂得他那不是真正的笑，那是自嘲。

以后，我曾经问过王亚军，为什么我妈打你，你却不还手。

王亚军的脸上还是出现了这种类型的笑容，他说：“她是女人，我是绅士。一个绅士在挨了女人耳光之后，绝不能想到还手。”

“那他应该想什么？”

“他首先应该想想是不是自己真的错了，如果没有错，那他就应该自嘲地笑笑。”

第十二章

1

王亚军与我的关系因为母亲的干涉而变得十分尴尬。

回想起来,那是我人生中背运的日子,还记得海明威笔下的那个老头吗?在他一条鱼也钓不上来的时候,人们说他背运了。现在大家都可以这么说,我背运了。

我母亲就是我幸福的丧门星。她当然是为我好,可是谁都知道,因为爱而杀人,这是很平常的事,在我们那个年代,在一切年代。在托尔斯泰的年代,也在福柯的年代。

母亲找了校长,不让我当英语课代表。在校长的命令下,黄旭升再次当了英语课代表。这也许对于王亚军没有什么损失,女生又可以围绕在他的身边,可是,我完了。文明离我而去,在乌鲁木齐,在天山脚下,在被你们这些口里人想象成没有公共汽车的地方。我在北京鬼混时,许多女孩子一听说我是从新疆来的,就激动地问我:

“你们是不是骑着马上学?”

“骑骆驼。”

我总是这样回答她们,以表达我的气愤。

她们几乎没有人听得出来我是在嘲弄她们,我的口气里含着很多不友好因素,她们听不出来,在她们的眼睛里,新疆就是那样的地方,乌鲁木齐就是那样的地方。当年征服新疆的成吉思汗的部下曾为我的出生地选择了这样的名字:

乌鲁木齐。

他们是蒙古人,在他们的话里,乌鲁木齐是美丽的牧场的意思。我生在美丽的牧场,我没有办法不骑着骆驼上学对吗?操你妈的。

可是,我的英语课代表没了,权力重新回到了黄旭升的手中,在她根本不想要的时候,权力又回来了。

2

有一段时间,人们要是注意的话,肯定会看见一个失魂落魄的孩子。因为他丧失了权力,丧失了机会。像是一个退役的将军那样地哀叹着,荣耀很快就会过去,一切都是短暂的。

他走在学校黑黑的过道里,总是故意从英语老师王亚军的门前走过,他渴望那个门突然打开,阳光还像过去一样倾泻进来,让他眼睛睁不开。

可惜那个门没有为他打开。他就这样故意走过去,又故意走回来,似乎听到了里边的欢声笑语,这使他的内心像冬天一样荒凉而冷落。

那个孩子产生了很多不满,他因为有许多时间无法打发而烦躁不安。

你吸过毒吗?

如果你吸过,那么这事就好解释了。可以这么说,你对于毒品的态度,就是我对于王亚军以及词典的态度。

在英语课上,那个男孩子总是希望自己的目光能和王亚军老师碰到一起,他试图在这种时候与他能交流自己。

可是,王亚军看着他时,目光显得很平静,就像对待一个普通人一样。而他是不普通的,他们之间曾经有过友谊,有过深刻的谈话。

3

清楚地记得那天,是一个星期五,在我的童年里星期五并不是周末,那天黄旭升病了,她妈对我说,让我帮她请假,并把写的假条让我带到了学校。我感到这是一个机会,在把病假条交给了班主任郭培清之后,就疯一样地跑到了王亚军的房间。我站在门口,内心狂跳着。

我犹豫着敲不敲门,有两次我都伸出手准备敲门,可是,我紧张得不敢敲那门。在响过了预备铃声之后,终于,我敲了那门。

阳光一下就照耀了我的脸庞,就是我对你们多次说过的那种感觉。

开门的是王亚军,他好像一点也不为我来而感到吃惊,与我相比,他很平静的样子让我惊讶得张着嘴,就像里边走出的不是英语老师王亚军,而是林彪。

我看着他,就那样张着嘴,一时忘了来干什么,半天不说一句话。

他显然能看出我的紧张,他们大人就是这样,冷静得就像是一只社会经验丰富的老鸭子,他就是那样看着我,忍受折磨,而不主动说一句话。

我看着他,已经完全忘了我来的目的。

王亚军见我不说话,就回身,并关上了门。

我站在门口,感到自己重新被黑暗包围了。在黑暗中,我才想起自己是来干什么的。我于是再次敲他的门。

他又开了门,那时,上课铃声已经响了,我说:"黄旭升病了,我来帮你拿留声机。"

"今天不用留声机。"

我愣了一下,又说:"我来拿作业本。"

他说:"我自己拿。"

说完，他关上了门，没有理我，只是自己朝教室走去。

我羞愧地跟在他的后边，走在过道时感到浑身发冷。

王亚军比我先进教室，他直接朝讲台走上去时，让班长何秋原给大家发作业本。在他说这些话时，根本没有意识到我是那么渴望这次机会。

何秋原把作业本分成八组，然后分组一本本地传给每个人。

王亚军在黑板上用英语写着新课的生词。

我望着窗外的远山，心中懊丧极了，感到阳光很讨厌。

4

“我妈说，她那天打你错了，她很后悔。”

“你妈？”

王亚军看着站在门前的我，摇摇头。

她就是很后悔，她让我来对你说。

“你妈不会的，像你妈那样的女人，永远不会承认自己有错。”

“那我有错，我承认错误。”

“你没有错，你是一个受到委屈的孩子。”

“我每天都很难过，我想进你的房间。”

“不行，我跟你妈已经说好了。”

“我想听你说话。”

“等你长大了，再想听我说话，就来找我，现在不行。”

“长大？”

那是何其遥远的事情，我的眼前因为长大这个词而阵阵发黑。

王亚军尽管显出了某种犹豫，但仍再次以摇头否定。

“我想看那本词典。”

“不行，你不能进来。”

我失望地走了，能够感到王亚军没有关门，他站在后边望着我，我朝过道的尽头走去，他就一直在后边看着我。

我感到自己陷入绝望，那天晚上，我做了梦，在梦中我成了王亚军的救命恩人。他病了，吐血，是我把他送进了医院。医生，也就是我们班长何秋原的爸爸对我说：“幸亏你把他及时送来，帮他捡了一条命。我很感动，大家都很感动。”

在梦里，王亚军紧紧抱着我，并把那本词典送给我，当作礼物。

我在早晨醒来了，那时窗外还是充满暗影，我睁开眼睛，仍然盼着有人从窗户里走进来，可是在我的想象中，已经不是女人在飞舞。阿吉泰或者黄旭升她们都已经退居二线，走进来的应该是王亚军，他对我笑着，而不是冷淡，他唱着《月亮河》，手里拿着那本乌鲁木齐在那时惟一的英语词典(起码对我来说是这样)。他走在房间里，充满了香水的味道，他说：“我对你有些冷酷，昨天晚上我一夜没有睡着，我想了一夜，感到后悔，今天早晨专门来找你，我知道你每天早晨都在盼着有人从这儿走进来。”

“我来了。”

我接过那本词典，翻开了一页，自慰这个词再次出现，我感动得浑身发抖，就像反革命被平反昭雪一样，我也一时半会儿不知道说什么好了。

但是,王亚军消失了,他走的时候没有从窗户,而是从门,他体体面面地开门,然后从门口走出去,他下楼梯时,皮鞋的跟踩出了声音,就好像这不是在黎明,而是一个很正常的时候。

我在脚步声彻底消失以后,才意识到手里没有词典。

5

就是说我完全陷入了孤独,王亚军不理我,他不再对我说话,就是说他的那些智慧的语言现在又只对黄旭升说了,同时,那本词典我也没有机会翻了,它们被锁在了英语老师的宿舍里,从此不见天日。

有相当一段时间,我几乎把它当成自己的书了,我想翻的时候随时都可以去翻。那里边丰富的词汇让我发现了人生的真谛。

我现在用真谛这个词是为了嘲讽自己,总之,我是一个可怜的孩子,因为母亲的愚蠢,所以,我生命中绝大部分的欢乐已经没有了。

一个绝望的孩子是可怕的,在今天,他可能去吸毒,会突然离家出走,也许他会去树村见那些摇滚者,并充满反叛地写下我操你妈,操你姥姥,操领导,操文件,操四书五经,操电视,操宝马汽车,操豪宅,操贷款之类的歌词,因为他们有操的东西,他们可以随便操,可是,那时的孩子不同,当时几乎没有这些东西,社会的力量在那时无比强大,他是属于受压抑者,极端地感到恐惧,他是在恐惧中才发现了英语以及香水的。

能够随便操对他来说是太奢侈了,想也不敢想。

但是,一个孩子的绝望仍然是可怕的,即使他是那个时代的孩子。

他进入了这样一种思绪:

英语老师王亚军可以不理他,可以不再让他看那本英文词典。但是,他也可以不理英语老师,他甚至对他产生了反感。

不理英语老师的结果是他从此再也听不到那些让他变得智慧的语言,但是,英语老师王亚军的智慧是从天上掉下来的吗?是他头脑里固有的吗?不,不是,是从那本英语词典中来的。每个人说的话都是由词构成的,而英语词典里拥有无限的词汇,任何伟大的人,他们的思想都是从这本词典里得来的,因为他们把这本词典里的词汇重新排列组合,所以词典是世界上最伟大的书,跟圣经一样重要。

这话是谁说的?

英语老师王亚军。

这本是在那时的孩子几乎很难听见的充满古典情怀的话语,这话使孤独的孩子得到了启蒙,启蒙的孩子在新的形势下变得绝望,绝望又让他产生了可怕的念头,念头促使他去行动。

6

偷英语词典。

这个孩子列出了周密的计划,他不愧是知识分子的后代,他

爸爸是设计师,妈妈也是爸爸的同行。他一生下来就懂得计划:

王亚军的门并不全是由木板组成的,上边有框,框里镶着玻璃。只要把离暗锁最近的一块玻璃打下来,伸手进去拧动暗锁,门就开了,而词典就在那个小书架上,然后,就是逃跑了。

有两条路,如果一切顺利,那就仍从门口出去,如果正好门口来了人,或者出现了别的意外,那可以打开窗子,跳上外边的老榆树枝,从树上逃脱。

7

那是晚上,月亮和星星都在闪耀。

母亲仍然没有回来。

我很高兴她没有回来,可以到学校去看看,王亚军最近老是不在宿舍,我路过时发现他的灯总是黑的,他干什么去了?他很忙吗?跟母亲一样,在设计,在忙着事业?也许他在忙爱情,跟谁呢?当然是阿吉泰。有一点我很清楚,王亚军陷入对于阿吉泰的苦恋之中,他为阿吉泰拍了照片,并把它们悄悄地夹在书里,那是一本毛主席语录。

我朝学校走去,一路上,我还极力辨认着大雄星座,仙后座,北斗星,不要以为这是在地理课上学会的,没有了,那时没有地理课,全是王亚军教我的。而且,他用的是英语。

我走得离学校越近,心里就越紧张,当走到了王亚军的窗下,灯是黑的,我的心狂跳起来。看来可以在今天下手了。

一想到要偷东西,我感到自己的尿突然憋了,我有些恨自己，我是一个胆小的孩子。那时，我抬头看了一下月亮，突然内心产生了想哭的感觉。我不知道为什么会这样，就在委屈、饥饿和寒冷中撒了泡尿。

学校大门已经关了，但是一楼厕所有一扇窗户是坏的。我来到了厕所外，犹豫了一会儿，从窗户里爬了进去。

8

我像一个真正的小偷那样地走在过道里。

长长的路途上只有一盏灯。昏暗，枯黄，与我的心情完全相同。平时感到这座父亲设计的楼不大，甚至有些压抑，有些小，可是今天路很漫长。长大以后看一部昆汀的电影，里边的杀人者真是有趣，他们都像玩一样，只是一个个人死去，血流成河。但他们是正常的人。

可是，我是一个没有出息的人，仅仅想偷那本英语词典，就已经把我的尿吓出来了。

我来到了王亚军宿舍的门前，我脚步轻得连自己都听不到，看着王亚军的门，还有那片我想在今天晚上打碎的玻璃，我再次犹豫，如果今天让我确切地描述当时的心情，简直可以用百感交集这样的大词。我甚至想到了这样的问题，父亲当年设计这座楼的本意，是想让他的儿子在今后的某一天来这儿偷东西吗？

在黑暗中，父亲的脸像月亮一样地浮了过来，他的眼睛仁慈而又悲悯，里边充满了对我的爱意。他似乎在对我说：

“请你最好不要偷东西。”

我说我没有办法。我需要那本词典。

他说:“那偷东西是犯法的呀。”

我说:“那个打你的人犯法,每个人天天都在犯法,我为什么就不能犯法。”

父亲有些失望,他的眼神里充满泪水。

这时,突然有人走过来,是从校长办公室那边来的。我连忙躲进厕所。

那声音是朝厕所来的,我慌忙地溜进了最里边的那扇门,并透过空隙朝外看着。

进来的果然是校长,他似乎喝了点酒,脸上的表情有些痛苦,他站在那儿撒尿时都显得有些摇摇晃晃。他朝我这边看了一眼,仿佛已经看见了我,这让我就像被抓了一样的害怕。

校长离开了厕所,他走到了王亚军的宿舍门前时,停了一下,然后,他狠狠地敲了一下门。

我在厕所的门口悄悄地看着。

突然,那门竟然开了。

王亚军从里边走出来。

校长说:“这么早,你宿舍为什么黑着灯?”

王亚军说:“我有些不舒服,早早睡了。”

我吓得差点没有喊出来。

原来他在里边,我刚才幸亏没有砸玻璃。

校长说:“来,穿上衣服,到我办公室来,然后,我们一起出去。”

王亚军说:“有事吗?”

校长说:“当然有事,你老是骚扰人家阿吉泰,他们单位的领导找我了。咱们今天就去她的领导那儿,你当面说说清楚,向别人道歉。”

王亚军的声音提高了,说:“我是一个单身男人,我喜欢阿吉泰,我找她,她也愿意跟我说话,我不需要道歉。”

校长说:“你说话声音小点,走,如果你不道歉,明天你就走人,还回去挖防空洞。”

王亚军不吭气了,他回到屋里,当他穿上衣服走出来时,校长说:“我理解你,我知道为爱情受难是多么痛苦,可是,现在是什么时候?是你在上海上大学的时候?是你爸爸把那个传教士认作干爹的年代?要不是我坚持设英语课,说你的语音比别人都标准,坚持用你,你一天也呆不住。”

王亚军不说话。

校长说:“你喜欢给孩子们教英语,对吗?”

王亚军点头,说:“对。”

校长:“那你就给我放老实点儿,别再找阿吉泰,咱们现在就去他们领导办公室,说不定阿吉泰也在那儿。”

王亚军就等在他的宿舍门口。

校长回去穿衣服,直到他回来时,才边走边又拍拍王亚军说:“漂亮女人不能随便去找,你觉得漂亮,别人也觉得漂亮,争的人多了,就会出事。我看你还是老老实实的吧。”

王亚军说:“那你为什么还是独身?为什么不找个一般的?”

校长叹口气,说:“我一生就爱一个女人,算了,不说这些。”

不知道为什么,他们两人的对话使我感到校长这个人也许不是坏人,要不为什么他能跟王亚军说这些,就好像他们是朋友,就好像校长跟从前是两个人。

他在白天是一个人,在晚上又是另外一个人。

两人经过厕所的门,朝校外走去。

整个楼内再次安静下来。

我的心又开始狂跳,行动就要开始了。

我从厕所里拿出一块砖,现在是最好的时机,已经没有什么好犹豫了。我抬手就朝王亚军的玻璃砸下去,声音并不太响,那玻璃没有碎,就朝里边掉了下去。看来,这面玻璃本身就是活动的。我真是太顺利了。

我仔细地听了听,四周仍是一片寂静,我把手伸进窗洞,拧开了门,然后像走进自己家一样地走了进去。

9

一切都是黑的,我不敢开灯。

房间里的气味让我产生了某种恋旧的感觉。好几个月了,我进不来,今天却是以这样的方式,我作为小偷来造访这里。

我十分明确地走到了小书架旁,熟练地朝平时王亚军放英语词典的位置伸进去,可是,凭着手感,我就知道那本厚书不是英语词典,虽然它的外壳也是硬的,我心里一阵紧张,是不是那本书已经丢了?

我浑身上下立即出了冷汗。

我的眼睛已经适应了黑夜,借着月光我仔细地翻着小书架。

那上边一共也就才几十本书,我连续翻了好几遍,却仍然没有发现那本英语词典。

我开始在桌上,床上,枕头边,窗台上,地上,甚至于床底下,像发疯一样地找着那本书。

可是,到处都没有那本英语词典。

尽管房间里不热,可是我却大汗淋漓。

我在以后总是能理解,为什么被小偷光顾过的房间总是那么乱,似乎房间的主人几年才能把它整成那样混乱。因为小偷在进入了别人家之后,身上的全部能量都有超常的发挥。

最后,我有些歇斯底里了,把自己的全部希望都放在了王亚军的那个箱子上,我把它从上铺拖下来,打开一看,里边竟然全是照片。借着月光我仔细地看,那照片上全是阿吉泰。我感到不可思议,为什么箱子里边放的全是阿吉泰?王亚军平时很节省,在食堂打饭时,我经常能看见他。就是做红烧肉的日子,他也不买,他总是吃粗粮,素菜,那不是一个减肥的年代,那是一个挨饿的年代。那时,在乌鲁木齐,你错过了一次红烧肉就等于你在今天错过了一次去非洲游玩的机会。王亚军把节省的工资都用来给阿吉泰拍照片了,他真是了不起。

我一张张地看着阿吉泰的照片,有许多是在西公园阅微草堂旁的鉴湖照的,有些是在乌鲁木齐河的沿岸照的,有在乌拉泊燕儿窝的山上照的,也有在烈士陈潭秋,毛泽民(就是毛泽东的弟弟)的墓碑前照的,还有在天山上的松林草地上照的。

这说明阿吉泰和王亚军游遍了乌鲁木齐,他们甚至于还去了天山。

我的心里一阵阵刺痛着,我们这些孩子的确不如大人,他们能谈恋爱,他们能一起出去。我们呢,只能在阿吉泰没有下班之前,远远地望着她,张着大嘴,像个贪婪的傻瓜。

我好像已经丧失了此行的目的,过了好一会儿,我才把头从阿吉泰的照片中抬起来,词典肯定是没有了,我得走了。

我轻轻打开门,听见有人从楼梯上下来,远远地走在过道里,他们的脚步声让我紧张。

我赶紧关上门,轻轻地打开窗户,又听到下边有人在说话。

李垃圾和黄旭升正站在窗外的树下。

我立即把身子缩回来。

李垃圾正兴高采烈地对黄旭升说着自己跟踪王亚军和阿吉泰的情景。在他的叙述中我渐渐听明白了:王亚军再次被阿吉泰拒绝,不管他为阿吉泰作了什么,都没有把阿吉泰打动,在北门花园里,他想抱阿吉泰却被阿吉泰狠狠推开了。李垃圾最后说:"我看到了英语老师的可怜相,他蹲在地上,用手抓自己的头发。"

听了李垃圾的话,我心里难过,王亚军是个苦恋者。那时的中国知识分子,有许多人在苦恋着自己的祖国,而王亚军,他苦恋着阿吉泰。

我在屋子里有些无聊,从楼内走总是有人,从窗户走,又有黄旭升和李垃圾,我无法马上离开,怎么办呢?

我开始在身上洒了王亚军的香水,并穿了他的那件毛料衣服,又穿上了他的皮鞋,在屋子里悄悄走着。我感到自己有生以来,头一次像个绅士一样地在走路。然后,我在镜子面前把衣服换回来,重新穿上自己的衣服。

突然,我再次听到了脚步声。隔着门我能听出来是王亚军的脚步。他穿着皮鞋,他的脚步声特别,我早就熟悉了。

我吓得浑身再次出了汗,看来无论如何也要跑了。

我来到了窗前,发现黄旭升和李垃圾正要离去。

黄旭升说我得走了,我妈要着急了。

李垃圾说:"别急吧,呆一会儿。"

黄旭升说:"行了,我不听王亚军的事了。"

李垃圾说:"你不是说了吗,让我告诉你王亚军的事,你就陪着我多玩一会儿吗?"

黄旭升摔开李垃圾的手,开始朝回家的方向走,李垃圾追了过去。

这时,王亚军的脚步声已经离门很近了,好像还不止他一个人,说不定校长仍在他身边,那我真是彻底完了。

我慌忙站到了二楼的窗台上,内心混乱,我离那个老榆树的枝杈只有一米多远,从小爬树的我这算不了什么。可是,我被慌乱慑住了手脚,纵身向上跳,没有抓住那棵粗枝,只是抓上了细枝,而它在瞬间里就断了。

我身体失去了平衡,在空中我又一次看见了月亮,发现它今天很圆,然后重重地摔在了地上,立即昏了过去,在那一瞬间里,我意识到自己的内心里丝毫没有因为是一个小偷而带来的罪恶感,相反,我觉得自己委屈,某种无边的痛楚像水一样漫过我的内心,然后覆盖了我的全身。我很快地醒了过来。我睁开眼,看见了王亚军正惊讶地站在窗前看着我。

我本能地想起身跑掉，但是我动不了。

王亚军站在了窗台上，他显然想直接往下面跳。他犹豫了一下，竟然，从二楼像是一个真正的超人那样地跳了下来。他很矫健，轻轻地落在了我的身边。然后，他开始抬着我起来。我有些不好意思看他，疼痛再一次让我闭上了眼睛。

他使劲地把我从地上用双手托起，像许多电影里演的那样，一个没有受伤的人抬着他的战友，走在微山湖，铁道旁，青纱帐里，雪野中，无名高地上——最终，他们不是走向绝望，而是走向希望。

我微微睁开眼，发现王亚军的脸在月亮的照耀下显得有些惨白。

王亚军那时正把我放在了一棵粗大的树桩上。

我再次疼得昏了过去。

10

当我再醒来的时候，感到自己的脸正在被另一个人脖子上的汗浸湿，有个人正背着我，朝医院的方向走。

我使劲睁开眼，发现累得出了许多汗的人是王亚军。

我被羞愧和疼痛折磨得不知道该怎么才好，就挣扎着要下去。

王亚军把我背得更紧了，他说："别动，你还在流血。"

我看看夜很黑，四面除了我和王亚军而外，没有别人，就感到了恐怖，我说："流血太多，我会死吗？"

他笑了,说:“不会的。”

我说:“人在什么情况下才会死?”

他说:“就是他不想活了。”

我们不再说话,又朝前走。为了走近路,王亚军选择走了湖南坟园里边。我们穿行在老榆树丛中,脚下是荒草,突然,我看见不远处蓝火闪了起来。

王亚军的脚步在那一刻也显得有些迟疑。

我说:“王老师,在蓝火后边有人,我好像看见鬼了,你看见了吗? 他正在煽那蓝火呢。”

他说:“你把眼睛闭上。”

我仍顽强地睁着眼睛,朝前方看着,那火更旺了,那个煽火的人让我把王亚军抱得更紧了。

王亚军几乎是跑起来,我能感到他的恐惧,因为我发现他的头发几乎都竖了起来。

风在那一刻也吹得更加强烈,秋天的寒意使我浑身哆嗦着。渐渐地,那片蓝火移到了我们身后,走出湖南坟园很远,我们都没有再说话,直到医院昏黄的灯光在前方闪烁,王亚军才松了一口气。

他说:“你还疼吗?”

我摇摇头。

他说:“你长得瘦弱,却挺勇敢的。”

又默默地走了一会儿,我说:“刚才你看见那个煽火的人了吗? 他是不是鬼?”

他说:“我看见了,但是我不知道。”

我说:“你不是什么都懂吗？为什么不知道鬼呢?”

他说:“有许多事情我都不知道。”

我说:“毛主席说的煽阴风,点鬼火,是不是就说的是这样的人?”

他说:“意思可能更丰富一些。”

我说:“你是唯物主义者吗?”

他说:“不是,我不是唯物主义者。”

我说:“那你怕鬼吗?”

他说:“怕。”

在进医院大门的时候,我突然担心起来,我说:“别人会知道今天晚上的事吗?”

他说:“你希望别人知道吗?”

我说:“不。老师,不。”

他说:“那就不吧。”

他的游戏口吻让我担心,我竟然控制不住自己地说:“我没有在你房间拿任何东西。”

他说:“我相信。”

在医院的急救室里,医生为我打了止痛针,所以在母亲来到之前,我已沉沉地睡去。

在梦中,我偷东西的消息不胫而走,传遍了我们学校和湖南坟园大院。

我觉得甚至于传遍了乌鲁木齐。

当我醒来,却发现由于王亚军的沉默,这事竟然成了一桩秘密,在整个学校范围里,它仅仅存在于我和王亚军之间。

所有的人都知道了我的腿摔断了，但不是因为我当了贼，而是因为我在大树上背诵英语单词，走火入魔，结果忘了自己在树上，才从上边掉下来的，像是一个自由落体，每秒九点八牛顿，对了，还有重力加速度。

第十三章

1

“你不是一个绅士。”

王亚军用这样的词时，手是背着的，头是昂着的，他在外边从不这样，他当着别人的面时从不这样做作。他像是一个智者那样地边深思，边说话，丝毫也没有感到自己的动作和语气都有些过于夸张。他愿意在我面前这样，只有这样，他才能进入一种他认为是最佳的燃烧状态。这种谈话的氛围总是出现在我们之间，营造了种种让我感动的色彩。我内心突然有些难过，一个大人，一个比你懂得多得多的人，能够跟你这么平等的交谈，他滔滔不绝，乐于表达，特别重要的是他也愿意听你的表达。

所有这一切，最终被母亲破坏了，同时，也被他王亚军破坏了。你为什么要听我母亲的？你为什么要和她站在一起。她不爱我，也不关心我，你不知道吗？她就爱自己。她就爱自己的防空洞事业，她天天想着要准备打仗。你难道不知道吗？

我的沉默让王亚军一时有些无所适从，他看着我，很想知道我想着什么。他换了一下姿势，把双手交错地抱着两臂，这让他更像一个外国人。他看着我，眯起了眼，又说："你曾经对我说过，你想做绅士。"

我仍然沉默，心中羞愧无比。

"你不是说我是你最好的朋友吗？你不能对你父母讲的话，都能对我说？"

"是你先不理我的。"

"那是你母亲，你妈不让我再跟你说话，我答应了她。"

"你为什么要答应她？是我想和你在一起，又不是她。"

"你究竟想要什么？我那儿有什么东西，值得你这样？"

我再次沉默，想以这种方式蒙混过关。我为什么不能承认自己想偷英语词典，也许偷书不是这个世界上最丢人的事，但是我却羞于承认，特别是不能面对自己的英语老师承认。我不能理解自己，为什么不愿面对那个英语老师承认自己想偷的就是那本词典呢？是什么让我想守住那个"秘密"？当时，我的脸很红，是因为喘不过气来憋的。英语老师的问题让我像只被煮在水里的活鸡一样，无所适从，简直生不如死。

“你这样会毁了你自己一生的。”

王亚军显得有些语重心长,他头一次像别的老师一样说话。

“起来,饥寒交迫的奴隶,起来,全世界受苦的人,满腔的热血已经沸腾,要为真理而斗争——”我开始用英语唱《国际歌》。

“别唱了,行吗?”王亚军先是显得有些不耐烦,但是看到我唱歌时闭着眼睛的脸,他又笑了,说:“好了,谁也不会让你英勇就义,东山公墓已经好久都没有枪毙人了。现在我没有和你开玩笑,我就是想知道你真实的愿望,说不定我可以满足你。”

我紧紧闭着嘴,把头拧了过去。

王亚军就那样地看着我,失望极了。

医院的病房里一片雪白,这让我心里又空又凉。我的腿上打了石膏,这使我看上去就像是一个病得很重的老人一样。

我突然对王亚军说:“你觉得我是个贼吗?”

王亚军没有回答我,他只是显得有些惊讶地看着我。

我又问:“你们都觉得我是个贼?”

他说:“没有,我不觉得。”

我说:“我妈觉得我是个贼,她说她从此没脸见人了。”

他说:“我想你不但不是贼,还应该做一个绅士。”

也许是绅士这个词深深地刺激了我,竟让我在一刹那间那么伤心,我突然紧紧抱住王亚军哭了起来。

王亚军拍着我的肩膀,不说任何话,就让我纵情地哭着。

多年以后我都在问自己:

为什么要隐藏自己想偷那本词典的真实目的,难道它比像一个小偷一样地破窗而入还见不得人吗?

那个孩子把真实的目的掩藏起来,究竟想保护什么?无论我怎么想,都得不到让自己满意的解释,也许那个孩子太脆弱了,他是一个内向的孩子。他曾经找王亚军借英语词典,可是他被拒绝了。

他以为一个人只要被拒绝一次,就会被拒绝一辈子。

2

爸爸走进病房的时候,王亚军仍然站在我的身旁。

爸爸穿着军装,白色的病房内闪耀着领章帽徽,但他一点也不感到羞愧地就那么穿着,并显得很自然,就好像他真的以为自己成了解放军,就好像他一生下来就是解放军。

他先是没有看我,而是走到王亚军的跟前,对他说:“作为父亲我很惭愧,我现在向你认错。”

父亲说着,面对王亚军深深地鞠了一躬。

父亲的举动让我大吃一惊。

王亚军连连后退,甚至脸也有些红。他说:“没有那么严重,我没有任何怪他的意思,你可能知道,恰恰相反,我非常喜欢这个孩子。不论他去我房间做什么,他喜欢什么,我都会给他的。”

英语老师王亚军的话让我有些感动,但父亲的脸上没有表情,在他高度近视的镜片后边有冷漠的眼光在闪烁。

父亲说:“王亚军老师,你能先回去吗?我想单独和我儿子在一起。”

王亚军连连点头,但是,他到了门口时,又回头看着父亲，说：

“你难得回来，如果这次你有时间，我想跟你谈谈。”

父亲显得很惊讶，说：“你和我？谈什么？”

王亚军说：“想和你谈谈这孩子。”

父亲犹豫地停了一下，说：“我，我没有时间。”

王亚军没有想到父亲也会这样，他显得有些慌乱地离开了病房，就好像偷东西的不是我，而是他一样。

3

“你妈打你了？”

爸爸摸着我脸上的红印问我。

我点头。

“她不该打你。”

父亲说完这句话，突然哭起来。

我没有想到他会哭，我觉得他应该是很坚强的，他哭说明了伤心。我有些不知所措地看着他，并因为自己的罪行而灵魂不安。

他先是用手擦泪，然后又掏出了一条肮脏不堪的手绢，擦拭着鼻涕，突然，他再次痛苦地哭起来，就好像我的罪行也让他生不如死。

我看着父亲，不知道该怎么安慰他。

父亲在不停地哭着，就好像他是个女人一样，这让我觉得他极其无耻。

比我偷东西还无耻。

我看着父亲的手绢，本来是浅色的，现在已经变成了深色的。这说明了什么呢？

这说明了母亲的无耻。

不知道为什么，我的内心里在父亲哭泣的一刻竟然产生了那么多恶毒的东西。也许，这些东西是我在回忆中加进去的，其实，我的内心应该感到恐惧。

在病房里，我怕父亲也打我。

我的腿上全是石膏，我跑不了，只能躺在那儿挨打。

可是，父亲丝毫没有想打我的意思，他只是想哭。

当时，我以为他只是因为自己的儿子为他丢脸而哭泣，以后我才知道，他那天是为自己而哭的。为了氢弹成功爆炸而设计的大楼已经完成，父亲在基地已经没有事了，他的任务完成了，他要离开部队，飞鸟尽，良弓藏，狡兔死，走狗烹。

父亲像狗一样地回来了。

4

“你为什么要进他的房间？”

终于父亲也开始这样提出同样的问题。

我不说话，以沉默来混过去。

“他房间里有什么吸引你的东西吗？”

父亲的话本没有什么，却挑动了我特别想哭的神经。我感到心里发潮。情感一股股地像浪一样地朝外涌，它们扑打着我的眼睛甚至还有头发。

有什么吸引我的东西？在英语老师王亚军的房间里？

仅仅是那本词典吗？你们这些愚蠢的大人，你们这些愚蠢的父亲和母亲，也包括跟我在一起那么和谐的、像绅士般爱着我的英语老师。你们难道真的不知道，在英文词典和香水背后的那些吸引我的气息是什么吗？

我为他们不懂我而难过，而仇恨。他们不知道那屋子里有着某种美丽而博大的东西，这让我对于这些大人们产生了深深的厌倦和失望。

你们真是白活了，世界把父亲们变得疲惫而迟钝了。把母亲们变得亢奋而愚蠢了。把英语老师们变得丧失激情而又与母亲的愚蠢妥协了。

我完了。

“你为什么要进他的房间？”

父亲的声音提高了。

我看着父亲，突然发现他的眼白比黑眼珠大得多，这使他的眼睛显得比平常小，它们眨巴一下，睁开，接着又狠狠地眨巴一下，也就是在那个时候，母亲从外边走了进来。

她显得风尘仆仆，就像是她刚从远方回来，而不是父亲。即使是灰色的衣服，也没有遮挡住她修长的身材，母亲真是有风度呵，在那样的年代里，她真是太挺拔了，就像是新疆公路两旁高高的白杨树。不光是茅盾赞扬你们，我也应该赞扬你们。

现在回想起来，我之所以那么厌恶母亲，是不是因为她当年太狠了，而且她从不好好回答我向她提出的问题。

母亲看着身缠绷带的我，第一句话就说：“现在你爸爸也回来了，告诉我们，你为什么要进他的房间？”

爸爸也看着我。

我在沉默，并不敢抬头看他们的眼睛。

“是不是他的房间里有黄色的东西在吸引你？”

母亲这句话像子弹一样地打在了我的心上，让我浑身刺痛起来。

父亲也有些不理解母亲的提问，他似乎也被黄色这样的词震荡得哆嗦了，他看看妈妈，但是没说什么。

“你说话呀。”

母亲大声冲着我说。

我突然抬起头来，看看爸爸，又看看妈妈，说：“你们把我打死吧。”

父亲母亲特别吃惊地在瞬间里互相对视了一下，然后，天就突然黑了。病房里变得十分暗淡，白色统治了一切，我的眼前晃动着白色鸟群，腿又开始疼起来。它们摔断了，是应该疼的。在朦胧中，我才看到了母亲手里的饭盒，她是来为我送饭的。她知道我如果不吃饭会肚子饿，可是，她并不知道，我作为一个小偷走进王亚军房间并不是为了黄色的东西。

黄色的东西。

什么是黄色的东西。

5

三个月之后我才回到教室上课。

黄旭升坐在我的旁边，悄悄说：

“你的腿还疼吗？”

我不吭气。

她又说：

“我们家有云南白药。”

她说着，轻轻地在背后把自己的手伸过来，拉拉我垂在椅子上的手。

我内心猛地一下就被填满了那些辛酸的东西。在那之前我不知道一个女孩子的手竟然有如此大的感染力，我的手被她的手深深地感动了，我也想紧紧拉着她的手，但是，我有些不敢。

她没有看我，只是像平时一样地看着前方，回想起来那是黄旭升最好的角度，她的脸是红润的，光洁的，她消瘦的脸上闪耀着少女的神采，在那之前我从来没有想到过少女有时能离你这么近，你几乎能感到她的呼吸，那是一种清爽而甜润的气息，而且云南白药是什么药，那一定是很好喝的药，跟中药不一样，它不会苦，只会甜。

黄旭升的头发很长，她扎成一束，就像是在伊犁草原上开的鲜花，旁边有羊群经过去河边饮水，空气比以往任何时候都洁净了。她的手就在我的手旁，我只要轻轻一动，就能抓住她的手，但是，我却有无数的犹豫。我从小就不是一个果断的男孩子，我优柔寡断,在以后的日子里,我有很多机会都被我的犹豫丧失了。

在内心的矛盾中,我怕眼泪会流出来。

夕阳缓缓地从窗外照射进来,把每个人的脸都映得微红,屋内的气氛充满青春朝气蓬勃的感觉,尽管我很痛苦,可是大家都很欢乐。

6

晚上回家的路上,黄旭升走在我的前边。

我不敢追上去,发生了下午的事情之后,我似乎有些不敢看她的脸,还有她的眼睛。

黄旭升却像是没有发生任何事情,她走得高高兴兴,还唱着歌,突然,她停下来,看着我,说:“你为什么走那么慢?”

我不说话。

她说:“一直在等你追上来,我有话对你说。”

我看着她,等着她说。

她说:“现在我又忘了要说什么了。”

我们默默地看了一会儿,她说:“对了,我想说,自从咱们两家换了房子之后,我一直不习惯,老是走错。老是一进门,就朝右拐,老是忘了上楼梯。”

我说:“现在你妈还觉得闹鬼吗?”

她想了想说:“没有,我妈有一次对别人说,她克夫。你知道什么叫克夫吗?”

我摇摇头。

她说:“克夫,就是她老是把自己的丈夫搞死,也不知道怎么搞的,她丈夫总是一个个的死。有一个死一个,有十个死十个。”

我突然不知道哪里来的胆量,问她:“你以后会克夫吗?”

黄旭升笑了,她的脸上显得那么晴朗,说:

“那得看我像我爸还是像我妈,谁知道呢?也许哪个男的真的想跟我好了,他就得死。”

说完,黄旭升高声地笑起来,边笑边跑。

我却感到了害怕。

我对你们说过,我家旁边就是纪晓岚在阅微草堂笔记里说的湖南坟园,在我小的时候,经常能看到鬼火在闪,在王亚军背我上医院的那个晚上,我甚至于看到了有个鬼在拼命地煽动那蓝色的火。

以后,有人说这个鬼就是黄旭升的爸爸,他是因为不服气,才出来煽动火光的。可是,他有什么不服的呢,人都死了,还有什么不服的?尽管英语老师王亚军说他不是唯物主义者,但我的父母公然宣称他们不信神,只信科学和毛泽东思想,那我就是遗传唯物主义者,我是一个小唯物主义者。我觉得黄旭升她爸爸既然不服,就应该在活着的时候,该打就打,该骂就骂,该出手时就出手,不要死了以后还有什么不服的。

可是现在,黄旭升跑了,留下我一个人慢慢地走,天快黑了。

“克夫”这个词却让我产生了无比的恐惧,尤其是它从黄旭升的嘴里出来,下午她还说要给我云南白药呢。我想起了黄旭升的第一个国民党爸爸,第二个共产党爸爸,突然感到毛骨悚然,鸡皮疙瘩立刻起来了,全身发冷。

我也开始朝家跑。

一开门,爸爸妈妈正在说着什么。他们一看见我,就立即不说了。最近,他们两个人一直就是这样,就好像我是他们的对立面,他们说什么话总是感到我是一个多余者。

这种家庭气氛让我受不了,不知道为什么,在进门的刹那,我突然萌动了一个念头:

离家出走。

像维吾尔族人一样,背一个包袱,骑一头毛驴去流浪,沿着乌鲁木齐河,一直走进天山里,从此不再回头,不对该死混帐的父母说一句话,或者我也有另一个选择,就像库尔班吐鲁木一样,骑着毛驴上北京,去见毛主席,据说毛主席跟他握手了,库尔班大叔从那天之后直到他死了都没有再洗手。如果,我去了北京,那我也不再洗手。

母亲和父亲都看着我,那表情像是在审问。

我低下头,感到自己可能今天又真的犯什么错误了。即使我没有犯什么错,在这样的眼光的注视下,我也很不自在。心里开始产生了不安。

"为什么又回来这么晚?"

"你最近为什么总是回来这么晚?"

"你干什么去了?"

"你是不是又到那个英语老师的房间去了?"

"你这个孩子为什么一点都不知道争气?"

"你为什么和别的孩子都不一样?"

类似于这样的问题总是铺天盖地,回家真是一件极其可怕的事情。如果那个时候,有摇滚部落,那我也一定会离家出走,去跟随我内心崇敬的摇滚明星。

没等他们问,我就先说:“我今天没有去英语老师的房间。”

父母很快地交换了一下目光,妈妈说:“那你为什么还是回来那么晚?”

我说:“黄旭升说她们家有云南白药,她说她妈克夫。”

父母又互相看了一下。

母亲说:“你又去她家了?”

我不吭气了。

母亲看着我,半天后,叹了口气,说:“洗手,吃饭吧。”

也许是命运,我在那天晚上梦见了阿吉泰,她跟我说话,我却不好意思看她,她对我说了很多,甚至于用维语朗诵了毛主席诗词。

7

第二天,是个晴朗的天,阳光很充足,天山白色的轮廓很早就清晰无比。

我一大早就出门,在湖南坟园的野地里像行走的诗人那样地徜徉。我的内心沉重,知道自己犯了错误,感到抬不起头来。我老是想要知道别人究竟是怎么看我的,在他们的眼中我是一种什么人。看到李垃圾的时候已经快到了中午,我本来想躲开他。可是,他十分友好地跑到了我骑的老榆树上,只是几下他就爬了上来。当他坐在我的旁边时,就开始对我笑,那笑容里有明显的讨好的意思。

我知道他喜欢黄旭升,那是李垃圾的早恋。他很执着地爱着她,现在像李垃圾那么执着的人已经很少了。李垃圾总是想从我这儿打听点黄旭升的什么。

“我知道一个地方,可以看见阿吉泰。”

李垃圾突然大声说。

我心中一颤,昨天晚上我还梦见了阿吉泰,很久没有看见她了。

“她每个星期天的中午都要到澡堂去洗澡,你从锅炉房后边过去,翻过煤山,在第二个窗口就能看见她,她全身都光着,什么都能看见。”

李垃圾的话像火焰一样地把我的身体烧着了,我突然感到口渴。

他似乎能感觉出我的激动,就像是一个有教养的富人那样地微笑着。

我说:“洗澡应该有蒸汽,肯定什么都看不清楚。”

他像是一个有经验的人那样,胸有成竹地说:“蒸汽像云一样,一阵阵的,只要一散,阿吉泰的肩膀和屁股就露出来了。我可是只告诉了你一个人,不要对别人说。我已经看了好多次了。”

我点头,然后就想朝树下跳。

李垃圾突然拉着我,说:“黄旭升最近老是不理我,你帮我从侧面问问她,到底怎么了?上个星期我还帮她抓了一只野兔子,她还挺高兴的。这两天又怎么了?知道吗?我为她睡不着觉。”

我笑起来,说:“我问问她。”说着,我又想朝树下跳。

他又把我一拉,说:“你会手淫吗?”

我的脸红了,装着不懂的样子,看着他,说:“你什么意思?”

李垃圾笑了,说:“什么时候我教你。”

我猛地从树上跳了下去,说:“我才不让你教呐。”

说着,我朝食堂和澡堂后边的锅炉房跑去。

8

北京时间十二点钟,食堂里没有人,还有两个小时才会开饭。我之所以强调北京时间是因为那时的乌鲁木齐用的是新疆时间。这似乎是王恩茂的一大罪状,当时说他独立王国,针插不进,水泼不进。什么,你说王恩茂是谁?他是新疆的第一把手,是新疆的当家人。好像那时已经调走了,但是他所用的新疆时间一直是我们用的时间。这是由于新疆的地理位置所决定的。比如五点多钟你们北京就出太阳了,可是新疆要七点多钟才能出。相差两个多小时,你们已经朝阳满天,我们还是天黑着,你们已经太阳落山,我们还是西边一片晚霞。

我在朝锅炉房跑的时候,脑子里一直有一首炎热的歌在响着:人把毛主席著作比太阳,我说太阳比不了呀比不了,太阳上山又下山,毛泽东思想永远放光芒,哎,呀呼咳,永远放光芒,永远放光芒。

澡堂的门口有不少人，今天就是女人洗澡的日子。我们新疆维吾尔自治区乌鲁木齐市的澡堂就是这样，不分男女，只分日子。星期六是男人洗，星期天是女人洗。女人，女人，在我的脑海里除了那首歌以外，就是这两个字。女人是什么？不知道，女人是小猫，女人是小狗，女人是小兔子，女人是花，是草，是流水，女人是哭泣的眼泪，女人是天上的太阳，女人是毛泽东思想……

澡堂的门前都是女人，她们端着盆，很多小女孩儿都用手绢把头发扎着，女人真干净，她们真讲卫生，她们洗澡还端着盆，她们的毛巾上充满新鲜空气和阳光。

女人们没有注意我，她们只是在梳着头发，她们的脸很红，热水的滋润让她们的脸上神采奕奕。当个女人真是太幸福了，她们一点也不着急，洗完澡后她们一直站在那儿享受天山和白云。她们之中几乎没有一个人注意到有一个男孩儿正在朝后边的锅炉房跑，他是想抄她们的后院，他渴望偷窥。那时，我还不能像今天这样拉开距离看自己：一个男孩，他先是溜进别人的宿舍偷东西，然后，又跑到了女澡堂的后窗偷窥。你说，他是一个什么东西？他肯定是一个问题少年。

当我来到了锅炉房后边时，一切突然静下来。那里也有一棵老榆树，枝节粗壮，枝叶茂密，在它的身下堆满了从大洪沟挖来的大块煤炭。我踩着煤炭朝窗户移过去。

那是一排由红砖砌成的厂房，窗户都很高，而且比较小。我数着窗户，右边第二个，在那下边有两块摞起来的煤块，我只有在那时才感到自己的心跳原来竟会那么清楚。我突然感到了犹豫，这样做是犯下了流氓罪，一旦让抓住了，按照母亲的话说，一辈子的政治生命就完了。人的生命没有了倒不是太要紧，可怕的是你没有了政治生命。那活着，还不如死了。望而却步是什么意思？就是我现在的动作所表现出来的意思。

我看着那个窗户，再一次认识到：无论外边的人，还是里边的人发现了我，我都完了。尽管这样想着，可我还是爬了上去，那煤块摆得很稳，一点也不摇晃。我把头朝窗口慢慢伸张，透过玻璃我先是看见了蒸汽，弥漫着在澡堂里飘逸，我知道正对着这个窗户就是阿吉泰最愿意呆的地方，美丽的她就会在这儿尽情地享受热水。直到我的眼睛从阵阵发黑到渐渐清晰的时候，一个女人长长的头发和洁白的身体像狂风一样朝我迎面吹来。她是阿吉泰，她果然是阿吉泰。我首先看见的是她的后背，长长的腿，金黄色的头发，还有曲线的腰，还有圆润的屁股，那果然是阿吉泰的皮肤吗？我激动得连呼吸都不正常了，不知道因为紧张还是恐惧，我眼睛里突然产生了泪水，就像老年人遇见凉风会流泪一样，我的眼泪出来了，这时，奇迹发生了，阿吉泰竟然转过了身体，我看见了阿吉泰的正面。那就是女人们的乳房吗？我想起了合作社摆放的吸奶器。

阿吉泰闭着眼睛，充分享受着沐浴给她的幸福。我仔细地看着她，从上到下，又从下到上，那时，我的身上开始起了反映，先是浑身发冷，接着又开始燥热，就在阿吉泰用毛巾轻轻洗着自己小腹的那一刻，她高耸的乳房在颤动，它们那么洁净，像天山深处的蘑菇，我终于喘不过气来，感到眼前一阵发黑，脚步也不稳了，我踩不住那块煤，感到它就是滑的，像冰块一样，我从上边

当我来到锅炉房的后边，一切突然静下来，那里也有一棵老榆树枝节粗壮，在它的身下堆满了大块煤炭。我只是踩着煤炭朝窗户移过去。

摔了下去。

当我爬起来时,头脑中惟一的念头就是逃跑,要离开这个地方。

因为我人生的最大一件事已经完成了,我看见了阿吉泰的全身。从今天起就是死了也值得。

我开始跑着,不顾一切地跑着,像是发疯了一样地跑着。天上照耀着我们的不知道是阿吉泰还是太阳,她走到哪里哪里亮光四射,她站得太高了,所以无论我怎么跑,她都在我的头顶,我跑一步,她也跑一步。我无法摆脱她的脸庞,还有她的眉毛,她圆满的肩膀和她那略微有些颤动的乳房。

我都忘了是怎么离开锅炉房和澡堂的,我飞跑着,穿过了猪圈和大食堂,然后,朝学校方向跑去。一路上,我看不见任何人,只有阿吉泰在天空中对我微笑。这时,突然有人拉住了我,并对我说:

"Good afternoon."

我站住了,象是一个梦游幻者被惊醒,我站住了,也本能地说:

"Good afternoon."

我站住了,看清楚了面前的英语老师王亚军,他总是那么体面,明亮的眼睛里含着微笑,从他的表情里我看不到任何审问的意思,只是在那一刻里,我的脸开始红了。

他看着我,半天才说:"Where are you going?"

我愣愣地,一时眼睛还有些发直,本能地说:"I don't know."

9

回到家时，母亲正在为父亲洗那身军装。

那时洗衣服是可怕的事情，母亲用搓衣板为父亲洗得很费力气。父亲这身军装太宝贵了，那是他在背运时又重新走运的物证，是上边对他的关怀以及他最好地发挥才能的物证，他们制造氢弹是不是为了杀人的，父亲不会思考这种问题。机会就是一切，父亲那时就是一个彻底的实用主义者，而彻底的实用主义者是无所畏惧的，他们连鬼都不怕还怕困难吗？还怕把衣服穿脏吗？所以，父亲穿上就不肯脱，上边全是油污，洗出来满盆的黑水。

母亲为父亲洗衣服时，脸上没有受难的表情，这说明了她是爱父亲的。在她的脸上有微笑，甚至于她还哼唱着苏联歌曲，尽管声音很小，但也把父亲吓得够呛，他说："你小心一点，不要让别人听见了。"

母亲对父亲柔情地看了一下，目光有些淫秽，里边有大量的昨天夜里余存下来的甜言蜜语。恰恰在那时，阳光像舞台上的灯光一样地，突然闪亮起来，照耀在母亲年轻的脸上，她说："阳光那么好，可以把衣服晾在外边。"

父亲说："安不安全？"

母亲摇摇头，继续小声地唱那首苏联歌曲。

父亲说你最好别唱了。

母亲抑制不住自己的歌声，因为在温暖的光线下，她正在享受着幸福,丈夫和妻子,男人和女人在这样的年代里都获得了发挥才能的机会,还有什么能比这更让人高兴的？天生我才必有用,机会来了就看你有没有准备。尽管家里惟一的缺陷是他们的孩子有些毛病,是个问题少年,但是这点风雨挡不住春天的到来。

父亲也被母亲的情绪感染,也高兴起来。他也小声唱起了那首苏联歌,并为母亲唱着低声部。

我看着他们,只是觉得他们两个人的神经都有些问题,我真想把自己的想法告诉他们,可是我不敢,人为什么要扫别人的兴呢？那时我就懂得这个道理。

10

母亲在楼下的树上拉了根绳子,把衣服搭在了上边,并让我在旁边看着。我望着母亲的背影,她像跳高一样地重新走进了单元门。自从我们家跟黄旭升家换了房子之后,我们家就成了一楼了,回家真是方便多了。从屋里走进屋外,从阴影走进阳光都变得简单易行,我们离大自然真是近了。

我看着爸爸的衣服正迎着乌鲁木齐的秋风招展,就像是一面象征着走运的旗帜,那抖动的棉织物飘扬在我与天山之间,简直没有办法用语言来形容那件军装的高贵。

我坐在门前的台阶上,渐渐感到了无聊,就望着天空发愣。

黄旭升出来了,她看我,又看看衣服,说:

“你爸爸穿军装真好看。”

我说:“你爸爸原来不是也穿军装吗?”

她说:“那是国民党的军服,难看死了。”

我说:“大盖帽威风,都是美式的。”

她高兴了,说:“真的?”

我说:“当然了。”

她说:“那你来,上我们家来,我家还有一张爸爸穿军装的照片,是挺威风的。”

我跟着黄旭升进了她家。

黄旭升爬上一个大箱子,从上边摞的一个小箱子里边拿出了一张她爸爸的大照片。那是她爸爸穿着将军服照的。

她说:“你说国民党军装和共产党军装,哪个好看?”

我说:“你说呢?”

她说:“你说。”

我说:“你说吧。”

她说:“还是你说吧。”

我们都笑起来。

她说:“你反动。”

我说:“你反动。”

当我从黄旭升家里高高兴兴地出来时,却发现爸爸的军装没有了。我吓出了一身冷汗。深深地知道大祸临头了。

11

我永远忘不了父亲听说那身军装丢了之后的那种疯狂。

他几乎是从家里一步就冲到门外的，他像一个真正的神经病患者一样地跳到了树下，然后在四面的角落里寻找。靠近楼的一角是围墙，挺高的一面墙，那边是另一个单位，父亲就像是一个武艺高强的人，他一步就跨了上去，他想看看是不是有外单位的人把他的军装扔在了那边。

然后，他又从墙上跳了下来。

母亲也开始向每一个过来的人询问，想发现线索。

我只觉得头脑发蒙，像是一个局外人一样地看着上蹿下跳的爸爸妈妈，尤其是看到父亲深度镜片后边的眼睛，那里像是一个深深的湖，闪耀着忧伤和恐惧的光。

最后，绝望的父亲跟咆哮的乌鲁木齐河一样地朝着母亲大声说："我说，不要晾在外边。"

母亲也心痛无比，她说："我说让刘爱看着，谁想到他会离开。"

终于，父亲母亲都把仇视的目光投向了我，就好像我从一生下来就是他们的敌人。

父亲走到我的跟前，他狠狠地看着我，说："你爷爷去世我都没有这么伤心过。"

说着，他朝我的脸上用足了全身的劲，打了一个响亮的耳光。

我被打得像是圆规一样，在原地转了一个圈。

父亲还要再打，被母亲上来拉住了，她说："你不要真的打呀。"

父亲不说话，还要再打。

我的耳朵里充满了受了刺激的嗡嗡声,里边也夹杂着父亲绝望的呼吼:“你爷爷去世我也没有这样伤心过。”

12

我是一个离家出走的孩子。

那个时候,你只要身上装着几块钱,就可以离家出走了。

在黄昏的夕阳里,我感到了饥饿。那时,我正好走到了百花村前边的马市。在一个很大的清真寺旁,我看见了一个回民的饭馆。门前的玻璃窗内摆着已经煮熟的羊蹄子,你们内地人一般不爱吃这类东西,认为它们充满腥臊,即使在今天你们跟着时尚去新疆或者西藏去玩时,你们吃这类食物的表情也很像是演戏。可那真是美味的东西呀,我小的时候,就是说,在我学英语之前,在我还不渴望香水和绅士的感觉时,我会经常跟其他玩伴一起来马市,品尝这种食品。

如果没有记错的话,那时的羊蹄是五分钱一个,我就像是一头饥饿的毛驴,瞪大了眼睛看着那些食物,卖东西的老汉戴一顶白色的帽子,他留着挺长的白胡子,很慈祥地看着我,就好像他知道我是一个离家出走的孩子,而且饿了。

我掏出了五毛钱,买了十个羊蹄,然后坐在一个角落里,开始大口地吃起来。由于这东西太香,我吃的时候忍不住地由嗓子里,甚至胸腔里发出了奇怪的声音,我把头几乎埋在了那堆骨头里,我觉得不这样,就对不起这美味,还有我在黄昏中凄凉地来到马市的孤独。

我正吃得很香并陷入深思的时候,突然门开了,走进来一个女人,她穿着高高的皮靴,并围着大大的披肩,落日的余晖像追光一样地照在她的皮肤上。当她把脸彻底转过来的时候,我的心都要跳出来了。她是阿吉泰。就是阿吉泰。除了她以外,在我们乌鲁木齐哪里还有第二个这么美艳的女人?

她没有看见我,只是要了一碗汤饭。当她坐在那儿喝茶的时候,我紧张得把一个装着醋的瓶子打倒在地。

阿吉泰就是在那个时候回头看见我的。

我们的眼睛碰到了一起。

她认出了我,并很快地笑了起来。她的笑容照亮了清真寺旁的回民饭馆。也照亮了我在“文革”中最黑暗的下午。

13

“你没有跟你妈妈一起来?”

她起身走过来,边走边说。

我放下羊蹄,看着她,一时有些紧张地说不出话,阿吉泰的到来,让我突然为刚才的吃相而难为情。我一瞬间就悲哀地发现自己是一个粗俗的人,不配说英语,更不配唱英语歌。

阿吉泰好像根本没有意识到我的窘困,她轻轻地走过来,并坐在了我的旁边。

她说:“你那么喜欢吃羊蹄?”

我犹豫着点头。

她笑了,说:“我也喜欢吃,但是,你们英语老师不喜欢,上次我带着他来这儿,他吃了一个,就吐了。”

我的脸开始发红,我为自己的能吃而不好意思。

阿吉泰说:“王亚军不是新疆人,他跟咱们不一样,咱们是新疆人。”

我点点头。

但是,我心里难过,我不希望自己是新疆人,不是乌鲁木齐人。应该是上海人,北京人。最少也应该是西安人。但我却是新疆人。我爱吃的东西王亚军不爱吃,这说明什么呢?这说明我对于文明知之甚少。

“能让我吃一个吗?”

阿吉泰说。

我把盘子推过去,点着头并笑起来。同时,对她能吃我的东西,又惊讶,又期待。

她笑起来,说:“你一笑,脸上还有酒窝,像个女孩子。”

阿吉泰说着,高雅地吃着那只羊蹄,嘴唇的动作很小,更不会像我那样发出可怕的声音,我真想骂自己像猪一样。但是,当着阿吉泰,我不能这样,因为她有一半民族血统,不能在她面前用这样没有礼貌的词。

我有些不敢看阿吉泰,就低下了头。

汤饭来了,她要了一个碗,给我拨了很多,说:“吃吧,你饿了,能看出来,你可能饿坏了。”

我开始吃面片,并尽可能文明一些,但是,我的嘴在喝汤吃饭的时候,又发出了跟轧路机一样的声响,于是我的脸更红了。

阿吉泰看着我,丝毫没有蔑视的感觉,多年以后,我回忆她的眼神,总是感到她甚至还带着几分欣赏的目光。

整个乌鲁木齐最漂亮的女人竟然跟我坐在一起吃汤饭,竟然吃我的羊蹄,竟然用那么美丽的眼睛看着我,一直看着我。

我的汗出来了,我因为今天的偷窥而有些抬不起头来。

她掏出了白色的手绢让我擦。

我坚持不用。

她笑了,说:"你出了这么多汗。"

我说:"我的脸脏。"

她随意地伸过手来,为我擦汗,并说:"你怎么一个人在这儿,不回家?"

我的眼圈红了,但是,我没有让眼泪流出来。我深信自己是一个不爱哭的孩子。

女人的关怀有时是那么伟大,一个人在享受这种关怀的时候一定要仔细体会,那是人间最有价值的东西,如果你忘了或者注意不到女人为你带来的这种温情,你这一生肯定是不幸的,而且,你肯定会为你的粗心付出代价。

我们开始喝茶,那时新疆的砖茶比现在的要浓,就像深色的咖啡。新疆人惯用的那种小茶具也很别致,热茶又上来了。我专心地喝着,时时看看阿吉泰。

她的表情这时有点严肃,不知道她在想什么。

我低头看着脚下的砖,想到天很快就要黑了,阴影在心中渐渐产生了。

她说:"你回家吗?"

我摇摇头。

她说:“要不,到我宿舍坐会儿。”

我心中猛地就高兴起来,阴影一扫而空。

我们从马市走向北门,一路上人们都在看她,同时也会看看我。特别是那些跟我一样大的男孩子,他们的脸上充满羡慕,有人甚至喊起来。

阿吉泰走得很快,人们喜欢看她,因为她长得美,所以她总是走得很快,我尽力跟着她,快到满城街的时候,我就浑身发热,像是与别人进行竞走比赛,我的汗出来了。

她笑了,说:“你害怕别人的眼睛吗?”

我想了半天,还是不知道该怎么回答她这样的问题。

她说:“我怕别人的眼睛。主要是我不该长成这样。”

我看看她,还是没有说话。

阿吉泰的头发在傍晚显得更加的金黄,她的皮肤有种高贵的洁白,这种皮肤我们汉族人是没有的。只有像阿吉泰她们才有,其实那时我没有看过任何美国电影,要看也是阿尔巴尼亚的,再就是苏联的,我很清楚,在那些电影里边没有像阿吉泰这么美的,瓦西里的妻子比不上她,列宁的妻子也比不上她。当我长大以后,开放的中国迎来了很多美女,她们有着和阿吉泰一样白的皮肤,有着金色的头发。但是,阿吉泰的那句话老是从记忆深处涌出来,似乎在扰乱我看那些女人的视线:

我怕别人的眼睛,主要是我不该长成这样。

14

湖南坟园到了,天还很亮,我们没有犹豫,就披着暗淡的阳光走了进去。里边没有人,很安静,古树在风中轻轻地响,好像真的有云雀在叫,小路在延伸,就好像那是没有尽头的理想,温柔,淡泊,苍凉。

阿吉泰突然说:“我给你唱首歌吧,维族民歌。”

我没有来得及点头,也没有说话,她的歌声就响起来:

“塔里木,

无人烟,

茫茫沙漠戈壁滩。

我离开家乡去远方,

情人的双眼泪汪汪。

呵,塔里木,

情人的双眼泪汪汪。”

阿吉泰很会唱歌,她的音准很准,她的声音厚暖,她的情感忧伤。

歌声好像一直在棵棵老榆树间盘旋,久久没有散去。

阿吉泰说:“这歌是我爸爸给我教的,现在不知道他在哪儿,我真想回南疆去找他,他可能在喀什噶尔,可能在和田,也说不定在麦盖提……”

阿吉泰的情绪突然低落了,她望着远处的树叶不再说话。

我们沉默地走着,快出湖南坟园的时候,我突然忍不住地问:“什么是情人?”

阿吉泰的脸红了。她没有直接回答我。

我成熟之后,每当想起脸红的阿吉泰,就感到她真是不可思议,仅仅是“情人”这两个字就能让她脸红。可见这是多么有力量的字眼。在我的少年时代。

阿吉泰突然说:“我教给你这首歌,好吗?”

我说:“能用维语教吗?”

她笑了,点头。并用维语唱起来。

我与她并排走着,一句句地学。那时,我发现自己真的是一个语言天才。我不光是英语发音标准,而且,我用维语发音也很标准。阿吉泰变得兴奋了,说:“难怪王亚军老师喜欢你。”

我渐渐能唱这首歌了,当快要走出湖南坟园时,在树丛中的歌声已经变成了重唱。

一个女声。

一个男声。

当穿过一片狭窄的树丛时,我的身体跟她的身体突然挨在了一起,我的心开始跳起来。那种感受真是幸福,于是我内心颤抖着有意识地与她的身体贴得很紧,我似乎能感到她身上的温暖,是一种我从没有体验过的女性的温暖。在那时,我甚至于忍不住有意识地用自己的手碰了她的手一下。

阿吉泰似乎意识到了什么,但是她没有说话,只是继续唱着歌。

而我已经被自己的大胆吓得浑身都有些僵硬了,心开始狂跳,那种手和手相亲近的感觉真是太美好了,我真是一个可怕的男孩儿,还那么小就开始做这种事情。

阿吉泰显然感到我有些异样,她微笑地看着我,就好象冬日里天上的太阳在抚摸着我的脸和眼睛,还有额头。

当我犹豫着是不是再碰她的手一下时,我们已经走出了湖南坟园。

我用余光注意着阿吉泰美丽的手,内心多么渴望小路能更长一些,如果那样,我的手就能再次碰她的手一下。

阿吉泰停止了唱歌,她把歌声留在了我的内心里,留在了湖南坟园的树丛中,留在了我发热的手上,留在了那段最温情的岁月里。

阿吉泰的宿舍在湖南坟园的东面,离我们家不远。那是一排平房,砖木结构,门前有很粗的柱子,那些木头都是天山里的松木,房子盖了不知道多少年了,还散发出浓郁的松香味,这儿就像是一个小提琴仓库,里边摆满了各色的琴,而琴弓上擦满了松香。据说这房子过去住的都是驻扎在乌鲁木齐的国民党校级军官,只是现在已经破败了。

阿吉泰在开门。

我有些紧张,我对这间屋子充满好奇,里边究竟是什么样的?一个像阿吉泰这样的女人,她的房间里有什么?也有香水或者别的东西吗?她阔不阔?这在当时是一句流行的话,黄旭升在班里曾经作过宣传,说我们家很阔,说我们有熊皮。这引起了班里女生的好奇,她们曾经要求来我们家玩,但是,母亲不允许,她说最讨厌去别人家,也讨厌别人来自己家。母亲和父亲不是好客的人,这让我丧失了许多观察欣赏别人家的乐趣。阿吉泰家有什么?

门开了,阿吉泰先进去开灯,我随着她走进去,黑暗中我感到自己由于激动,头有些晕,尽管是一间破旧的平房,可它就像是宫殿一样。

灯猛地亮了,我的眼睛被刺了一下,紧接着我就愣了,因为在我眼前第一个出现的,不是打开的灯,而是那本英文词典。

当然,就是那本英文词典,王亚军的英文词典。它此刻就随便地扔在床上,好像那不是词典,而是一件普通的毛衣或者袜子而已。

那天晚上,我在王亚军的宿舍里没有偷上的这本词典。它竟在这里。我的心里有些难过,也有些生气,我的腿是怎么断的?因为这本词典。我的父母为什么要恨我?我为什么要离家出走?就是因为这本词典。不要以为,在那时我会对词典仇视,没有,恰恰相反,我的内心对它充满了温情,以至于我忘了阿吉泰的存在,忘记了她是一个世界上最美丽的女人,就好像我没有在她的房间,而是在无人之境,那里金光闪闪,有一个聚宝盆。

我朝词典走过去,抓起它来,一翻开,竟又看到了自慰这个词。

不知道为什么,我当时特别想哭,如果不是意识到阿吉泰正在奇怪地看我,可能我真的会哭出来。

阿吉泰说:“你在词典里看到了什么?”

我的眼睛里饱含着“自慰”却说不出话来。是呀,我在词典里看到了什么?这的确是个问题。

我把词典抱在怀里,就好像它是我的一只宠物,我来回地摸索着它，它真是一个失而复得的东西。

阿吉泰看我这样，感到又惊讶，又好笑，她真的笑出来了，在笑声里，我把目光从词典上移开，我看着阿吉泰，仿佛在一瞬间，又重新发现了她的美丽。

我从梦幻里走出来，头脑渐渐清楚了，现在是在阿吉泰的房子里，她就站在我的身边，我脖子上的皮肤能够感到她的气息。

阿吉泰还在笑，本来我以为她的笑能持续很长时间，然而我错了，这时，另一个声音让她的笑声戛然而止，那是敲门声。我知道为什么，这种独特的敲门声一响起，我就感到阴森，还有些恐怖。

直到今天我才意识到自己当时为什么会怕这种敲门声，那是我从阿吉泰脸上的惊恐发现的。

敲门声持续着。

阿吉泰静默了一下，她似乎在等待，在思考，她想用安静使外边的人走开。

可是，那敲门声又响起来了。

我看看她，她比我要紧张得多，本来洁白的脸现在变得苍白。她的整个身子也变得僵了，就好像突然有人施了魔法。

我被她的情绪感染，手抱着词典，一时不知道该对她说什么。那时，我从后窗看到了月亮，它在天空里，有些凄凉，真是奇怪，要不为什么从后窗里看到月亮呢？

敲门声变得急促了。

阿吉泰看看我，然后，她镇定了一下自己，简单地梳理着头发，就像江姐走向刑场那样去开门。

进来的人是个高个儿，跟父亲一样地戴着眼镜，而且是深度的。他对阿吉泰笑着，那笑容显得极儒雅，就像是天山上开得极其圣洁的雪莲花。他这张脸我很熟悉，是在哪儿见过的呢？

他已经走进了屋子，并看见我，说："这是谁家的小孩子？"

阿吉泰说："范主任，这是我教过的学生。"

进来的人笑了，说："学生？我怎么看着他显得比老师还老？"

也许是他感到了自己的语言中的幽默，所以就先笑起来，而且笑得很开朗，就好像是天底下的幸福全让他一个人碰上了。

阿吉泰叫范主任，让我想起了这个人是谁，他就是曾经打过爸爸一个耳光的人，是这个大院目前的最高领袖。我当时有些恨自己，这个当着你的面抽打你爸爸耳光的人，你怎么就忘了呢？你应该在他一进来的时候就认出他，而不是等待着阿吉泰叫他范主任之后。

范主任走到我的跟前，看着我，并从我手里拿那本词典，他的手伸得很长。我不想把词典给他，他抓着这本词典，我用力抓着，就是不想给他。

范主任感到有点奇怪，他加大了力度，说："这孩子是不是不会笑？"

然后，他使劲把词典从我的手里夺过去，就像是一个暴君在收回他的刀。然后，他看了看，说："这词典少见，我在清华的时候，曾经在图书馆见过。"

阿吉泰尽管有些紧张，却有些讨好地对他笑着，我感到那一刻她的笑容与他的笑容有些像，都如同天山上的雪莲花一样。

然后，范主任翻开了一页，用英语随便念了一下，说："知道什么意思吗？"

阿吉泰笑着摇头。

范主任说："是英国人拜伦的诗，冬天就要过去，春天还会远吗？"

阿吉泰说："范主任懂的真多。"

范主任笑起来，牙很白，配合着他白色的衬衣，还有他消瘦的下巴，真是很有风度，而且，他能用英语念出美丽的诗句，他这样的人怎么会突然打爸爸一耳光呢。就算是爸爸为毛主席少画了一只耳朵，可是，他怎么会出手打人呢？我感到自己的眼睛里都要朝外冒血了。

这时，范主任突然对我说："小朋友，你回家去吧，我有事跟你们老师说。"

我看着阿吉泰，希望她说：让他呆在这儿吧。但是，阿吉泰没有说，她很快地看看我，把目光移向了别的地方。

我拿着词典，心里不想走，却像是一个听话的孩子那样地站了起来。

阿吉泰这时抬头看了看我，装着轻松的样子，说："回去吧，以后别不回家，你爸爸妈妈会着急的。"

我感到深受侮辱，由于慌乱，手中的词典竟掉在了地上。

阿吉泰过来捡起它，对我笑着，说："回去吧。以后再来玩。"

我走到了月光下，当听到门重重地被关上时，我感到了压抑，一个少年的压抑有时跟老人的一样，无边无际，如同深深的海洋，一点也不能平静。

我不甘心就这样地走了。

我从后窗爬上去，透过玻璃，看着里边。也许是因为范主任太着急了，也许是阿吉泰根本没有想到，他们没有拉上窗帘。

那时范主任正想去抱阿吉泰。

阿吉泰在躲他。

范主任在说着什么。

阿吉泰把范主任推开了。

范主任再次朝阿吉泰猛扑。

阿吉泰被他抓得死死的。她的头发乱了。

这时，我突然有了主意。我从后窗跳下去，跑到前门。开始敲门。里边突然变得安静。我用力砸门。听到有人来开门时，我很快地朝后院跑，然后躲到了一个老榆树的后边。

阿吉泰站在月光下，她的脸苍白，就像是一尊石膏像，范主任站在她身后的门口。

"进来吧。"范主任说。

阿吉泰不肯进去，她说："你走吧。"

范主任说："别在门口说，影响不好。"

阿吉泰有些犹豫，他看着范主任，似乎在判断他在重新进了自己的屋子之后会做什么，他有没有可能放弃。她的眼神有些可怜，就好像她是一个什么都不懂的小女孩，她无辜，无奈，无所适从。我当时真是不懂，她怕他什么呢？如果她真的不进去，或者把他坚决赶走，那他还敢杀她？

女人的犹豫有时让我这样的男人生气。我从小就对女人在这时的犹豫表示不理解，她们拒绝一些人的时候总是会踌躇不决。在那种时候她们在想什么呢？眼前的事情就是这样，他范主任是那么坏的男人。他打过父亲，在这个院子里他可以打任何人，只要是他想打。面对这样的人，她阿吉泰应该宁死不屈才对。我突然想起来那天阿吉泰打王亚军耳光的晚上，她是那么坚决，是一个毫不犹豫的女英雄，可是面对范主任她却成了另外一个女人。

奇迹发生了，阿吉泰竟然听话地进去了。

这次我爬到了门前。仔细听到了阿吉泰的哭腔，她说："范主任，你不能这样，你是领导，我很尊重你。你不能这样。"

范主任说："听话，你要听话。"

我使出全身的力气，开始用力砸门。

里边又安静了。

我仍在使劲砸。

有人走来开门。

我又仓皇地逃到了那棵榆树后。

这次是范主任亲自来开门，他望着空无一人的世界，不知道对手是谁，又在哪里，所以他真的生气了，说："王八蛋。"

然后，他突然从腰里掏出了枪，而且，他的脸变得狰狞，他拿着枪，站在月光下的样子，有些像是剪纸，似乎他仅仅是一个平面的造型，而没有立体的身躯。

我有些害怕了，不知道这样做，是不是对，我真的能保护阿吉泰吗？他要是发现我，把我打死怎么办？

这时，范主任的耐心已经没有了，他把枪收起来，回头看了一眼紧张的阿吉泰，就朝办公楼那边走去。

阿吉泰站在门口,有些不知所措。可以看出她的惊慌,就在那一刻她好像不知道自己该笑还是该哭。

范主任走得很快,像是一个扫兴的统治者,没有一会儿就进了湖南坟园。范主任就不怕鬼吗?他也是一个无神论者吗?就跟我的父亲母亲一样。我继续看着他走路,发现他即使是进湖南坟园的刹那,也没有减速。这说明他真的什么都不怕。是因为他有枪吗?枪能杀人,但是能杀鬼吗?

阿吉泰站在门前,显得心事重重,然后她走进了屋,并重新关上了门。

我心里产生了快乐的感觉,是我挽救了阿吉泰。

我站在阿吉泰的门前,犹豫着敲不敲门。几次举手,都因为紧张,而把手放下了,那时,我看着月亮,感到心里很空,我不知道阿吉泰现在还会不会给我开门。就在那时,我听见了阿吉泰开始在屋内哭泣。

这让我心中产生了无比的忧伤,过去,当我们这些孩子追着阿吉泰就想看看她美丽的永远在微笑的脸时,我感到她总是那么幸福,怎么会想到她有时竟会发出这样的哭声。

当时我以为那天晚上帮她赶走了范主任,是救了她。以后的事实却证明,我是害了她。你可以让一个女人在某一个瞬间不被强暴,但那只是她更加心碎的开始。

也就在那时,我听到了妈妈像狼嚎一样地叫着我的名字。

爸爸也在叫着,他的声音显得有些可怜,似乎能听得出来,他为打我而有些后悔。

那声音是从湖南坟园里传出来的。

不知道为什么,在那一瞬间,我突然感到爸爸妈妈的可怜,他们跟阿吉泰一样地可怜。我想起来那天爸爸在挨了范主任一巴掌之后还对他笑的情景,就感到爸爸真是弱小,他那身军装是他这些年来惟一幸运的标志,是他可以不挨打的保护伞,是他为国出力的见证,却让我弄丢了。我想起来小时候看见过的许多爸爸穿着西装的照片,有的是在上海,有的是在北京,有的是在莫斯科,一个曾经爱穿着西装照相的人却把这身军装看得比什么都重要,他是应该打我的。我不应该再让他为我担心了。

我跑进了湖南坟园,顺着声音到了他们面前,那时他们正背对着我,面对黑夜喊着我的名字。

我就这样默默地注视着他们,感受着他们的可怜。可是,我突然意识到家这个词有些可怕,而且爸爸妈妈也是很狰狞的概念。我就像是一个躲在暗处的野兽一样,在观察了他们半天之后,悄悄地离开了湖南坟园。

15

我再次回到马市时,已经是深夜。

我知道在马市的西南角处有一大片倒塌的破屋,那是当年的青海人马仲英将军在乌鲁木齐搭建的临时军营,有一些地窝子,还有一些破土房,现在那儿是盲流的天下。这些人之所以被叫作盲流,是因为他们都是自流来疆的。就是说,他们既不是跟着王震走进新疆的老二军成员,也不是像我爸爸妈妈这样的由组织安排支援新疆建设的知识分子。他们是一路要着饭来的。

盲流在我们这些孩子的心目中是骂人的话，是小偷，杂种，流氓，强盗的另一种称呼。可是，我现在有家不能回，我不是盲流又是什么？

我沿着这些破烂不堪的建筑物走着，发现里边大都有人居住。烛光和男人女人的欢笑声不断地传出来。我有很久都没有听到这么多人一起笑了。我住在大院里，笑都没有高声过，特别是爸爸妈妈，他们从来活得提心吊胆。我们住在楼里，只要是别人家吵架，他们都会偷偷地在门后听，他们洁身自好，称自己不关心别人家的琐事，可是，他们却在门后偷听，那给他们带来无限的快乐。

我继续地走着，秋天寒冷的气息已经让我的浑身打哆嗦了，就在那时，我看见了一个开着的破门，那里边既没有烛光也没有人声。我走了进去。很黑，我踩在了一个柔软的物体上，只听一声叫，有一个人从地上爬了起来。

我被吓了一跳，站在那儿一时不知道该怎么办。

那个被踩的人从地上爬起来，他翻身划了根火柴，借着亮光看看我，当发现是一个孩子时，他放松了。然后，他把蜡烛点着。这时，我完全看清了他，这是一个三十多岁的人，很瘦，他说："你这个娃娃不回家，怎么来这儿了？"

我感到他不是一个可怕的人，就说："我没有家了，今天能不能睡在这儿？"

他看看墙那头的一块木板，说："就睡那儿吧。"说着，他把一块破棉絮扔到了那木板上。然后自己点着了莫合烟抽起来，很呛，我开始咳嗽。他笑起来，并把烟掐灭，说："你叫什么？"

"我叫刘爱。"

他说:"这儿的人都叫我老张。"

16

与老张相处的日子今天回忆起来显得很模糊了,从跟他认识直到他死,可能有一个多月,是整个我离家出走的时光。有相当长的时间我都感到那是耻辱的记忆,我现在只能叙述出它的高潮部分。一个像我这样出身的人竟然跟着老张去要饭,还去大修厂偷皮子卖。

那是一个阴天,老张跟我一起去偷皮子,开始很顺利,但是在翻墙的时候,我们被发现了。那时老张已经上了墙,他拉我上来,但是追上来的人一把抓住了我的腿,愣是把我拉了下来。老张只好先跑了。我被他们关了一天,还挨了打。但是,我没有揭发出卖老张。他们用皮带狠狠地抽了我的脑袋和脖子,上边留下了血痕。傍晚他们放了我时,我一出大修厂的门就发现老张还在一棵老榆树后等我。我十分感动,想哭。老张一把搂着我,看着我脖子上的血痕,他说:"他们打你了?"

我点点头。

老张说:"打你,你也没有出卖我?"

我点头。

老张把我搂着,说:"我昨天偷的蹄儿全给你吃。"

我们回到了马市的地窝子里,他为我烧了水,说:"不出卖朋友,好样的。"

那天晚上,借着烛光,我们谈得很晚,我跟他说了许多自己的事情,主要是讲了王亚军这样的英语老师,最后我还为他唱了《月亮河》,英语的韵味从地窝子里发出,就像是一串串珍珠洒落在灯光灿烂的酒店大堂里。

Moon river,wider than a mile.
I'm crossing you in style someday,
old dream make your heartbreaker.
Whenever you are going,
I'm going your way,
two drifters,off to see the world.
There's such a lot of world to see。
We're after the same rainbow's end,
waiting round the bend.
My huckleberry friend,
Moon rive and me.

老张听得入迷,他说:"你这么小,就会唱英语歌,今后长大了,不是当毛主席的材料,也是当周总理的材料。我有一个亲叔伯弟弟,他在北京当兵,是个连长,听说他经常跟周总理还有江青、纪登奎他们在一起开会。什么时候,回老家见着他,告诉他,让他帮帮你。"

我当时信以为真,觉得地窝子里也能出大人物,就像是山沟里出马列主义一样。

对了,我还想说说老张的死。

那是一个早上,习惯于早起的老张突然跑回来,说在七中那儿发现了有几只鸽子,好像被铁沙弹打了,受伤飞不了了。它们已经在那儿呆了一夜,他说鸽子肉很好吃,你那么瘦,要长个,我得让你吃点好肉。于是,我跟着他抓鸽子。

学校后边就是一个锅炉房,鸽子就落在很高的烟囱上边。

老张让我在下边等着,他开始抓着铁环梯一步步地朝上爬着。就要到顶了,老张放慢了速度,他怕鸽子被惊吓。老张离鸽子越来越近,我的内心狂喜,看来真的能吃鸽子肉了。

终于,老张把手伸过去,看来鸽子是受了伤,它们完全没有要飞的意思,几乎就要抓住那只最大的鸽子了。突然,在老张身后一声巨响,是有人用枪向鸽子射击。老张被吓了一跳,手没抓稳,从烟囱的最高层掉了下来。

只听到沉重的一声"通",老张摔在了我的身边。我被吓得愣了,头脑中一片空白,一时不知道发生了什么事,渐渐地人围得多起来。话语中充满了"死了,死了"的字音。当时,我就想,原来死亡离我们就是这么近,我不敢多看老张的脸,只是在我的耳边老是响起他的话:

"你这么小,就会唱英语歌,今后长大了,不是当毛主席的材料,也是当周总理的材料。"

老张的死,让我意识到我的盲流生涯结束了,作为一个坏孩子,我的离家出走终要有个头。我没有先回家,而是在放学的路上等着黄旭升。那是傍晚,黄旭升独自走着路,还唱着歌,她是跟着院里的高音喇叭一起唱的:

“北京的金山上光芒照四方，

毛主席就是那金色的太阳，

多么温暖，多么慈祥，

把我们农奴的心儿照亮……”

这首歌让我有了回到家的感觉，就像是在海外漂泊多年的游子终于回到了自己的祖国母亲怀抱，我内心充满了感动，尽管我的身上很脏，但是我的内心却纯净无比，我在歌声中朝黄旭升跑了过去。

我突然出现在她的眼前，把她吓了一跳，开始没有认出我来。因为我已经有一个月没有理发，甚至没有洗脸，当她终于判定是我时，才笑了，说：“你还活着呀？学校差点开除你，幸亏校长说了话，你爸你妈都急疯了，他们天天下班后都在湖南坟园转，就好像你挖了个洞钻进去了。”

“王亚军老师问我了吗？”

她点头，说：“他天天问我你回来没有，还牺牲了一节课，发动大家去找你。”

“讲新课了吗？”

她说：“当然讲了。”然后，黄旭升悄悄地对我说：“你可千万不要告诉别人，王亚军老师给我教了好几首英国的诗歌，其中最美的是叶芝的诗。”说着，黄旭升开始用英语念了起来，韵节很舒服，让我感到了落日的余晕像红云一样地暖暖地洒在她的脸上，还有我的耳朵里。英语真好，我被黄旭升的英语诗歌又重新带回了人间。

我没有回家，我很怕父母打我，我内心还是充满紧张，走了一个多月,我是一个野孩子。天渐渐黑了,我在湖南坟园里来回走着,就像是一个正在散步的老人。我的内心里充满了回忆,现在想起来真怪,一个才十多岁的孩子,就那么恋旧,就好像有漫漫的人生需要回顾。

月亮出来了,还有许多云彩。周围显得很亮,树影婆娑,正当我犹豫着是不是回家时,爸爸妈妈的叫喊声传来了。

我就是在那时看到了父亲的背影,和朱自清爸爸的背影一样,它让我温暖而心酸。母亲站在他的身边,扶着他。他们像是相依为命的两个孩子。

我朝他们走过去,脚步很轻,就像是身旁闪动着的幽幽蓝火。

我突然出现在他们身边,吓得他们猛地转过身来,爸爸先是朝后边退了两步,惊恐使他张开了嘴,妈妈也下意识地拉上了他的手。当意识到站在这儿的人不是鬼,而是他们的儿子时,爸爸的脸上露出了从恐惧到欢乐的表情。他又穿上了地方灰色的衣服,月亮照亮了他的全身,没有军装和领章,让爸爸威风扫地。

我深深地为自己没有看管好爸爸的军装而忏悔。

妈妈也跑到了我的跟前,把我抱在了她怀里,就好像我是从这儿绝望的坟墓中重新走到了人间的生命,就如同凤凰涅槃一样。

夜深了,我睡得很沉,隐隐感到有人在轻轻抚摸我的脸,我没有睁开眼,开始以为是黄旭升的手,接着又想象阿吉泰的手,渐渐地我意识到那一只手是爸爸的,另一只手是妈妈的。我在睡梦里知道他们是爱我的。但是,我想的更多的是阿吉泰,我回想起那天晚上帮她的情景以及她洗澡的情景。

父母回到了自己的屋子之后,我一直处在朦胧之中,似乎睡着了,又意识到自己知道周围在发生着什么。乌鲁木齐下雨了,淅沥的流水声很让人心虚,突然我面前出现了白茫茫的一片,是雪花飘渺,我感到脑子里越来越乱,有秦腔和着维吾尔民歌的声音,调子时而悠长,时而刺激人的耳朵。在那一片背景之上,有一句诗老是不停地飘荡,而且是英语,那是范主任在勾引阿吉泰时念的:

冬天将要过去,春天还会远吗?

第 十 四 章

1

八家户，这个地方为什么要叫八家户？

有人说是成吉思汗的八个弟弟，也有人说是他的八个孙子，在这儿盖了八幢豪宅。我不懂历史，却感到这种说法不可信。八家户，这是很土的名字。一定是农民起的，而且是回族农民起的。新疆是个多民族杂交的地方。看一个地方原住民是谁，命名的是哪一个民族，你要从地名发音的韵节上体会，感觉。你仔细地念念“八家户”这三个字，你学着乌鲁木齐的回民,或者青海宁夏的回民的腔调发发音,你就会觉得我说得很对。

可惜,八家户现在已经没有了清真寺,据说在上一个世纪初还有一个很大的,以后在一次战乱中被烧了。留下了大片的苜蓿,满眼的绿色像是激荡的湖水一直朝山边延伸,据说那山还有一个特别的名字,可惜我已经忘了。但是,关于八家户,乌鲁木齐有民歌:

儿娃子睡觉抓着球巴子,

丫头子站在草地上看着儿娃子……

歌的曲调也有些怪,很有一些蒙古长调的味道。

这就把八家户这个地方搞得更加复杂。

然而,不管你认为来这儿最早落户的是哪个民族,反正在所有原民歌的语言之外,将要响起另一种语言,那就是由王亚军教给我们的英语。从那时起,英语的韵节不但要穿行在湖南坟园的树林丛中,而且要飘到八家户的草原之上。

2

转眼夏天就到了,在那个夏天里真是发生了很多事。

你们很可能没有在乌鲁木齐过过夏天,那可真是夏天呀,像我这样的人都想为它作诗了,而且是古诗词,因为我觉得现代汉语都不足以表达我对八家户夏天的向往和缅怀。

八家户有牛奶场。那是我们劳动的地方。我们还那么小为什么要劳动?这个问题提得好,我们为什么要劳动?我们还是学生,应该天天呆在学校才对。比如现在那些学校的学生,他们每天要上十节课,为了“中考”,他们可以周末都上课,他们每天听着别人说素质教育和应试教育的废话,然后埋头在作业的汪洋大海之中。可是,我们那个时候没有他们现在这么倒霉,我们不用太学。如果你真的想学什么,那也真是你自己的事,得看你有没有这个兴趣。一个人在为自己有兴趣才去学某种东西,那是多么美好的境界?你们有吗?没有。可我有。

我就是凭着自己的兴趣才学的。比如英语,我就有那么大的兴趣。这是不是就能说我是一个幸福的孩子?

前边好像说过,我为了像个绅士,竟然自己配上了眼镜,可我又不是近视眼,我就在自己喜欢的宽边镜框上加了平光玻璃,我在家里不敢戴,只有到了学校里才敢戴上。我最怕我妈看到我戴这东西。这样的资产阶级思想会让她受不了的,有了像我这样的儿子就等于她这么长时间努力而虔诚地改造自己的反动思想都白做了,我不该为她丢这个人。

我的眼镜总是藏在书包里来回磨着,渐渐地镜片有些模糊了,可是我仍顽强地戴着它来到了八家户。

在我的记忆深处,八家户的劳动场面已经变得有些模糊了,这是不是与我那个模糊的镜片有关?本以为那是难忘的岁月呢,每一天挥汗如雨地干活,好像有两件事:一是要用镰刀割苜蓿,二是要打土块,为牛搭棚盖房……想不起来了,真是不太想得起来了。

3

我这个人比较小资一些,喜欢带有情调的东西,我甚至都记不住那个教我们使镰刀的师傅,我只是记得王亚军与我们班一起来到了八家户。

他为什么不留在学校教学而要和我们一起来劳动?这也是现在说不太清楚的事。教师应该在学校,可是他也跟我们一起来到了牛奶场。班主任郭培清为什么没有一起来?而偏偏是由教英语的王亚军来?算是一种惩罚吗?说不清,时过境迁,有时都觉得没有道理。反正王亚军跟我们一起来到了八家户的奶牛场。

好像在那些日子我们接受学校和农场的双重领导,王亚军代表学校,但是,我们师生都要听农场领导的。

在牛奶场,王亚军与我在一起时变得越来越放松,他简直有些得意忘形,原形毕露,就像牛鬼蛇神纷纷出洞。他会在无边的绿色之中对我说:你在诵读优美的韵文时应该更 viennse repose 一些,要有意境,最后应该达到一种 peaceful mind,也就是一种特殊的 serenity,是一种由 resignation 产生出的 serenity。

今天像王亚军这样的说话的人很多,他们从美国或者欧洲回来,就忘了中国话,他们会在中文里夹进些许英文单词,以提醒我们他已经不太会说中国话了。而且,有的时候用英语词汇表达出的意思,的确比中文单词要准确,要丰富。每当这种时候,我就想起了在天山脚下的王亚军,他在说"viennse repose, peaceful mind”以及“那是一种由 resignation 产生出的 serenity”时，完全是出于一种对于英语的热爱，他甚至于进入了表演状态，他大段大段地背诵英文，不管我能不能听得懂。

每当表演完毕，他总是会说我要谢谢你。因为你为我提供了一个好的舞台。让我可以这样说话。

我却在为自己的冷静而惭愧，并在内心里对自己说：时机到了。

经过充分表演之后的王亚军甚至对我深深地鞠了一躬。

也就在那时，我提出了自己一生中最重要的要求：

“能把那本词典借给我吗？”

王亚军犹豫地看看我，他审视我的眼神就像是在判断我是不是一个真正的骗子。

最后，他终于答应了。说：“一个星期。”

那天晚上，我看到很晚。词典是一部巨著。在第二天早晨，天没有亮，我就出去背诵英语生词，我是想把整个词典背下来。

黄旭升早晨来到了田野里，她穿着一件有花的衬衣使她看上去就像是一个我想象中的英国女孩儿，她在很远就向我问好，她说：morning。我也在很远的地方回应她，就好象我们是两个完全脱离了现实的表演艺术家，正在舞台上演出着英文的话剧。她轻松地朝我走过来，如同女主角走向她一生悲剧的中心。

我的内心无比阳光，因为一个阳光女孩儿正在向我靠近，天上一个太阳，地上一个太阳，黄旭升与她天上的同类相辉映，阳光洒在阳光身上。于是我就说：sunshine。黄旭升听到之后，就笑了。我现在可以负责地说：她的笑很灿烂。

看见了我拿着的词典，阴影立刻出现在了她光洁的脸上，我发现她的脸由白变得灰了。天空在一瞬间也变得有些暗，一个女孩子的嫉妒心和天空的色彩有时竟是那么表面，她们为什么不懂得掩饰？就好像文明从来没有光顾过她们的生命。我看着黄旭升，内心充满矛盾，甚至于感到了惭愧，就好像英语词典这次是真的被我偷来的，而又被她发现了。

黄旭升把手伸过来，想从我手中把词典拿过去。

我本能地后退了一步，把词典抱得更紧。

她又朝前走了一步。

我没有再后退，脸上的表情显得很硬，我知道这会使她受到打击。回想起来，我真的不是一个绅士，而是一个自私自利的孩子。要斗私批修，这话说得何其好，尤其对于像我这样的人，一辈子都要斗私批修。

阳光渐渐地亮了起来，因为黄旭升的脸上由于气愤而显现出了红色，就好像是她正在被幸福的光辉感染，那时在她的前方，一轮红日正冉冉升起，把黄旭升的头发带动得像风筝飘带一样。以后，有过许多次，我在汉语课本里都看到了冉冉这个词，连老师的讲解都显得干枯，“冉冉”不是别的意思，它就是指一个像黄旭升这样的女孩子，在红日的映照下，脸色发红，而且越来越红，与此同时她的头发开始飘浮，与弹性极好的太阳产生互动关系。

我对黄旭升说：“咱们得走了，吃完饭就得上工了。”

她站着不动。

我知道她想的什么。

“王亚军这本词典没有借给我,凭什么借给你呢?”

我不想等她了,自己开始慢慢地转身,正当我踏着金色的田野朝着宿舍走时,黄旭升突然高叫:

“站住。”

我被吓了一跳,站在原地,头还没有回过来时,她问我:“为什么他会借给你?我妈和你妈都不让他跟我们来往,他为什么会借给你?”

在一瞬间里,我感到黄旭升很无聊,她竟能问出这样的问题。

我没有回答她,仍然转过身背对着她,朝前方走。但我有些紧张,就好像随时后边都会射过来仇恨的子弹,而我被打趴下在这金光大道上。

黄旭升像风一样地朝我吹过来,她跑步速度极快,像是西公园的 Monkey,经过我身边时她也没有停下,而是像王军霞冲刺终点一样地擦过我的身边。

那是一个难忘的早晨,那个叫作黄旭升的女孩发疯一样地狂奔在田野上,使人们感到有一首歌写得极其写意,它充满了一种朝鲜特色,却与黄旭升在新疆大地上的奔跑共同构成为一幅画面:我们心中的红太阳,照得边疆一片红。

那本词典肯定让黄旭升受到了有生以来最大的一次打击。她认为这件事最起码可以说明一点:王亚军不爱她,一点也不爱她。在这个男性英语老师的内心中根本没有她的位置,她没有歌唱或者跳舞的空间。她觉得自己完了,一个自命清高的女孩儿,突然发现她在自己的偶像的心中竟然不如一个男生。这个男生虽然总是像知识分子那样地戴着眼镜,可是那个眼镜却是平光的,他是因为虚荣而配戴了这样一个没有度数的眼镜,他这样做的目的仅仅是想让自己与那本词典更般配。他是一个那么做作的男孩儿。

然而,英语词典竟然就借给了这个男孩儿。

黄旭升就是在那一刻垮的,她本来也想借着这个机会去找王亚军,可是自尊心不允许她这样。她在那天,应该说是整整一天拔苜蓿的过程中都显得失魂落魄。很像是她死了亲爸爸的那些日子。

晚上,我们正在宿舍里擦澡,一大片明晃晃的男孩裸体在雾气中闪现。

应该说这样文明的习性本来我们是没有的。可是,英语老师王亚军要求大家这样,他说,每天必须擦澡,这样全身都清洁。

我边洗边看着王亚军老师的裸体,他闭着眼睛享受着热毛巾在身上按摩带来的快感,他没有完全脱光,而是穿着一件内裤,那是一条黑色的,带有弹力的内裤,肯定是从上海带回来的,新疆没有卖的。这样考究的内裤我们这些出生在乌鲁木齐的孩子不敢想象。也许我成熟过早,也许我就像是班里的女孩子们议论的,思想复杂。我的眼睛老是在王亚军的身上打转。

男孩子们没有王亚军这样的羞耻感,他们大都跟我一样,是光着的。在洗澡的过程中,你动我一下,我碰他一把,很是快乐。这间干打垒建成的土房子里充满了沐浴的快乐。以后,我在北京建筑工地的民工宿舍里看到了与我们当时一样的场面,很是龌龊,可是记忆中的我们自己在牛奶场的情景为什么就会是美的呢？看来人真是有倾向性，而且充满自恋。

黄旭升就是在那个时候突然进来了，在我们这些男孩子充满自恋的时候，她没有敲门，而是直冲冲地走向人群，像个梦游者一样地来到了裸露的肌肤之间。

我们都有些愣了，有人甚至尖叫起来，用的是假嗓子，叫法跟女人面对恐惧是一样的。

黄旭升就像是根本没有看到我们的裸体一样，她一直走到王亚军面前，看着他不说话，但是她的嘴唇颤抖，就好像受了天大的委屈。

王亚军没有慌乱，他随手从床上拿起他的一条带有蓝道的毛巾被，当然，也许那就是浴巾，这在当时都是非常特殊的物品。它们象征着文明和进步。也许，我有些过分，就好像王亚军身上的任何东西都在象征着文明和进步。包括他的那个大鸡巴。

王亚军把它裹在自己的身上，然后问黄旭升发生什么事了，是不是女生宿舍出问题了？

黄旭升看着他，说："我也要借那本英语词典。"

王亚军终于明白了这个小女孩如此冲动的原因，他说："第一，以后你进男士的房间要敲门，这很重要，第二，那本词典现在不能借给你。"

"那你为什么要借给刘爱？"

黄旭升几乎是喊叫着表达了心中的困惑和疑问。

王亚军说："那是我个人的事情，以后，我再向你解释。"

黄旭升的眼泪涌出来，并沿着脸颊流下来。

王亚军的拒绝是她无论如何也不愿意承受的事情。

黄旭升浑身僵硬地走了出去。

王亚军包裹着浴巾坐在自己的床上,他的目光有些散乱,像是在追悔着某种东西。

就在那个晚上,王亚军约我散步。

我们走在明亮的原野,草滩在眼前无限地延伸,如同铺开的地毯,那上边有着很暗的色彩。

“她妈妈到学校来找过我,还打了我,是耳光。”他的语调沉重,就像是在会议上做检查,他想了想,又说:“现在已经有两个母亲打过我了。都是因为我喜欢她们的孩子,我愿意对他们说英语。”

王亚军的声音平静,像是在说别人的事情。

“我妈打你我看见了。”

他显得有些狼狈地看看我,似乎那是不可思议的事情。

我有些得意地说:“是趴在那棵树上看到的。”

王亚军有些不解,他想不起来哪里有一棵树使站在上边的人能看到自己窗内发生的事。

我看着他那迷惘的神情想:大人们果真是另外一种动物。他们跟孩子处在完全不同的世界里。

我差点笑出来,不知道为什么会觉得那么可笑。

他似乎没有注意我的笑,只是皱着眉说:“我不能再跟她有任何接触,如果把词典借给她,那就又有了嫌疑,我怕了。”

“怕了”这个词深深地打动了我,英语老师竟然对我说他“怕了”,他所熟悉的那种“英语”里有着那么多让我向往的东西,那是文明和高贵以及金碧辉煌,可是现在从这片闪耀着的光彩背后发出了一个大人的叹息:我怕了。

这三个字让我震颤,我再次看看王亚军,想知道他有没有伤心。他的表情虽然沉闷,却比较平静,就好像这样的叹息很普通。

“那你为什么能借给我?”

王亚军仔细地看看我,然后抬头望着月亮说:“感谢上帝吧,因为你是一个男孩儿。它知道这点,而且,它知道一切事情。”

我说:“真的有上帝吗?”

王亚军犹豫了半天,说:“我爷爷说有,我爸爸也说有。如果让我对你一个人说,而且,你不会告诉别人的话,那我也说:有,肯定有。”

我当时有些张口结舌,在一个充满无神论的世界里,竟有一个人在暗夜中,面对正在发育的孩子说:

“有上帝,肯定有。”

我们走得很慢,从远处不断传来维吾尔民歌,和毛驴车上的铃声,舒缓,沉重,民歌的词我能听懂一些,因为我学过维语,又因为我渴望看到阿吉泰漂亮的脸和脖子所以我很认真地学过维语,而且我听她唱过那首歌:

我骑着马儿上山坡,

来到了伊犁,

我遇见了美丽的阿曼古丽……

我们都认真地听着,我好像特别喜欢“伊犁”这样的字眼,它的韵节跟英语很像,有种很洋气的感觉,在我小的时候,只要是一到了春天,就会有暖风从伊犁那边吹来,后边还有云雀,从伊犁来的云雀。那真是一个伤感的日子,英语老师由于孤独正在跟孩子谈心。

我突然问王亚军:“你见过你爷爷吗?”

他说:“当然见过。”

“他会英语吗?”

“我很小的时候他就跟我说英语。”

我又说:“你爷爷见过上帝吗?”

王亚军似乎思考了一下这个问题,说:

“我说不清楚。”

我说:“我没有见过我爷爷,爸爸说,刚解放时,他就死了,是上吊死的。爸爸对妈妈说的时候,我偷听到的。”

王亚军说:“你想见到你的爷爷吗?”

我摇摇头,又问他:“你说,这些事,上帝都知道吗?”

他说:“知道。”

西边的暗红色正在渐渐淡去,黑暗不断地朝着天际涌来,民歌又在重复,那是典型的伊斯兰味道的民歌,我却再次提起了上帝。

4

当我们散完步回到地窝子时,很远就看到了一个人影在我们的门口晃动,那是一个少女的身影,王亚军加快了脚步,我也跟着他朝回走。

是黄旭升,她刚洗了头,用手绢扎着头发,在月光下她的脸色有些白，眼睛很亮，像是一盏灯。

她也发现了我们，就直朝我们走来。

我有些紧张，不知道她直冲过来是想干什么。

黄旭升走到了王亚军跟前，她看着他。

他们互相看着，像是暗夜里独立在街道对面的两盏路灯。

黄旭升说："我要当基干民兵了。"

王亚军有些吃惊，他没有说话。

黄旭升又说："老场长同意了。校长也同意了。明天。"

王亚军开始缓慢地组织词语，就像他有的时候用英语组织一篇讲话一样："现在我们仍是半天劳动半天学习，可是基干民兵就要全天都脱离学习了，他们要天天巡逻，操练，还要打靶，总之，他们拿起了枪，成为不同于你们一般学生的……革命者。"

黄旭升说："是不同于你们这些一般人的革命者。"

我忍不住想笑，问黄旭升：

"你不学英语了？"

她看看我，脸带微笑，在洁白的脸上出现了酒窝，说：

"下辈子吧。"

黄旭升走了很远时，王亚军仍站在那儿看着她的背影，一直到她进了女生宿舍时，他才回头看看我，没有说一句话。

我站在他的身边，也沉默着，天地间气氛压抑，就像是八家户正在举行着谁的葬礼。

大地微微暖气吹。

5

从那天之后的许多下午，我们都在田里拔草，每当我们很疲倦的时候，都会突然地看到黄旭升和李垃圾骑着马从我们身边疾驰而过。马蹄声和着黄旭升的笑声，还有一个女孩子故意发出的优美的尖叫声。

每次听到这样的声音，王亚军都会抬起头来，望着他们。目光中有一种说不清楚的成分。我问他："你看什么呢？"其实我的意思是天天都看她这样，为什么目光还是那么专注。

王亚军总是回答："黄旭升还有她背的枪。"

黄旭升和李垃圾骑马越走越远，留下一片烟尘。

王亚军有一天看着他们走过之后，突然问我：

"你也会像她那样吗？背着枪，骑着马？"

我说："不会。"

他似乎对这件事很有兴趣，又追问我："为什么？他们那样不是很威风吗？"

我说："我讨厌枪。"

王亚军对我的回答很满意，眼睛里露出了灿烂的光芒。

我与王亚军之间的友谊不断升华，就像是大地上微微升起的热气把一只杂色的气球吹得很高很高，所有的人都看到了这一大一小的两个男人之间的不同寻常的关系。

但是，王亚军不在乎。

我也不在乎。

我明显地可以感觉到自从黄旭升去当了拿枪的人之后，王亚军变得有些害怕孤独，他甚至于有些依赖我了。

6

有一天晚上，当所有人都睡了，我们还坐在门外的木头车轮上，当时他两个眼睛瞪得很大，他专注地看着我，仔细地听我讲着那个澡堂，以及洗澡的阿吉泰。

“开始，我没有看清，里边全是蒸汽，渐渐地，我看到了，她没穿任何衣服，她光着，可是，她的背是红的，被热水洗红了，她的头发很湿。我没有想到能看到，开始我以为李垃圾是骗我的，他在逗我玩，我也不想去，我没想到自己会去，锅炉房那边很安静，没有人。夏天到了，连烧锅炉的人都不上那儿去……”

说话的是我。

听众是王亚军。

我笼罩在月色之中，内心激动，尽管有犯罪感，却兴高采烈。

王亚军一直不说话，他只是听着，用他那炯炯的眼神鼓励我继续不断地讲下去。当我停下来的时候，他说：“你骗人，你说了窗户很高，而且窗子不大，你那么小的个儿，不可能爬得上去。”

我说：“我在下边堆了几块煤。”

“煤？不可能。你在那么短的时间里，怎么能把煤堆到窗户下边呢？”

“我去的时候就有煤了。不知道是谁堆的。”

“你刚才还说是你自己堆的，看来你善于编织，你以后可以当作家。”

“我没有编,我就是能看到,里边有蒸汽……”

“对,这也是编的,那么小的窗子,还有蒸汽,里边很暗,外边很亮,你怎么可能看到她的身体?”

“我能看到,阿吉泰很白,她比一般的女人要白,她比我妈白,也比黄旭升白。”

“她,她真的很白吗?”

王亚军像是被我最后一句话击中了,又说:“她真的很白吗?”

我说:“就像雪山一样白。”

他说:“又骗人,雪山是什么颜色?她的皮肤是什么颜色?这是不同的物质,质感完全不同。”

我兴奋起来,完全没有理会王亚军的质疑,又说:“当她转过身来的时候我看见她的胸脯了,就是跟雪山一样。”

王亚军忍不住地伸出自己的手拉着我的胳膊,说:“她转过身来了?你看见了什么?!”

我用力挣脱了王亚军抓着我的手,说:“当时我害怕了,怕她看见我,就跳下来,跑了。”

“她真的转过来了?她为什么要转过来?你真的什么也没有看到?”

也许我天生就是一个善于想象的人,也许那真的就是我看见的东西。我没有创造任何自己没有看到的东西,我说:“我很害怕。什么也没有看到。”

王亚军在月光下发愣,他重复着我刚才说过的一句话:“夏天到了。”

我们都长久地沉默着。

我的内心里有一种倾吐的快感，偷看阿吉泰洗澡应该是我少年时期犯下的最大的罪，至今想起来都有些心跳，但是我在八家户把它告诉了自己的英语老师，我感到自己体内有一种从未有过的通畅和幸福。

王亚军再次愣神，他看着月亮不再说话。

我看着他，竟有些为他难过，说：“那天在你宿舍里，看到了很多你为阿吉泰拍的照片，还有逆光的，是在西公园里，阅微草堂旁边，湖水闪光……我最喜欢逆光照片，你为什么不送给她？”

王亚军没有看我，但是他看着月亮的目光有些羞愧的成分，他想了想，说：

“她不要。”

我说：“我告诉了你，偷看阿吉泰洗澡的事，你会不会认为我很坏，从此不再理我？”

王亚军摇摇头，仍看着月亮。

我说：“那本词典能再借给我一个星期吗？我想再抄一些生词。”

王亚军开始看我，他犹豫着正想说什么的时候，突然，从水房那边传来了枪响，在宁静的夜晚像是一声爆炸，惊天动地，接着就是一个女生的惨叫声，吓得我浑身颤抖起来。在无比的恐惧之中，我听出来那好像是黄旭升在叫。

时隔多年，那种叫声还能从记忆深处，从八家户传出来，让我再次感到惊恐和意外。

7

此时此刻,只要是我一闭上眼睛,黄旭升这个女孩子就在我前方跑着,一会儿她跳动在通往湖南坟园边上的那个澡堂的路上,经过锅炉房时,煤炭把她的脸映照得很白很红,她的头发湿漉漉的。一会儿,她又跳动在八家户的草地上,她手里拿着枪,尽管很吃力,她还是作出轻松好玩的样子。她真是一个有个性的女孩子,因为就在那个我与王亚军头一次谈论了上帝的晚上,黄旭升坚决要求与李垃圾一起当了基干民兵。

上帝与基干民兵。我可以这样把他们相提并论吗?这是不是能成为一首韵文或者管弦乐作品的标题?其实,这很无聊,一点也不幽默。

老场长和校长是因为对这个女孩有兴趣才同意的吗?不知道。也许原因比想象的简单:那时候,我们的国家需要基干民兵。

黄旭升与李垃圾一起当基干民兵时真是度过了一些美好的时光,也许是她一生中很快乐的日子。当我们都在阳光下挥汗如雨的劳动时,她却跟李垃圾有说有笑地从我们身边走过,他们在巡逻。他们背着枪,在阳光下显得青春而洒脱。

李垃圾是一个体育天才。百米赛跑,他的速度是十一秒九,直到今天我们八一中学还保留着他当年的纪录,没有人能超过李垃圾的速度。而我却是十五秒。牛奶场的马,他上去就能骑,而且,姿势漂亮,很像多年以后的真优美。他打枪很准,不断传来喜讯,说李垃圾在打靶比赛上的成绩竟然好过那些农场的职工。要知道这些职工是跟着王震一起进新疆的人,他们是三五九旅的老兵,是打过仗的人。李垃圾为我们学校争得了荣誉。

就连王亚军听到了这消息之后,都沉思一会儿说:"也许李建明今后能成为部队的将军。"

李建明就是李垃圾。王亚军从来没有叫过他李垃圾,只是叫李建明,我们也只有在王亚军称呼他的大号时才能想起他的真名。

当黄旭升在我眼前奔跑的时候,那个晚上的枪声又重新回响起来,它与黄旭升有关,也与李垃圾有关。

他们两个人坐在水房里,等待着水开。黄旭升说她要洗澡,让李垃圾陪着她去提开水。并说她害怕晚上。李垃圾于是拿着枪跟她一起走进了水房。

月亮当时就照在这一对出身和文化背景完全不同的少男少女身上,他们的早恋故事还没有开始,就要走向悲剧性的结束,这里边没有悬念,一点也没有。

锅炉正烧着水,发出了阵阵声响。李垃圾与黄旭升发生了争论。黄旭升以为水开了,而富有生活常识的李垃圾说:"响水不开,开水不响。"黄旭升说:"你爸爸是泥工班的,是不是你就什么都知道?"李垃圾说:"我就是什么都知道。"

黄旭升拿起了李垃圾放在墙根的枪,对着李垃圾,说:"你再这么骄傲我就开枪。"李垃圾说:"开吧,里边没有子弹。"其实,李垃圾忘了,他昨天从家里拿来了子弹,并把它装进了枪膛。他爸爸是泥工班的,交的朋友中就有乌拉泊军需仓库的管理员,他为李垃圾的爸爸带来了子弹。可是,李垃圾忘了。

有的时候忘却是那么可怕,即使对于一个像李垃圾这样的人也是如此。

黄旭升在瞄准。李垃圾上前,把脸凑到枪口上,来回看着,说:“你打呀。打呀。”

黄旭升说:“里边没有子弹吗?”李垃圾说:“打呀。”

黄旭升:“我真的打了?”

李垃圾:“打吧。开枪吧。我们共产党人是不怕死的。”

就在那时,黄旭升扣动了扳机,水房里发出了巨响。

李垃圾的脸被打烂了。

黄旭升在那天晚上就被吓得发疯了。

当许多人看见了李垃圾的尸体时,黄旭升正披头散发地蹲在地上哭泣,她穿的裙子像睡衣一样地随风飘荡,她苍白的脖颈以及细长的腿也在朦胧中浮动,就像是北海公园的湖水中映出的白云和白塔。我当时看着她的脸色,知道黄旭升这次是彻底疯了。

8

想起李垃圾,想起自己总是对他抱有偏见或者蔑视,就让我良心不安,它说明了我是一个那么势利的小人,我总是强调他爸爸是泥工班的而我爸爸是总工程师,就好像我们之间真的存在着阶级差别。

李垃圾的死亡,把我们从八家户的牛奶场拉回到学校,也把黄旭升从一个少女变成了囚徒。

三个月之后,她躺在病床上的母亲让我代她看女儿,并说帮我开好了证明。于是我终于去看望了黄旭升。在去六道湾看守所的路上,我觉得有许多话要对她讲。

她沉默着,一直没有抬头,甚至没有看一眼她妈让我帮她带的发卡。我发现她的头发开始变黄,像俄罗斯女孩儿的头发,而且她的皮肤也开始变白,女犯人的生活滋润了她的头发和皮肤,使我头一次感到黄旭升像个少女一样,在我们之间有了性别的差异。黄旭升没有注意我的眼神,她甚至也不愿意问我为什么她妈妈让我代替她来。她拿着那个发卡别在头上,这使她的头发更加有了光泽。有很长时间,我们谁也没有说话,我开始以为她会哭,可是她根本没哭。真是想不通一个女孩儿哪来这坚强?以后长大了,听说张志新的事情,还看了别人写的诗,就觉得他们大惊小怪,难道他们不知道吗?女人就是这样。

我们就那样地站着,好像那就是我们惟一要做的事情。

她的神经已经很正常了,这我从她灵活的眼珠上就能看出。我本来以为那天我们就这样一直沉默下去,可是正当我要离开黄旭升时,她突然问我,说:

"我听我妈说你是你妈和校长生的,是吗?"

那时玻璃上的反光全部都直射到了黄旭升的脸上,使她像精灵一样神采奕奕。

黄旭升在瞄准。李垃圾上前,把脸凑到枪口上,来回看着,说:“你打呀!打呀!”

第 十 五 章

1

王亚军就像是一个在那种时节的殉道士,他布道的实质内容不过是一种叫作 English 的语言,以及围绕在这种与维吾尔语和汉语,哈萨克语,塔吉克语,锡伯语完全不同的语言氛围之上的文化。天山顶上的阳光照耀在王亚军身上,让人们渐渐发现他完全不是一个雄心勃勃的人,他没有野心,他很平静,他为一切愿意学英语的人教英语。他总是拿着自己那本惟一的词典,从字母和音标开始,然后是词汇和句型,然后又是语法和文章。他完全不能和清末时以及民国时的传教士相比,那些传教士创建了英语的部落,他们生的伟大,死的光荣。而在我的少年青少年时代,王亚军究竟能做到什么呢?他过于渺小了,他几乎左右不了任何事情。我们学校也曾有过英语角,大家当时说:English Corner,就是在说由王亚军创造的一个教堂,有时在他的宿舍,有时在我们教室,有时在湖南坟园的鬼魂前。但是,角落不断缩小,最后,在我们整个乌鲁木齐市,在天山的阴影中,角落渐渐地被挤进了我和英语老师王亚军之间。

我们的每一次谈话,就是我们的教堂和我们的角落。也许他只能做到这些了:

我们的英语角落。

我对王亚军说:"我是我妈和校长生的吗?你是大人,你相信吗?"

王亚军用英语说:"我不相信。"

"你说,我应该去问我妈吗?"

"请你用英语说。"

我用英语重复了"我应该去问我妈吗?"

"不应该。"

我继续用英语说:"我跟踪过我妈,知道她跟校长有那种关系。"

"不要跟我说这些。"

"除了你以外,我没有别人能说,能问。我很难受。我经常照镜子,看看我长得跟我爸爸像不像。我越来越发现,我不像我爸爸,可是,我也不愿意像校长。"

"在你这样的年龄,根本不应该探究这类问题,你应该学会等待。”

“要等到什么时候?”

“你不能伤害自己的母亲。记住,任何时候,任何情况下。”

2

英语的对话每天都在进行。

我对王亚军说:

“黄旭升是不是有神经病?”

“没有,她是一个聪明的女孩子。”

“她现在这样,你伤心吗?”

“不仅仅是伤心,还有很多想法。”

“黄旭升经常在后边看你,你知道吗?”

“知道。”

“那你为什么很少看她。”

“我是老师,她是学生。是女学生。”

“假如这不是中国,是美国,那你愿意看她吗?”

“也不会。你们太小。”

“等黄旭升长大了,你能跟她结婚吗?”

“她长大了,我就老了。”

3

我对王亚军说:“乌鲁木齐已经这么大了,有那么高的楼,应该可以叫 city 吧?”

王亚军说:“只能叫 town。”

我有些生气,感到王亚军的确是外来人,他是一个彻头彻尾的上海人。他跟我这个生在乌鲁木齐的土著不一样。

王亚军又说:“你应该到上海去看看,更应该到纽约,到巴黎,到伦敦去看看。”

我说:“你去过纽约、巴黎、伦敦吗?”

他的眼睛里立刻有了忧愁,脸色灰暗地说:“本来是可以去的。”

我残酷地说:“究竟去了没有?”

他说:“没有。”

我笑了,说:“我不需要去任何地方看,反正乌鲁木齐就能叫 city。”

王亚军:“记住,你以后一定不要只待在乌鲁木齐,要去周游世界。天山挡住了你的眼睛。”

我开始反抗,因为我仇视那些敌视天山的人,我说:“我没有钱。”

他说:“那就流浪。”

我说:“一到中苏边界就会被打死的。”

他突然沉默了,半天才说:“freedom(自由)。这的确是一个复杂的问题。”

我说:“你为什么不去流浪?”

他说:“in future。可是,将来我就老了。”

老了这个词对我产生了震撼,什么叫老了?那就是快死了吗？可是，李垃圾没有老，他已经死了。我看看王亚军，发现他的头上有了一根白发，这是不是就是老了的象征，本来嘛，一个人到了三十多岁就已经很老了。我曾经无数次地想过，只要是过了三十岁，死了就死了，够了，甚至于也可以自杀，可是现在已经年过四十，还这样无耻地活着。

我对王亚军说："你好像有了白头发。"

他看看我，脸竟然红了。

我头一次感到王亚军显得有些可怜，他以及他的那口英语，还有他的那些关于欧美的文化都躲到了他的衰老背后。

他说："我们这代可能没有希望了，如果有一天，你长大了，当你站在欧洲或者美国的街头时，你一定要想起我对你说的话。"

我当时突然忘了他对我说过什么话，因为今天他的确没有总结什么。我说："你对我说过什么？"

他被我一问，竟也愣了，然后，他笑了，开始照着镜子拔自己那根白头发，边拔边说："对了，把我的词典还给我。"

4

从八家户回来之后，他再一次被剥夺了为学生讲课的权利。黄旭升与李垃圾的枪击事件本来与他无关，现在竟然也波及到了他的身上。据说是校长推到他身上的，他说自己那天回大楼开会，临时让王亚军代他管理一切事物，结果恰恰就在那天出的事。王亚军有口难辩，校长说的都对。那天就是去开会了，就是由王亚军临时负责一切。但是,并没有包括基干民兵那边。王亚军天天呆在宿舍里,等待着对自己进行判决。王亚军曾经对我说过,如果对自己加重判决,能让李垃圾活命,能让黄旭升这样的好女孩儿再学英语,那他就是死了,也值得。我却说:"如果你死了,那谁教我们英语呢? 不要说黄旭升,连我也没有人教了。"王亚军仔细地看着我,就好像重新发现了我,半天才说,这点我还真没有想到。

于是,我们的英语角落和英语教堂每天都以种种方式重复,那是声音的重复,是画面的重复,是词句的重复,也是成长的重复。

一个孩子与大人的英语对话在重复之中回旋。

第十六章

1

星期六又到了。

那又是女人洗澡的日子。

我犹豫着去不去偷看阿吉泰。她今天会去洗澡吗？我渴望阿吉泰。

如果我是因为偷看阿吉泰被抓住，那我感到值了。如果阿吉泰没有看到，而是因为看到了别的什么女人被抓住，那我就太冤了。

我思想斗争得很厉害，最后决定还是跟踪阿吉泰。

我来到了阿吉泰的门前，想等待着

她出来,如果她去了澡堂,那我就上后窗。显然,这是一个比较稳妥的计划。

正当我站在树后看着她的门时,那门开了。

阿吉泰把一个戴眼镜,显得文雅的男人推了出来,那是范主任,是我们这个院子里的最高人物。显然,阿吉泰发怒了,我从来没有见过她那么凶,她把一只烧鸡朝范主任砸去。

范主任捡起那只烧鸡,脸上并不激动,显得平静,也没有说什么。他走得很快,消失在湖南坟园的树丛之中。阳光十分灿烂。

我无比崇敬阿吉泰,因为在当时,烧鸡和范主任都是最难得的东西。一个象征物质,一个象征权力。今天两样东西共同走进了她的房间,却被她扔了出来。

阿吉泰回到了屋里,紧紧地关上了门。

我溜到后窗看着她。阿吉泰正趴在桌上哭泣。我的内心产生了一种想哭的感觉,阿吉泰是这么美丽,却不能让美丽杀了像范主任那样的男人。还不得不让他走进自己的房间。

这时,阿吉泰突然站了起来。她到墙角端着个很大的银色脸盆,那说明她就要去澡堂了。我的心开始狂跳起来。

2

我来到了锅炉房的后边,看见在那窗户下边的两块煤还在,心里感到很踏实。

还是那样的蒸汽,还是朦胧中水雾的声音,当我的眼睛完全适应了灰暗之后，阿吉泰的头发出现了，接着是她的后背，她仍然很白。似乎对范主任发火一点都没有改变她皮肤的颜色。这种发现使那时的我十分惊诧：女人们真是奇怪，她们与男人发生战争，可是在她们的身上却没有留下任何痕迹。

正当我在内心里独自感叹时，猛然间我意识到有一对眼睛正看着我的脸，让我的脸开始发热，这似乎是一种幻象，渐渐的一切都变得清晰时，阿吉泰的眼睛与我的眼睛对视在了一起。

她平静地看着我，就像是她站在讲台上时一样的，丝毫没有为自己赤身裸体而羞愧。我的眼睛似乎被她的眼睛紧紧吸住了，根本不可能朝她身体的其他地方看，仅仅是她眼睛里深藏的那些丰富内容就已经把我的目光甚至于灵魂锁住了。

我们就那样对视着，过了不知道多长时间，我浑身上下都已经失去了知觉，仿佛周围的一切都已经消失，留下的只有阿吉泰的眼睛。

突然，我像是从早晨的幻觉里跳出来，意识到自己没有在自己的床上，而是在大院的洗澡堂后窗，那对眼睛不是我想象中的女人的眼睛，而是真的阿吉泰的眼睛。我被吓坏了，倏地从煤块上跳了下来，然后就毫无目的地奔跑起来。

乌鲁木齐才八月份就已经是秋天了，许多黄叶从树上散落下来，阳光又让它们显出缤纷与斑斓，使我的目光迷离，甚至感到头晕目眩。

那天是我十七岁的生日。

3

我徘徊了很久,终于还是来到了王亚军的宿舍。

他正在剃须,面对镜子仔细地审视着自己的脸,在脸上有白色的泡沫。

我显得有些激动,喘着气,尽量压抑自己的情绪。

他说:“你脸怎么那么红?”

我说:“刚才,我又去了洗澡堂。我看见阿吉泰了。”

他不说话,只是继续刮着脸。

我又说:“我看见范主任又被她从宿舍里赶出来了。”

王亚军的手一颤,他的脸被自己刮破了,血渐渐流出来,染红了白色的泡沫。

我说:“我今天看见了她的正面。”

王亚军开始洗脸,没有看我。

我说:“她很白,跟雪一样白。”

王亚军突然变得狂躁起来,他大声吼道:“最讨厌像你这样撒谎的孩子,她在专心洗澡,为什么要转过来?还有,你为什么要跟踪阿吉泰?还来对我说那范主任从她房间出来?你是什么意思?跟踪人是最恶劣的品行。你懂吗?”

他最后的“你懂吗”三个字拖得很长,还声音极大。头一次显出了王亚军的狰狞。

我愣了,看着他,不知道为什么他会那么疯狂。

“你出去。出去。”

我默默地看着他,然后,低头走了出去。

4

一个人走在这座由父母那一代人建立的叫作乌鲁木齐town的街头,抬头看着天空,即使是有很充足的阳光却也觉得满目阴霾。路过民族剧场时,我仔细地看着这座由父亲设计的、像宫殿一样的建筑,心情又变得好了起来,感到王亚军这次是真的错了。我为乌鲁木齐骄傲,乌鲁木齐是city,而不是town。可是,当走过剧场,重新又看见了天山时,我的心里又像被堵住了一样,想起了黄旭升还有死去的李垃圾,又想起了王亚军的那一根白头发。

我清楚地记得,就是那天,我此生头一次感到自己突然老了。

他才十七岁,他已经老了。

5

有人在后边叫我。

我停下了脚步,我知道,那是王亚军的声音。

他走过来,搂着我的肩膀。

我说:“我还以为你永远不会理我了。”

他说:“我很孤独,你现在是我最重要的人。我不愿意没有你这个朋友。”

我的内心一酸，但强压着没有让眼泪流出来。

我说："你怎么知道我在这儿？"

他说："我在跟踪你。"他说着，作出绅士的样子，很洒脱地对我行了个礼，说："对不起。"

我笑了，说："你们大人真的会拿一个孩子当朋友？"

王亚军认真地说："你是我的朋友。"

我们漫步在乌鲁木齐河畔，秋天的水显得有些绿，河里有许多落叶，水流湍急，发出很大的响声。我开始朝河里扔石头。他也跟着我一起扔。

他突然问："你真的看见了阿吉泰的正面吗？"

我说："看见了。"

他说："你都看见什么了？"

在他很小声地问出这句话时，蓦地一下，他的脸红了。我从来没有见过他的脸会这么快地红起来。就好像意识到自己的卑琐，王亚军的声音也有些颤抖。那时，正是中午，他的脸被太阳照耀着，显得更加红。而且，那片红久久都不肯散去。

我看出了王亚军的难堪以及渴望，此生里，只有那天，他让我感到他是那么可怜。在河边高高的白杨树下，他的声音显得单薄，他的脸上刚才被自己割破的那块伤口格外醒目。

我说："什么都看见了。"

王亚军当时就蹲在了地上，可以感觉到他似乎突然没有了力量，浑身瘫软，如果，他不是一个绅士，而是一个平常人，那他一定是会倒在草地上，从此再也爬不起来了。他就那样蹲着，双手抱头，浑身颤动，像是得了某种我从未见过的大病一样，很久不起来,也不看我。

我并没有被他吓着,我当时就意识到自己是一个成熟的、思想复杂的孩子,马克思在十七岁时写了论社会问题。而我在十七岁时,可以理解王亚军面对阿吉泰的绝望。

不知道是出于高尚的原因,还是出于卑劣的原因,我开始对王亚军讲起了阿吉泰的身体,她正面的身体。我是一个想像力丰富的人,更何况我真的看见了阿吉泰身体。所以,我讲得滔滔不绝,就像眼前的乌鲁木齐河水。

王亚军一直低着头听着,他甚至于不敢抬头看我。当我讲累了,感到疲倦了,就躺在了河边的草地上,然后,就像经过了剧烈的燃烧之后,我睡着了,在我的眼前一片红彤彤。当我醒来之后,已经是黄昏时分,我像李白那样地打一个呵欠,起身朝家走。我浑身疲倦,自己也不知道为什么面对王亚军诉说阿吉泰的裸体竟然是这么累。

6

以后的日子里,只要见到王亚军,我总担心他会找我要那本英语词典。

母亲曾经不止一次地对我说过借东西不还,是我人生的一个大弱点,在我那些没有归还给人的东西中包括这本英语词典,我没有偷上,却真的想赖着不还了。直到今天我都在问自己,我知道王亚军爱阿吉泰,一个像他那样健康而成熟的男人面对永远也得不到的阿吉泰,他除了绝望之外,还能做什么?因此,我对他讲述阿吉泰的身体,是不是为了交换?我以这种方式讨好他,果真是为了让他忘却那本英语词典?

又是一个周末,又是一个难忘的日子。父亲母亲一早就不知道为什么事吵起来。然后,母亲开始收拾房间。她无疑是委屈的,这从她不停地叫骂声中就能感觉到。像许多女人一样,她抱怨命运对她太不公平。在那一刻她对丈夫不满,对孩子也不满。那时,我正躺在床上翻看词典。母亲收拾到了我的房间,她的一切举动都让我窒息并且心惊胆战。她在我的床上翻出了我悄悄配的平光眼镜,她拿着它说:“这是你的?”

我点头。

她说:“你的眼睛近视?”

我不说话。

她把眼镜戴到了自己的脸上,说:“平光的?”

我不说话。

她突然大叫起来:“你为什么要这样?”

母亲的声音引起了父亲的注意,他也从另外的屋子走过来。看着我说:“谁让你这样?”然后,他提高了声音,说:“是谁让你这样的?”

我对他们反感极了,但是,我懒得对他们解释,并且,我一点也不怕他们。我讨厌大喊大叫的人,在那一刻我甚至于有些蔑视他们。

父亲走近一步说,“你今天一定要说清楚。你是怎么想的,为什么这么虚荣?”

我就像有意地要激怒他们一样,故意打个呵欠,然后,朝床上一躺,拿起那本词典,就开始翻起来。冲突就是在那时起来的。

父亲猛地扑过来,想抢走词典。

我顺势一躲,父亲的脑袋撞在了床框上,他疼得像女人那样地哎呀一声。我忍不住地笑起来。

父亲更加被激怒了,他一把抓住了词典,并开始朝他那儿夺着,我也紧紧地抓着它不放。

父亲边抢边说:“是谁让你这么虚荣?”我大声说:“虚荣?我的虚荣全是在你身上学的。”父亲一听我说的话,更加疯狂了,他使出全身的力气把词典抢过去,然后,就胡乱地撕扯起来。

我先是一愣,马上起身冲上去,再次抢回词典,当看到有一摞纸被撕下来时,我心疼得不知道该怎么办。就抱着词典蹲在了地上,就像是在我怀里是一个有生命的东西,它已经受伤。

母亲这时也说,“词典又不是他的,你这样干什么?”

父亲不说话,只是盯着我,并喘着气,像是所有的刽子手那样,工作之后,他们累了。渐渐地他的气息平缓了,看着我伤心的表情,他眼光一闪,那里边似乎也有某种悔意,但是,他仍然梗着脖子走了出去。母亲也跟着他离开了。那时我就懂了,真正的伤害永远是在亲人们之间发生,而且往往是以爱的名义,因为一般的人他们没有办法像父母一样靠近你。

我看着破损的词典,把父亲撕破的那几页仔细地对起来,内心产生了巨大的惶恐,它完全压倒了难过,我甚至于都没有心思去仇恨父亲,只是想着不知道如何面对王亚军的眼睛。

晚上,我久久地躺在床上睡不着。母亲悄悄地溜进来,在黑暗中想拿走那本词典,我突然坐起来,并把词典紧紧抱着。

母亲被吓了一跳,像是碰见了从棺材里起身的鬼魂。她叫起来。我在黑暗中瞪着她,怕词典再次受到伤害。母亲定了定神说:“我想帮你用胶水粘粘。”

我不吭气,只是仇恨地盯着她,直到她无奈而失望地离开了我的房间。我转过身,把词典压在了肚腹下,打算从此以后永远趴着睡觉。

从那天之后,我有意识地躲着英语老师,不想见他,直到一个星期后忍不住地再次进了他的宿舍。

王亚军好像一直在盼着我来,他似乎已经忘了那本书。他总是会在我们说一些别的什么话题之后,有意识地把话题朝阿吉泰的身上引,我看出了这点,于是我像是一个老到的阴谋家一样地再一次从上到下地复述阿吉泰的身体。只是,每一次的讲述都跟上一次不一样,其中很可能加进了创作的成分。如果说一个人善于表达,那他在这方面的锻炼一定是从小就开始了,而我则是从对王亚军一遍遍地描述阿吉泰的身体开始的。

直到又一个星期六,我对他说:“我带你去看阿吉泰。只是你要把词典多借给我一个月。”

他犹豫了很久,说:“不,我做人有原则,我从不拿原则做交易。”

我说:“那我自己去看了。”

当我正要关上他宿舍的门时,他突然冲过来,说:“你这样做,是犯罪。”

我不理他,只管自己朝前走,当我走出学校的大门时,竟然发现王亚军跟在了我的后边。只是他今天走路的姿态有些怪异，丝毫没有了绅士的感觉，甚至于有些一瘸一拐，像什么呢？像阶级敌人。

7

从前在乌鲁木齐天山下的白杨林后边，有一个最美丽的女人，她的皮肤像雪一样白，她的头发像阳光一样灿烂，她的大腿像是玉石雕刻的，她的眼睛里充满了从博格达峰上融化的雪水，她能说一口标准的汉语，还能说一口标准的维语，她总是渴望能再讲一口流利的英语，她的美丽每天都在乌鲁木齐的大街小巷中徘徊，她的名字叫阿吉泰。

从前在乌鲁木齐的湖南坟园旁边的一所学校里，有一个英语老师，他总是穿得很讲究，身上有股当时难以闻到的香水或者雪花膏味，他是一个绅士，可是这个英语老师深深地爱上了阿吉泰。他无望地爱上了这个美丽无比的女人。于是，他的身心都被摧毁了，当他走在学校前的小路上时，苍茫的天山就成了他的背景。他的名字叫王亚军。

从前有一个在乌鲁木齐土生土长的孩子叫刘爱，他觉得自己和那个英语老师是朋友，因为在寂寞中他总是可以在英语老师那儿度过时光，并且获得一种叫 ENGLISH 的智慧的东西。但是，在那个秋天里，孩子竟然带着他的英语老师去偷看女澡堂，当时乌鲁木齐一片晴朗，天空蓝得让这个内心脆弱的孩子想哭，在他的记忆中，只有那次在通往女澡堂的路上，他的内心竟然填满了忧愁。

阿吉泰在吗?

阿吉泰肯定在。因为一个像她那样讲卫生的女人,不会放过星期六洗澡这样重大的事情,她们渴望与水在一起。渴望与热水在一起。要知道,在那样的年代,只要你是女人,简直不可能错过任何一次热水澡,要知道,那是热水澡,是用热水沐浴身体。

然后,让湿润的头发尽情地挥洒在太阳的照耀下,走过榆树林,走过东区平房的小道。

8

王亚军很快地赶上了我,那时已经快到锅炉房了。他像一个无助的孩子一样,拉着我的手,在他的脸上充满着无奈,甚至于还有几分难堪。偶尔当我们眼神碰到一起时,我能意识到他内心的热望,当女人的声音像水一样地从打开的澡堂窗口中溅出来时,他的眼睛变得闪亮了,怎么讲,就像是红卫兵在天安门,就要看见远方很小的毛主席一样,他们压抑多年的激情终于要释放出来了。

王亚军走到了我的前边,他显得那么迫不及待,有一种主动精神,很像他有一次用英语为我表演莎士比亚的《哈姆莱特》中的王子那样,忘了环境,似乎那就是他的舞台,幕布拉开了,灯光越来越亮,而且所有的灯最终都聚集在了他的身上。

他那么冲动,真是让我意外,即使我当时不过是一个十七岁的少年,我也感到了无比的异样。我不得不说,慢点,轻点。我感到有些不对劲。因为,往日在高高的窗下堆放的那几块像阶梯一样的煤块今天不见了。

他像根本没有听到我的话,几乎是冲到了第二个窗下,当意识到那个窗子很高,而下边没有任何东西时,他像是从梦想中走了出来,眼睛里的光渐渐淡去,无奈和难堪的表情又像浮云一样地重新显现在了他的脸上。

“原来这儿有几块煤,被别人拿走了。”

“你没有骗我吧?”

“阿吉泰就在里边,这是第二个窗户。”

“你没有骗我吧?”

我们的眼睛碰到了一起,我发现了他的失望和对我的不信任。就说:

“阿吉泰现在肯定在里边。”

王亚军这时显得一筹莫展,他真是一个书呆子,除了知道伦敦,巴黎,美国,俄罗斯的那些事以外,现在他简直就是一个激情四射的白痴。他开始在原地打转,像是一个冬天里被我们鞭打的在雪地上不停旋转的牛。他的绝望是痛彻心肺的。他肯定不愿意就这样退出舞台。

我说:“不如这样,你蹲下,让我踩着你的肩膀上去,先看看阿吉泰在不在里边。”

他显然兴奋了,我的聪明让英语老师头一次感到了我真是一个智者,他说:“然后,就是我踩着你的肩膀?”

我点头。

他很快地蹲了下去,那时我真的想起了我们语文课本里的两句诗篇:俯首甘为孺子牛。头一句怎么也想不起来了,他的肩膀很有力,我踩在上边时内心很踏实,对了,第一句是不是:横眉冷对千夫指?我知道第二句放在这儿不合适,但那时我真的想起了这句诗,诗歌和阿吉泰一起让我喜出望外。

王亚军老师慢慢地从地上站起来。我有了一种腾云驾雾的感觉,原来人的肩膀有那么高?仿佛蓝天白云都倏地离我近了。一切都变得缓慢起来,有些像是电影中的慢动作,天空,树叶和眼前的屋顶的动作都变得迟钝,幽远。在漫长的时间中,我抓住了窗户的下沿,然后,我的肘臂终于能搭在窗台上了。这是过去所没有的高度。直到那时,我才明白为什么我们汉民族要叫窗"台",因为这个台是平台的台,它可以产生稳定感,当你能支撑在台上时,会感到一览众山小,甚至于高处不胜寒,真是好一个"台"字了得。

蒸汽,全是蒸汽,是瓦特发明了蒸汽机吗?他为什么不把我们这个澡堂里产生出的蒸汽全部收走,并放入他的蒸汽机中?蒸汽对瓦特而言是好东西,造就了他人生的辉煌,奠定了他科学成就的基础。可是,同样的蒸汽,对我和我的英语老师而言却是灾难,我被窗内弥漫的雾色搞得什么也看不见。时间就这样过去了,我渐渐感到眼睛发疼。

"看到了吗?"

我没有说话,仍然努力去发现,突然,澡堂里的灯亮了,烟消云散,我看到了两个女人在共用一个水龙头,是阿吉泰!没错,就是她。她正与另一个女人共用一个龙头,她此刻正在沐浴,而

身边的那个女人正在渴望着热水。我几乎叫出声,压低声音喊:

“老师,看见了,我看见了,老师。”

我能感到王亚军的渴望,但是从小就是独生子的我无比自私,我仍在上边看着,尽管能感到王亚军激动得身体在打颤,可我还是想多看一眼,那是阿吉泰的身体。时间一秒秒地过去,我一直在等待着阿吉泰的正面。又过了几分钟,我在绝望中,不太情愿地从王亚军肩上跳下来。

我蹲在地上,王亚军开始踩着我的肩膀。他是一个高个儿男人,还很健壮,而我却只是一个十七岁的少年。当他的双脚完全踩在了我的肩头时,我就开始浑身打颤,我从没有想过他是如此沉重,像是一座泰山,我挣扎着渐渐起来,想直立起来。他的身体在我的肩上也像初升的太阳一样缓缓升起,突然,我的腿一软,身子就歪了。

王亚军完全没有意识到我的身体会瘫软,他的注意力在将要到达的上边,而不是在下边,他猝不及防地从我身上歪着身子掉了下来,狠狠地摔在了地上。

我感到无比羞愧,看着王亚军浑身是土,从地上爬起来。我说:“你再来。”

他却有些犹豫了,说:“你行吗?我是不是太重了?”

我说:“来,抓紧时间,阿吉泰别走了。”

他像是被蜇了一下,猛地就挺起来。我再次蹲下,他又踩在了我的肩膀上,正当他开始朝上抓时,我却又坚持不住了。我说:“不行了,不行了。”

他跳下来。

我抬头看看他的眼睛,里边充满焦虑。

我说:“咱们再来一次。”

他还在犹豫着。

我又蹲在了地上。

这次他踩在我身上时,我感到了肩膀疼痛,皮肤被他穿着皮鞋的脚蹭得像刀割一样。早知道是这样,应该让他穿布鞋。我开始起来了。他在上边说:“别动。”然后,他猛地跳起来,用双手拼命去够住窗沿。他双脚弹跳产生的反作用力,把我狠狠地蹬倒在了地上。

我躺在了地上,首先是看到了蓝天。那是乌鲁木齐秋季的蓝天,深远,无穷无尽,让我的眼前阵阵发黑,我闭了下眼睛,再睁开,再闭上,就好像那是一场游戏。当我又一次睁开眼睛,看见王亚军双手紧紧地抓住了窗户的下沿,像作引体向上一样地使劲朝上拉着自己的身体,他身上全是土,脸上都是汗。

王亚军的身体渐渐地朝上升着,他的脑袋已经越过了窗户,并且比肩膀高起来,我心中为他喝彩。看来,他是一个有力量的男人。他的脑袋更高了,那几乎已经是能看见里边的好角度了,王亚军的眼睛睁得很大。我说:“看见了吗?”他喘着气没有说话。我又说朝左边看。他把身体朝上再次一拉的同时,蓦地,他把脸转了过来,气喘吁吁地对躺在地上的我说:“我不想看了。我,我是一个……”他似乎没有气力把另一个字说完了,犹豫和用力让他的脸变了形,他几乎是绝望地对我说:“我不能看,对吗?我……”

突然,有人高喊:“抓流氓!抓流氓!”

随着喊声，冲过来七八个值班民兵，他们走到跟前时，王亚军的手还抓着下窗沿，他僵了，愣了，像是一个机器人一样地扒在窗户沿的红砖上。

一个领头的值班民兵用力把他一拉，说："还不下来？"

只听"嗵"的一声，王亚军像是麻袋一样瘫软地掉到了地上，他仰脸躺着，满面汗水，先是睁大眼睛看着天空，渐渐地，他闭上了沉重的眼睛。

9

那天爸爸带着我进了大楼内的一间办公室时，已经到了下午七点，斜阳从窗口射进来，照在王亚军的脸上，苦难似乎没有给他的面容留下痕迹，脸刮得很净，头发很讲究，又黑又亮并梳得很整齐，就连我发现的那仅有的一根白发也显得比平时顺滑。在他身后有两个看着他的人都背着枪，在他对面坐着保卫处的人。在我进门的刹那，王亚军看了我一眼，那目光中闪过一丝微笑，别人难以发现，但是，我知道，他见到我很高兴，他就是在笑。

校长坐在屋子的左边，当我跟着父亲坐在右边时，他看着我，目光里有些意味深长。这让我心中产生了一种麻辣的感觉。我看看父亲，又看看他，试图比较一下这两个男人。校长仪表堂堂，衣服穿得很体面，而父亲显得有些卑琐，他的身体总爱缩着，不再穿军装的他也失去了起码的威严。这让我深深地怜惜父亲，我在那一刻十分后悔没有帮他看好军装，如果今天他是穿着那身军装来，即使没有领章帽徽，那他的自我感觉也会好许多，就不至于在校长跟前显得像个坏分子,地地道道的阶级敌人。

校长忽然起身,看看王亚军,上前给了他一巴掌,他说:“你怎么能带着孩子干这种事,你身为老师。”

王亚军没有争辩,也没有看我,他像是罪犯一样的低下了头。

范主任就是那时走进来的,他对大家问好。

我们全都站了起来。

范主任扫了王亚军一眼,然后看看校长,又问保卫处的人说:“他都交待了吗?”

保卫处的人点头。

校长说:“是英语老师的事情,与孩子没有关系。”

父亲看着校长,眼睛里充满感激。

范主任说:“恶性事件,十分恶劣,影响极坏。一定要严肃处理。”然后,他看看王亚军,说:“你还有什么说的吗?”

王亚军说:“我,我作为一个老师,拉着学生做这种事,是犯罪行为,我接受法律的制裁。”

范主任说:“法律?制裁?你以为你是谁?什么时候了?你还配用这么大的词?”

我望着王亚军,内心无比惭愧,什么叫“我作为一个老师,拉着学生做这种事”?不对,王亚军是让我拉去的,我一次次地朝着澡堂跑,那是我们许多男孩子的恶习,我为了他那本英语词典,我为了讨好他,告诉了他这个秘密,明明是我拉他去的。那是我跟他作的一项交易:我想带着他去看阿吉泰,而换取对于那本词典的占有时间。为什么现在责任全在他的身上?

我的额头开始出汗，内心的压抑让我想哭，想说出这一切，是我造成的恶性事件，是我的品行恶劣，应该严肃处理我。我开始看王亚军，他不看我，脸上显得很平静。我又看看爸爸，他正极其严厉地盯着我。我的余光里，校长也显得紧张地扫了我一眼，他可能也意识到了我的不正常。

我猛地站起来，大声说："他什么也没有看见，没有看见！！是我——"

我的话还没说出来，爸爸猛地冲过来，朝着我的身上狠狠踢了一脚。我当场就被踢倒在地。父亲喊叫着说："跟着这样的老师，做这种丢人的事，你平时不注意思想改造，自由散漫，学习资产阶级那一套，我打死你。"说着，他开始掐我的脖子。

我当时被父亲吓懵了，一时不知道该说什么。我看着父亲的眼睛，里边很红，全是血丝，他那时也看着我。我盯着他的眼睛，内心渐渐变得迷惘起来，我发现在父亲的眼底深处，竟渗出了泪水，他的泪水让我在怀疑、恐惧、不安之中变得沉默了。

校长过来拉开父亲，说："老刘，你不能这样，孩子没有错，他们是一张白纸，可以画最美丽的图画，主要在我们大人，在我们老师。问题出在他的身上，根子却在你这儿。快把孩子带回家吧，以后要好好教育，我也会在学校专门安排对他的帮教。"

爸爸忙说："谢谢你，校长。谢谢范主任。"

校长把目光转向范主任说："让他们父子先走？"

范主任当时正在打呵欠，他一边打着呵欠，一边点头。

父亲走在前边，他拉着我的手，当我跟着他要走出这道门的刹那，我看了一眼王亚军，我是那么希望他能看看我，可是，他没有把头转过来。我站住了，盯着他，感到自己是那么的想抱着他哭一场，可是，父亲狠狠地拉了我一下，并回过头，把门谨慎而有力地关上了。

过道里一片黑暗，没有阳光，我昏昏沉沉地走着。

那几天是怎么过来的，我都不知道。只是记得像是得了一场大病，整日处于混沌之中。没有当着众人说出实话，这让我良心不安，即使是一个孩子，他也是会在内心里一次次地矛盾，甚至于忏悔的。我像是一个得了肺结核的人，半夜里常常被惊醒，全身上下出盗汗，内心不安，让我痛苦不已。

10

在一个星期之后，东风电影院里召开对于王亚军的宣判大会。

当王亚军被绑着，押上舞台时，全场高呼口号，我们学校的男女学生像是从来没有见过他那样的，从座位上站起来，边喊着：打倒流氓分子王亚军，边充满好奇地看他。场面热烈，试想一下如果今天姚明站在舞台上，那整个会场将会是如何喧闹。

对于王亚军的批判和揭发是漫长的。

终于，该轮到我揭发他了。校长亲自带着我上台，并拿出事先写好的稿子让我念。那是很厚的一摞白纸，里边全是王亚军如何教我资产阶级生活方式的过程。

校长拍拍我，就下去了。舞台上似乎就只有我和王亚军两个人。所有的一切都消失了，蓦地，一切都安静下来，像是在一个安静的宫殿里。我站在舞台上,看着台下黑压压的人群,心想自己曾多少次渴望站在这个舞台上,成为中心人物,大家都看着我,听我说话。今天终于来了,却是因为这样的原因。

王亚军看看我。

我也看看他。

他的表情平静,就像是我们正在台上演戏。是莎士比亚的《哈姆莱特》,我是王子,他是老国王。

渐渐地,他的脸上出现了微笑,他示意我开始念,那时,所有的光线似乎都打在了他的身上,王亚军像是太阳一样地立在了台中央,好像他的身上能发出光芒。

我感到阵阵头晕,仿佛八家户田野上的天空突然出现在了我的头顶,雪山那边金灿灿的光亮不停地在我面前闪烁,李垃圾和黄旭升骑着马掠过我们的身旁,一声枪响把我从黑夜里强行地拉到了白天。

忽然,我把那一摞白纸朝舞台上的天空一扔,只见那白纸像雪片一样地四散开来。

所有的人,包括王亚军都惊呆了,他们没有想到这个十七岁的孩子竟会如此冒失,有这样超常的举动。场内先是一片安静,接着就像是产生了爆炸,轰的一声就喧腾一片。

我在众人的叫喊之中,朝后台跑去,然后,又从那个小门冲出去,一直朝湖南坟园狂奔。

天很黑了,我又饿了,而且很饿很饿,我真是瞧不起自己,王亚军都那样了,我竟然还饿。人类真是一种不好的动物。我坐在那棵老榆树上,看着天上的星星,盼望着听到父母叫我的声音,是他们求我回家,而不是自己愿意回的。

父母始终没有出来找我,他们比我沉得住气,他们吃饱了,于是他们就很有耐心地以这种方式惩罚自己的独生子,那时家里只有一个孩子的很少,都是一大群,像生了一窝猪一样,只有我们家是例外,没有兄弟姐妹的我从来就很孤独。

我坚持着,渴望着听到他们呼唤我的声音,结果是我无比失望。所以,永远不要相信父母对于孩子的爱是无限的,除非你没有像我一样在"文化大革命"中度过童年。真理是什么?是父母让孩子在孤独中忍受饥饿,因为他不懂政治而给父母带来了麻烦。

11

当我回到家时,我以为爸爸妈妈会打我。

他们谁也没有要打我的意思,甚至于都没有多问。

他们拿出了从食堂打回来的红烧肉和大米饭,说是专门给我留的。

我坐下来吃饭,他们两个人竟都坐在我的身边,看着我吃。我知道这是他们对我表达爱的一种方式,我是他们的儿子,我正在发育,就要长大成人了,我的力量甚至于超过了父亲。我让他们觉得永远有未来,永远有希望。

爸爸看我吃了一会儿,就开始抽烟,他点着一支烟后,抽了一口,稍稍显得轻松了一些,小声说:"你还要在学校作检讨,要认真作,从灵魂深处反省自己。王亚军这个人,"父亲说着摇摇头,“今天最后宣判,他被判了十年。”

我立即就感到不饿了,看着饭吃不下去。我沉默地坐着。好一会儿才抬头看着爸爸说:

“我觉得我,挺,挺不要脸的。”

爸爸没有说话。

妈妈也没有说。

我想了想,又开始看着父亲,一直看着他,想等待着他也抬起头看我。可是,父亲始终也没有抬起头来,他只是皱着眉头,脸上有某种深刻的表情,他像是罗丹的思想者那样地,在进行严肃的思考,他真的像是一个思想家。

突然,我说:

“我觉得你也挺不要脸的。”

父亲猛地就冲动起来,他起身,抬手就给了我一巴掌。

我也在瞬间就激动起来,抬起脚,就朝爸爸肚子上狠狠踢过去,竟把可怜的父亲当场踢倒了。在母亲的哭叫声中,我愣着站在那儿。

父亲顽强地站起来,不让母亲扶他。母亲看着他的脸色,很怕他会被踢坏。父亲显得比任何时候都亢奋,他扑到我的面前,吼叫着:“反了,反了。不过了,不过了。”

在父亲说这话的时候,我有种异样的感觉。因为此刻他的用词,以及腔调显得十分古典,如同旧式的财主,一点都不像是受过新式教育的知识分子。以后多少年我都在想:高兴的时候就“莫斯科郊外的晚上”或者“格拉祖诺夫”,气急败坏的时候就“反了,不过了”,这是区分东方知识分子和西方知识分子的试金石。

我丝毫没有忏悔的意思,冷眼看着父亲在那儿跳来跳去,随时准备反击。直到他拉我走到门口,开开门,把我朝外轻轻一推,我就站在了门外。然后,他沉重地关上了门。

在夜色中我感到了从没有过的寒冷。

12

我哪儿也没有去,就坐在单元门口的水泥台阶上。

很晚了,妈妈出来见我坐在这儿,就拉我回去。她说:"回家睡觉,回家吧。"

我摇头,像是一个成年人那样地摇头。

母亲哭了,她说:"儿子,你知道妈妈活在今天有多难?"

我看了她一下,借着楼道里传来的光,发现母亲很憔悴,就像是一个得了肝炎的人。

母亲说:"爸爸是为了你,他就你一个儿子,他的内心再也受不起伤了。"

我说:"是我拉英语老师去的,真的,他并不想去,是我拉他去的。"

妈妈突然冲过来,抱着我,用自己的身体挡住我的嘴。

我仍坚持着说:"他本来能看到,他直到最后也没有看。他……"

母亲怕我的话让邻居听到了,她使出全部力气把我朝家拉,可是她拉不动我。我被她的衣服和身体蹭得身上有些痒,突然就笑起来。母亲却没有任何想笑的意思,她以乞求的目光看着我,眼底有泪光。

我屈服于母亲的渴望,跟着她进了家。我不知道怎么面对父亲。

父亲在那边屋子里没有出来。

我脱了衣服就躺在床上。

当一切都很安静的时候,我听见父亲在另一间屋子开始哭泣,像狼嚎一样地哭泣。

第十七章

1

氢弹又一次爆炸那天,乌鲁木齐一片惨白的天空。

那天早上,我一出门就觉得不对劲。其实我们当时谁也不知道那是因为氢弹爆炸造成的景象:树上罩着白光,房屋显得比平常都亮,远处的天山与一片茫茫白雾融在了一起,博格达峰没有了往日的个性,没有了反光,只是一个灰色的轮廓。我抬头望着太阳,感到十分不对劲,就像是苍白的脸,我环顾四周,所有的一切都如同底版曝光太过了,迷迷蒙蒙,却又无比耀眼。

我独自走在湖南坟园里，感到没有了王亚军的生活突然之间就没有了任何意义。

sky！sky！

白色的天空令人窒息，强光让我睁不开眼。我迫切地想找一个能挡住光亮的地方，犹豫了一会儿之后，我突然想起来防空洞。这个时候，进防空洞是最好的地方。那是母亲设计的，她的柔情可以和黑暗一起共同保护我的眼睛。

我开始疯狂地跑着，就像是渴望躲避暴风雨一样，冲到了防空洞门口，没有作丝毫停顿，就像光一样地涌了进去。

2

我一步步地沿着阶梯朝下跑着，感到自己仿佛掉进了深深的海水，不光是眼睛看不见，甚至于呼吸都很艰难，我曾经多少次下过这个防空洞，知道这种感觉，只是今天它无比强烈。任何民族渴望强大都是要付出代价的，每个人都必须承受，包括它的孩子。

我终于来到了那个宽大的厅里，如同今天酒店的大堂，在当时的情况下，母亲把它设计得很豪华，地面和四壁都用天山深处的板岩贴起来，那个时候中国人一般还不懂得装修，而我们的防空洞就是被装修过了。和你们北京的十大建筑一样，和北京饭店一样，我妈妈设计的防空洞是乌鲁木齐的经典。

我感到了有灯，而且还听到有刷刷的扫地声。

我站住了,当眼睛完全适应了这儿的光线之后,吃惊地发现:那个扫地的人竟是阿吉泰。我的脸红了,幸亏这儿很暗,我知道阿吉泰不会发现。

她似乎没有太看我,仍然低着头,独自扫着地。

我转身想沿着台阶再回去。

她叫住了我,说:"你来这儿干什么?"

我想了想,说:"玩。"

她笑了,说:"这儿有什么好玩的?跟坟墓一样。"

我说:"那你为什么会来这儿?"

她先说:"扫地。"想了想,她又说:"有的事,你们小孩还不懂。"

我说:"我有什么不懂?我什么都懂。"

她又笑,说:"你懂什么?"

我说:"你把范主任从房子里赶出来,他就整你,对吗?他惩罚你,对吗?"

没有看我,她开始更执着地扫着地。

我开始在这个大厅里转起来,四周的一切都让我新鲜,它真是一个豪华的场合,我开始为母亲骄傲,她的确是一个认真的人,而且有事业心,组织上交待的事全是大事,没有小事,要不为什么在我们乌鲁木齐的土地上,能有像这样的代表性建筑?

3

阿吉泰已经扫完了地,她拿起一条毛巾开始擦汗。

我坐在一个石阶上,有些尴尬。就低头,不看她。

她却缓缓地走到了我的跟前,轻声问我:

“是王亚军老师拉着你来澡堂的吗?”

“不,”我犹豫着,半天才说:“不是,是我拉着他去的。我对不起王老师,我有罪。”

“你一个小孩子有什么罪?你只是害怕了。”

“我有罪。”

这三个字我从小就听别人说,先是从爸爸嘴里说,然后是从许多大人嘴里说。我们小孩子是做游戏的时候说,可是我从来没有想到今天这三个字是那么真心地从我嘴里说出来。

我说完,就开始哭起来。整个防空洞里回荡着这个少年的哭声,混合着地下冰凉的气息,阴森森的,让人恐怖。我被自己的哭声吓着了,浑身开始起鸡皮疙瘩,渐渐地头发也立了起来。在那一刻我几乎忘了阿吉泰的存在,只是又想哭,又惊悚。

阿吉泰走到我的跟前,递给我一条毛巾,就是她刚才自己用的那条。

我抬起头,想看她,泪水迷住了我的双眼,我只是看到了模糊的人影。我接过毛巾,内心里被更大的委屈和负罪感淹没,我为王亚军无比的伤心,我觉得对不起他,我甚至意识到我对他的心疼超过了对于自己的父亲。我张开了嘴,哭嚎的渴望再次冲荡着我,让我周身开始发抖,我大喊:“我——有——罪……”

蓦地,整个世界发生了变化,大地开始颤抖,跳跃,让我的哭声戛然而止。

阿吉泰和我在一刹那都意识到地震了。

一切都变得狂躁了起来。阿吉泰被吓坏了,她像受了突然打击的人一样,僵在原地,动弹不了。我冲上去,抓住她的手,拉着她就朝外跑。她被动地跟着我,显得有些沉重。我使劲把她朝台阶上拉,她也开始随着我朝上跑。台阶很长,我们摇晃着往上,突然,听见防空洞的门口发出了巨响,大门处猛地塌了。石头和着沙土朝下涌进来。我本能地转身推着阿吉泰朝下躲,灯也在刹那间就灭了。周围变得一片黑暗。我们连滚带跳地又重新冲到了大厅。这时,大门的方向传来了更猛烈的轰响,有更多的石块朝大厅涌来。我们朝一个角落躲着。这时,新的一轮强震又开始了,阿吉泰紧张地狠狠抓紧我的手,由于她过于用力,让我感到微微有些疼痛。因为在学军时我知道了在这种时候应该尽可能去单位面积小的地方,我们退到了大厅北面的一条长通道里。我感到了阿吉泰的身上有些抖,就说:"不会有事的,你放心。"

大门那边又是一阵轰响,大厅有一半又塌了。阿吉泰尖叫起来。

我却庆幸我们能躲进这条小道里。我感到她的手还是那么紧张地捏着我,尽管有些疼,可是我的内心里却充满了一种骄傲感。地上有几块草席,我们把它拉过来,坐在上边。

似乎又经过了新的余震,一切都平静下来。这时,我才意识到死亡将至:出口整个都垮了,我们出不去了。我渐渐感到恐怖,内心开始沉重。

阿吉泰反而变得平静了,她从刚才那种女人的慌乱里清醒了,她的手放开了我的胳膊。

我们的眼睛都渐渐地适应了黑暗,能够看见对方。我发现阿吉泰的眼睛很亮,里面充满了柔和的光。它驱走了我的恐惧,让我内心也变得平静。

她站起身,从墙上的一个灯坑里拿出了几支蜡烛,然后从身上拿出火柴点着其中一支,地道里一下变得辉煌而灿烂了。

我们互相看了看对方,突然,她轻轻笑了,学着我的声调说:"不会有事的,你放心。"

我有些不好意思,脸上发热,很后悔自己刚才本能地说出了那样的话。现在让阿吉泰嘲笑我。

她说:"真是勇敢的男人。"

我的脸更加发烧,我想即使在黑暗中,她也能意识到我的脸变得有多么红。

她好像还在说着什么。

我似乎听不到她在说话,只是望着她的眼睛还有她的脸,我感到能够这么近地看她,真是幸福。

她不再说话,而是看着我。

我不得不把头低下去。

沉默和黑暗又一次向我们袭来,绝望像烟尘一样渐渐地在我内心弥漫开来,我突然觉得委屈,"死了"这两个字像是低声部的哼鸣一样不停地重复着,又像是产生了耳鸣,那奇怪的声音还是"死了","死了"。

我摇摇头,想驱逐这种感觉,但是它们很顽强,似乎声音更大了,就好像乐队指挥加重了手势,所有的一切都开始变得更加强烈。这时候就有些恨母亲,为什么她要设计这样的防空洞?

我们互相看了看对方，突然她轻轻地笑了，我有点不好意思，脸上发热。很后悔自己刚才本能地说出了那样的话。

也有些恨父亲,他为什么要帮助他们去搞氢弹大楼,是他们让新疆一次次地产生地震,他们难道不能提前想到吗?她的儿子和阿吉泰将在这里被埋葬。

他还那么小,就要死了。

她那么美丽,也要死了。

阿吉泰也在沉默,我抬起头看她,她没有看我,似乎在想着什么。

我突然忍不住地把手伸过去抓着她的手。

她的手很凉,简直可以说是冰凉,我说你怎么了?

她没有说话。

我渴望着一直抓着她的手,直到我死去为止,但又把手抽回来,我怕她不高兴。

她却伸过手来再次抓着我。

我说:“你是害怕吗?手这么凉?”

她摇摇头,说:“没有太害怕,多少次想过死,没有想到会这样死。”

她的话使我更加委屈,我冲动着把她的手抓得更紧了,然后,又抱在我的怀里。

就那样使劲地抱了一会儿之后,我抬起头来看她,发现她也正在看我,那眼睛里边似乎有一种居高临下的感觉,但在那后边,也有很深的悲悯。

我更紧地把她的手朝怀里压,恐惧着她会消失,我一次次地对自己说,这是阿吉泰的手。

那是我多少年的渴望,有一天要把她的手抱在我的怀里。

死亡渐渐地变得远了,我开始被幸福笼罩,时间就这样地流着,我生命的最后一刻竟有着这样的奇迹,我被感动得喘不过气来。

不知道过了多久,终于,阿吉泰开始抽回她的手。

我紧紧拉着不让。

她笑了,说:“你这样我太累了。”

我说:“我不累。”

她说:“是我累了。”

我还拉着不放。

又等了一会儿,阿吉泰坚持着把手抽了回来。

我内心涌动着从没有体验过的激情,说:

“我就想那样,我不想跟你分开。”

阿吉泰平静地说:“唉,你还真是个小孩子。”

我像被扎了一下,突然大声说:“我不是小孩儿。”

阿吉泰想笑,但是,她忍住了,说:“我也很怕死。没有办法。人都有命运。”

不知道为什么自己在那一刻是那么让人讨厌,我竟然又忍不住地把她的手抓上了。

这次她没有抽回去,只是默默地看着我。

我说:“我就想这样拉着你,一直到死。”

她轻轻摸了一下我的头发,叹了口气。

时间又在走着,我却一点也不觉得疲倦,她的手可以给我以无限的力量。我知道,男孩儿就是在这种力量中渐渐长大的。

过了一会儿,她轻声说:“你为什么老是去澡堂偷看我?”

我更加抬不起头。

她说:“能看清楚吗?”

我点头。

她说:“你每次看我,我都知道。”

我猛地松开了她的手,即使是在黑暗中她也应该能看到我的脸红了。

她说:“你怎么了?”

我无言以对。

4

我们被埋在地下已经有十几个小时了,蜡烛都快烧完了,剩下最后一根时,似乎空气也渐渐地变得有些稀薄。

她望着闪动着的烛光,说:“你多大了?”

我说:“十七。”

她说:“你从来没有碰过女人?”

我说:“没有。”

她叹了口气,抓起我的手,放在她的胸口,说:“能听见心跳吗?”

我点头,说:“你心跳得比别人快。”

她说:“你再摸你自己,更快。”

我感到她说得真对,我的心脏似乎都要跳出来了。

她说:“你想这么近地看我吗?”

我犹豫着,说:“想。”

她开始脱衣服。

我吃惊,然后紧张得不知道该不该一直看着她。

外衣被她放在了草席上,当她把毛衣脱掉时,也平平地铺在了草席上。她在做这一切时,并没有看我。只是自己认真地在做,就像是某种仪式。这使我有了勇气一直看着她。

当她就要脱衬衣的时候,看了我一下,眼神平静,没有一丝羞涩或者热情,只是很平淡地看了我一下。我的心再次开始狂跳。当她的身体裸露之后,我仅仅是看了一下,就感到头晕目眩。她伸手把我搂在她的身边,然后,和我慢慢地一起躺在了她脱去的衣服上。

我胆怯地在她的皮肤上轻轻摸着,感到无比细腻,我从来没有接触过如此柔情的东西,她让我的身体一次次的陷入激情,突然,我浑身开始发抖,感到眼前一片火光,我完全控制不住自己身体的抖动,意识到自己的大腿间像浪潮一样地涌动着,很快地就被海波浸润得潮湿了。火焰渐渐地从我眼前退去,我感到自己的身体里出现了从来也没有过的疲倦,就闭上了眼睛。

她微笑着,把我搂得更紧了。

5

过了好一阵,我睁开眼,看着最后一根蜡烛微弱的火苗,对她说:“军训课上说过,火会把空气里的氧烧光,那样,咱们就会被窒息了。”

她睁开眼,看着我的脸,说:“你真的想把蜡烛吹灭吗?”

我想了想,说:“我想让蜡烛一直亮着,我想永远看着你。”

说完,我就紧紧地搂着她,充分享受着她的皮肤和她的呼吸,她说:“你可以用嘴唇亲我的脸。”

我开始亲她,不光是脸,我发现当你对一个女人表达柔情时,不用事先上任何课,天生就会,十七岁就会,从小就会。

她闭着眼,任我用自己的脸抚摸着她的身体,嘴里却在说:“刚才,我吓坏了,你要是不拉我,自己早就跑出去了。你为什么不自己跑?真是一个仁慈的男孩。”

“仁慈”这个词刺激了我一下,我紧紧地伏在了她的身上。

我说:“你跟王亚军老师如果能这样,他就不会被判刑了。”

她说:“我不愿意跟他这样。”

我说:“在他房间里,有很多你的照片,都是他为你照的,你为什么不去拿?”

她笑了,说:“男人不能强求女人去拿任何东西。他不能强求女人给他任何东西。”

我说:“你真的不怕范主任?他打过我爸爸,我爸爸还要对他笑。我爸爸很怕他。”

她说:“我可以去死,但是,我不怕他。”

我说:“我们今天会死吗?”

她看看我的脸,伸手帮我擦擦汗,说:“可能会的。”

我说:“你怕吗?”

她说:“怕,有点怕。你呢?”

我说:“我不怕。能像今天这样死,我做梦都没有想到。”

阿吉泰看着我,就像是正在重新发现和认识我一样,没有说话。

我想了想，又说："原来我以为死是坏事呢，其实是好事。"

听我说完这句话，眼泪渐渐地从她的眼中流了出来。我想为她擦，她伸出手，拒绝我为她擦泪。我眼看着泪水不断地在她的脸上流淌，心中有无限的感激。

最后，她说："你这样的年龄，还不应该为女人擦眼泪，只要看着她哭就行了。"

蜡烛渐渐要灭了，也许是心理作用，我们都意识到空气少了，开始有了闷的感觉。我们彼此都把对方抱得很紧。阿吉泰说："本来想下个星期就走，去南疆，到喀什噶尔去，我爸爸就埋在那儿。没有想到就死在这个防空洞里。"

我说："会有人来救我们吗？"

她说："不会的。他们把我罚到这儿来，就是希望我死掉，怎么会来人救呢。"

我们不再说话，任时间一点点消失。

我知道，人生中最重要的事情已经全部办完了，以后惟一要做的事，就是等待死亡的到来。阿吉泰似乎睡着了，她的脸显得苍白而冰冷。

我们平静地躺着，一切都已经成为定局，我们真的可以很平静了。

我沉沉地睡着了，在梦里，黄旭升出现了，她说："你没有看我的身体，去看阿吉泰的，其实有几次在我们家我都想让你看。"然后，黄旭升转了个圈，穿上了国民党的军服，又说："你不是对我说过吗？靠近湖南坟园那边有个小出口，就在我爸爸的墓碑旁，是你爸专门让你妈设计的。那天，你爸你妈为这事还吵了架。”

我猛地从睡梦里醒来,对阿吉泰说:“我梦见黄旭升了,她一直在对我笑。”

阿吉泰只是轻轻抚摸着我的脸,没有说话。

我说:“她提醒我,说这条通道最头上,可以一直通向湖南坟园,在她爸爸的墓旁有个小出口。”

6

阿吉泰与我一直走到了通道的最前端,余下的路很低矮,只有一个洞,显然,工程还没有最后作完,欢呼和庆祝防空洞落成的大会就早已开过了。阿吉泰说:“这儿过不去了。那边没有路。”

我说:“得爬过去,直到爬不动。”

她说:“你是不是还在做梦?”

我对阿吉泰说:“你等着。”

她说:“不,要是非要钻洞,也让我钻。”

我说:“不行,你是女的。”

她笑了,默认了。

我弯下腰,朝前爬着,洞里扔着十字镐,抬把,还有不知道谁的烂棉袄,我拨开这些东西继续向前,有五六分钟,还没有到头,里边压抑得让我发晕,正有些绝望的时候,我的手却碰上了一个很冰的东西,是铁管,真的发现了一个铁门,我大喊:

“阿吉泰,爬过来,快爬过来,这儿有空气,有门。”

我几乎没有费劲就拉开了铁门,一道凉爽的空气扑面而来,我愉快地想,死亡其实离我们还很远,我们把自己吓了一跳。同时,心里感谢父亲,是他教育并要求母亲设计了这个小出口,当时他知道这就是专门用来救他儿子的吗?

我们钻出来时,已经是深夜了。湖南坟园里一片寂静。没有任何人想起或者知道有两个人遇险。我们真是微不足道的人。十七岁的我当时就这么想。

清新的气息竟然让我的头脑里出现了一堆乱码,我贪婪地呼吸着,隐约地听阿吉泰说:"明天我就回南疆,去喀什噶尔。"

我们走出了湖南坟园,眼前的景象让我们愣了:许多居住的房屋都塌了。我跟着阿吉泰看她的宿舍,那是在东区的一排平房,它们也塌了。地震让阿吉泰成了一个无家可归的人。我对她说:"走,上我们家去吧。"

阿吉泰笑了,说:"你回家吧,我回喀什。"

我犹豫着。

她说:"别忘了我。"

我仍然在犹豫,我知道自己是没有权利把她带回家的,那不是我的地方,那是爸爸妈妈的地方,让我跟她一起走,去哪儿呢?

阿吉泰就是在那个时候走的,她艰难地行走在地震之后的狂风里,她就如同闪现在黑夜中的一片被风吹起来的报纸,没有回头地在空气中飘扬着,她的头发很快地和夜色融在了一起。她走得很快,就是朝着达坂城的方向,那儿自古以来就是风口,阿吉泰离开乌鲁木齐可能是需要借助风力的,她过了盐湖、达坂城、吐鲁番很快就要进入干沟,那儿都是像血一样的山,不知道曾经打过多少仗，然后，她会经过冰达坂在两天以后进入库尔勒……南疆真是很远很远，去喀什噶尔有走不完的路，也许她能到，也许她永远也到不了。

风声更大了，不是我的幻觉，阿吉泰真的走了，她是在房屋片片倒塌的真实而动听的声音中走的，这种声音让我几乎忘了跟阿吉泰是怎么告别的，忘了那天重见天日的一切，只记得有一种东西推着我，让我在茫茫黑夜中漫游。

7

几天后是男人洗澡的日子，一片弥漫的蒸汽，男人的身影在移动，水声悠扬，每一个男人的生殖器都在摇晃，如同风把树枝吹得忽忽悠悠。我心里想着阿吉泰的一切，任热水洒在身上，热水就像是阿吉泰的体温，让我一次次地在内心感动：阿吉泰，你现在在哪里？忽然，像是从天国里传来了音乐，那么庄严，神圣，是哀乐。它像管风琴的声音一样在空气里盘旋，与树声，星星声，空气声，土地声混合在一起，让天空和房屋颠倒，错乱着摇晃起来。哀乐作为一种背景音乐始终在回响着，就像是海水是鱼的背景，天山是乌鲁木齐的背景，石头是河水的背景。哀乐就像是耳鸣一样地持续着。

突然，校长光着屁股在澡堂里乱窜，他流连于每个男人的小淋浴间，大声说着："毛主席死了。毛主席真的死了。"校长的生殖器乱晃，声音有些无奈，还有几分亢奋：

"毛—主—席—死—了—"

8

我身上产生了沐浴后的快感,它们像秋天一样地滋润着我的双脚,让我每走一步都有着长高的感觉。我不是女人,也没有湿湿的头发。但是,我有比女人更明快的心境,和更欢快的笑声。因为,我从前几天就知道了乌鲁木齐今天要枪毙人了。

我等待今天的到来已经有些不耐烦了,毛主席死了,为了不让那些躲在暗处的人蠢蠢欲动,必须来点儿狠的,我从小就是从严打中过来的,每一次大的行动,都让我兴奋不已。

在我十七岁之前的乌鲁木齐,枪毙人的日子是狂欢的日子。除了八个样板戏以外,我们无法看见刺激人的场面。以后,我知道了北京当时已经有内部电影可看了,他们有各种办法能进去,有的个儿高的,长得白净些的竟然能搞来西装,用手绢当领带冒充国际友人。北京的孩子真好,他们真幸福。

但是,再好的电影能比枪毙人给我们更多的欢乐心情吗?梅耶霍尔德说他喜欢看吵架,我们这些孩子却喜欢看杀人。人的残酷思想是从哪里来的?是从天上掉下来的?还是我们头脑中固有的?一个人一辈子看一次枪毙人并不难,难的是一辈子只看杀人不看别的。

那天的乌鲁木齐大街上,白蜡树的叶子已经金黄,老榆树的枝节已经有些瑟缩,人群兴高采烈地在张望着,从西边开过来的车流要往东山去。

枪毙人是为了社会安定,这给了我们这样的少年以极大的快慰。我从八岁独立于社会之后就开始在这条街上等待着死囚。他们站在一辆辆大卡车上，剃着光头，面色红润，像是昨天晚上喝了过多的羊肉汤。而每次还有人陪着这些必死的人，他们的刑期有长有短，他们跟着走上刑车是为了受教育的。

我混在了人群之中，一边吐着瓜子皮一边朝远方看，像当时的公共汽车和火车一样，囚车今天也晚点了。我是在朝西把眼睛看酸的时候，才朝东边看了一下，于是想起了在小学时写的一篇作文的开头：天山今天无比巍峨，它像玉皇大帝一样地耸立在东方。

就在那时，人群中欢呼起来，刑车终于像西边的太阳一样地出来了。

9

黄旭升与王亚军竟然共同站在囚车上。

我之所以说"黄旭升和王亚军共同站在囚车上"而不说"王亚军和黄旭升共同站在囚车上"的主要原因，是我隔着很远的距离，第一眼首先看到的是黄旭升，不是王亚军。

让我很久都想不通的是，他们两个人为什么会站在同一辆车上？他们两个人本身被关在不同的地方。黄旭升在少管所，而王亚军则是在七道湾的第二监狱，可是今天他们站在了一起。

黄旭升的脸在远处显得很小很小，即使是这样，我也知道是她。她的头发被风吹起来，显得她看上去很单薄。她身边是个高个子的维吾尔族人，与这个男人相比，她显得比一般时候要矮，在那个维族人旁边，就是王亚军了。显然，他们是行刑之前，陪着死囚游街的。

那时，几乎每次都是这样，只要是枪毙人，就会有人陪着。

车渐渐近了，他们两人的脸变得越来越清晰。

王亚军脸上像死灰一样，他被剃了光头，但是他的脸仍然刮得很干净，只是整个人的身上像是蒙了一层灰。

黄旭升却昂着头，脸上充满红光，她突然看见了我，那时她的头抬得更高了。

人群开始激动，大家在喊着，因为车上有了一个像黄旭升这样文雅的小女孩，所以这儿的节日气氛更浓了。每个人都在指指点点，声音高低错落，把乌鲁木齐的欢乐推向了高潮。

开始大家似乎都没有注意，连我也没有注意，仿佛那歌声是从云里飘浮出来的，它缓缓地朝下走，像轻烟一样地来到了我们面前：

“起来，饥寒交迫的奴隶。”

英文歌曲！是黄旭升，黄旭升在用英语唱。十七岁的黄旭升勇敢而激情，就像那个时代的英雄，她不怕前方有着黑暗泥泞的路，在用另一种语言放声高唱。她的确像是一个勺子，我们乌鲁木齐话说勺子就是傻子。是 foolish，stupid，sillybird。

囚车成了舞台，她唱得更加嘹亮，像是吹响的号角。在歌声中，她的英语纯正，并带着无限的高傲。

周围的人开始大笑，狂笑，好像这是一件非常好玩的事。在我的童年里，枪毙人当然是最好玩的事，看着子弹穿过别人的肉体，看着红色的血从里边流出来，没有事情比这更好玩了。

只是，今天不那么好玩。

我没有想到他们两个人竟然都在车上。

王亚军在听到黄旭升的歌声时，脸上渐渐生动起来，灰色的尘土好像一下就从脸上散去，接着就有微风吹在了他的脸上。他侧脸看着跟他挨的不太远的黄旭升。他看得十分专注，就好像从来没有见过这个女孩子，她也从来没有作过自己的学生，并为自己当过英语课代表。王亚军的眼睛瞪得比平时要大，他几乎注意不到人群的热闹，只是看着黄旭升。

黄旭升不看王亚军，她好像不知道这是自己的老师，更不知道这首歌是王亚军教给自己的，她尽可能地提高了声音，就好像那是歌剧里边最著名的唱段，她要把它唱得富有美感，而且要让全世界的人都听到。

那时阳光正从云里浮出，我与王亚军的目光碰到了一起。

我看见眼泪正从他的眼睛里慢慢地渗出，然后开始在脸上流淌。

刑车加快了速度，朝着东山公墓的方向驶去，人群呼叫着跟着车跑。向着东方，那是太阳升起的地方，也是乌鲁木齐枪毙人的地方。

看见王亚军哭的时候，天山比平时更灿烂，我在王亚军因为过于激动而不断耸动的双肩上头一回知道了什么才是真正的忧伤。

他的眼泪在不停地流着，就好像那是一条河，是我们乌鲁木齐河，雪水每年初夏都在阳光下融化，然后冲荡着草原、森林、沙漠、戈壁，最后到了乌鲁木齐的谷地里，形成大片湿润的洼地。

我们这些乌鲁木齐出生的孩子就是喝着王亚军的眼泪长大了的，就是的，我从来没有喝过黄河与长江的水，我是异类，我是喝着王亚军的泪水长大的乌鲁木齐人。

第十八章

1

一九七八年秋天是我最背运的日子。

我没有考上大学,那是我一生的耻辱。

许多人都考上了,尤其是我们那个班,几乎有一半的人都进了大学。只有我,仍在大学外边冒充着绅士,而且,还是英国绅士。大院里的孩子和家长都在嘲笑我:像知识分子那样留着卷曲的分头,戴着眼镜(还是平光的),穿得笔挺,身上还有香水味,每天走在路上还夹本书,别人不学习的时候就他学,可是连个大学都没有考上。看来,这孩子的思想太复杂了。脑子里都被资产阶级腐朽糜烂的生活方式占满了,哪里还装得下真正的知识?

父母对我失望极了。他们出自于清华,是新疆维吾尔自治区乌鲁木齐市少有的几个清华学生之一。父亲还留过苏,更是我们乌鲁木齐知识分子的代表人物。可是,他们的独生子一点也不愿意为他们争气,打扮得怪模怪样,却考不上大学。既考不上理工科大学,也考不上文科大学。

他们的儿子却想:为什么想上大学还需要考呢?他想上就让他上嘛。又不是想去杀人放火,又不是想偷鸡摸狗,又不是想当"四人帮",他不过就是想进一个叫大学的地方学习嘛,为什么考不上就不让上?任何人都不能剥夺一个孩子想上学的权利。

当儿子把这个想法告诉父母时,他们吃惊地看着儿子,深深地感到了种的退化。那是人类生存的危机。文化革命真是把一切都搞乱了。这个孩子应该到医院去看医生。

我真的到医院里去看病,却没有检查出来。就在我从那条通往太平间的小路上经过,要出北门的时候,黄旭升朝我走来,她身上竟然别着一枚校徽!我吃惊不已,没有听说她考上大学呀。黄旭升也看见了我,她笑起来,显得很灿烂。我说不出话来,眼看着太平间里有人进进出出。她说:"老是想去找你,老是没有时间。"我点头,又看看校徽。她说:"要把失去的时间都补回来。"我说:"你是什么时候考上大学的?"她说:"第一批呀。"我说:"你的病好了?"她说:"你才有病呢。"

这时,她母亲从后边赶上来,看见我,脸上立即充满警惕,说:“快走,要迟到了。”

黄旭升竟然没有跟我多说什么,就朝医院走了。

我说:“我能给你写信吗?”

她说:“用英语写吧,我正好练练自己的英语水平。”

天山仍然陪伴着我,博格达峰像我的影子一样,我走到哪里就跟到哪里。我就是那个时候认识了苍穹这个词,它是蓝得让你眼前阵阵发灰的天空。我渴望去北京、上海,却没有考上大学,我知道自己此生只能永远呆在乌鲁木齐。我的委屈在哪里?他们说得真对:别人不学的时候就我学。

我跟谁学?

王亚军。

孤独的时候总想念王亚军。他那时被关在监狱里边已经一年多了,我从来没有去看过他。是因为路途遥远,还是因为我们之间隔着沙漠?我曾经在地图上仔细地看过他劳改的地方,当时就吃了一惊,在我们之间有两大世界著名沙漠:塔克拉玛干沙漠和土尔班通古特沙漠。

王亚军是不是被晒干了?成了南疆的一块木乃伊?

2

母亲有些老了,原来是细密的皱纹在眼角,现在却已经是像榆树皮一样粗的纹路爬在了她的脸上。但是,她仍是那么有风度,她可以在阳光下自由的呼吸。她的出身,她的学历,她从清华出来的身份,特别是她是爸爸的妻子,都使她有种春风得意的感觉。

早晨，当阳光照在停车场的时候，老是看着她穿着紧身的衣服，手里拿着一个安全帽，她作为技术处的处长，要随总局的领导们下基层去检查工地。

车就停在那个地方，司机的态度良好，他们对她很客气，就像是对待宋美龄一样，因为一个有风度的女人站在你的身边，她是有地位的。

她的风度很好，没有人能像她这样，温和、大度、落落大方，她的个子挺高身材挺拔，像是一个经历过风雨又重新走到了阳光下的白杨。

她现在真的不再怕别人说她是技术权威了。

父亲是技术权威，而现在连她也是技术权威。

母亲怎么会是技术权威了呢？我百思不得其解，她最重要的设计是那个乌鲁木齐人直到现在都还记得的防空洞，它是地标性建筑，也差一点成了我的坟墓。

可是，母亲就是技术权威。

她与父亲有时拿出留声机，听一会儿格拉祖诺夫，他们总是把声音开得很大，让小提琴声从窗户飘出去，充满院落。全乌鲁木齐的人在那时都听见了这种乐曲。因为这种乐曲，他们就更像是知识分子，他们在众人眼里，就更加神秘。

刘承宗、秦萱琪夫妇真是神秘，他们和一般的人就是不一样。

完全不一样。

那是一个周末，爸爸去了美国据说还要去欧洲。他临走时兴奋而神秘地说:“乌鲁木齐将有大工程。”

母亲独自在屋里浇花,她是爱花的人,这可能来源于她出生的那个宅院。她曾对我说,家里有好多的花呀,她的童年与少年时代是与花在一起的。有许多年了,她不得不与花分开,这让她无比委屈。母亲说到这些时,声音略有些哽咽。

门就是那时被敲响的,母亲朝门那儿看了一眼,继续浇花。

我把门打开后,站在面前的人让我有些惊讶:“校长。”

校长站在门口,脸上充满谦逊的笑容,在肘臂里夹着一个报纸包。他穿得有些破烂,不太干净,全然不像是七十年代中期时的样子。

他看出是我,脸上也是一愣。最少有两年没有见面了,说是他被送到艾丁湖农场劳动了,他是三种人,是范主任的走狗,而且他们两个作为清华的校友,曾经联名给江青写过信,所有这一切最后都被揭发出来。

他说:“我找你妈。”

我让他进来了。

他径直朝母亲的卧室走去。

正浇花的母亲看见他后,像是受了惊的鸡一样,浑身都颤动了一下。

校长看着母亲,脸上充满深情,他说:“我就要到南疆去了,要去巴楚,去修小海子水库。”说着他把那个纸包递给母亲,说:“这是我多年来写的日记,从清华时就开始了,你知道的,里边还有你。这是我最贵重的东西了,我没有别的亲人,只好留给你了。”

母亲斜眼看见了站在后边的我，说："刘爱，把门关上。"

我只好关上了门。但我贴着门仍然听着。

母亲说："你不应该上我这儿来，这东西我也不要。"

校长说："我可能坚持不了几天了，南疆太苦，我可能活不长了，希望你帮我保留。"

母亲沉默。

校长又说："能问你最后一个问题吗？"

母亲沉默。

校长说："刘爱是不是我的？"

我在门外听见这话，脑袋里轰的一声。

母亲说："不是。"

校长说："可是，别人都说……"

母亲说："我是一个女人，我最清楚。"

校长："我希望你一生中就这一次不要撒谎。"

母亲说："我这一辈子从来不撒谎。"

校长说："永别了。"

突然，门开了，校长从里边缓缓地走出来，母亲并没有送他。他独自走到门口，开开门，我有些不由自主地跟着他到了门口，要关门时，校长回头朝我一看，我发现他的眼睛里饱含着泪水。

校长走了，母亲仍在浇花。

以后，我曾经悄悄地偷看过校长的日记，里边充满激情还有艳丽的词语，显示了一个男人深情的话语权，所有那些呵护都是为了母亲。他说，他一生只爱过一个女人，就是母亲。而且，我发现他也喜欢用与范主任一样的诗句：冬天已经过去，春天还会远吗？我被他言词的高贵所打动，并恍然大悟：难怪他们能给江青写出那么有文采的信，他们是一路货。都曾经是充满才情的青年。可是，如今他们还能坚持得住吗？在今天的政治压力下。

果然，校长自杀了，那是在三天后，在锅炉房的后边，就是我和王亚军偷看阿吉泰的地方。校长穿着鲜亮的黄军裤和充满太阳味道的白衬衣。他身上除了有五斤全新的乌鲁木齐地方粮票以外，没有任何东西。这永远是一个谜，已经到了一九七八年了，他临死时装上一张粮票干什么？

知道校长死的那天，我看出了母亲眼底的悲哀，那时灯光正照在她和她的毛衣上，我问她："我跟校长有关系吗？"

母亲摇头，问我："为什么会问这样的问题？"

我说："从小就听别人在后边议论。黄旭升也说过。"

母亲说："他们说话不负责任。"

我没有继续追问下去，时隔多年之后，不放心的我在有了DNA技术之后，仍然去作了亲子鉴定，我与父亲刘承宗的DNA基本一样。看来，母亲这次真的没有撒谎。

这次没有撒谎，就意味着她一辈子从来不撒谎。

3

父亲并不显老，他经常对别人说，你看你看，我连一根白头发都没有。

他果然没有白发，别人就都会叫起来，说："刘总真是的，一根白头发都没有。"

天翻地覆,什么叫天翻地覆?就是别人对你说话的态度有一个根本的转变。父亲当然知道这些,他对科学大会之后的日子充满感激,当听到郭沫若文章里引用了白居易的词时,父亲热泪盈眶,当着我的面,与母亲就在家里拥抱起来,一点也不嫌肉麻,充分表达了他们作为知识分子的热烈。他不会忘了自己站在架子上画毛主席像的日子,更不会忘了别人打他的那一巴掌。也许正因为如此,他要把失去的时光找回来,而且让我惊讶的是,他也非常喜欢唱那首"再过二十年,我们来相会……"

看着爸爸乌黑的头发,我半含着恐惧和悲哀探索着想:再过二十年,他会在哪儿,跟谁相会?

爸爸说的大工程是民族大剧院。当他从欧洲回来之后,深深地被那儿的古典意味所迷惑,在阿姆斯特丹,在巴黎,在海德堡,父亲拍了很多照片。蝙蝠衫开始在女人身上流行,乌鲁木齐人渴望现代化,而且是四个现代化,可是爸爸却沉湎于古典。他反复地抚摸着自己带回来的那些照片,说:"我瞧不起新巴黎,可是我敬重老巴黎。就好比我瞧不起新北京,而我敬重老北京一样。而乌鲁木齐谈不上新,也谈不上旧,我在五十年代设定的风格基本上保住了。"

他那番话是对我和妈妈说的。

那是爸爸妈妈最幸福的时光,他们翻身了,浑身有使不完的劲,到处都需要他们,他们喜欢对别人说:"知识分子别无所求,惟一渴望的就是报效祖国。"

爸爸曾经设计了民族剧场,现在他又要设计民族大剧院。

在那些日子里,他经常徘徊于南门的民族剧场四周,没有人比爸爸更善于自我欣赏了。他自信乌鲁木齐会按照民族剧场的风格发展,穹顶,塔尖,大理石柱,雕刻,各民族的语言,以及像巴黎老城那样淡黄色的调子……所有这些东西混合起来,就会与中国的任何城市不一样,也会与世界上任何城市不一样。

爸爸妈妈晚上经常一起散步,还喜欢拉上我。我总是沉默着,而亢奋的他们却有说不完的话。突然,爸爸止住了自己的话语,他朝前方看去:那是范主任。范主任竟然坐在轮椅上。他穿着一身蓝色的中山装,戴着白色的眼镜正朝爸爸看。在校长自杀的那会儿,范主任也曾跳过楼,可是他没有死。

爸爸缓缓的脚步朝他走去。

范主任看爸爸走过来,脸上并没有慌乱。他熟练地驾驭着残疾车,与爸爸面对面。

爸爸看着他不说话。

他也看着爸爸不说话。

我们一家从他身边走过,而范主任停在原地,转过车身,继续看着我们。

父亲说:“这叫善有善报,恶有恶报。”

我说:“他从四楼上跳下来,竟然没有摔死,生命力真强。”

母亲不高兴了:“什么叫生命力?怪不得考不上大学,连贬义词和褒义词都分不清。”

父亲说:“我在那么黑暗的时候就说过,冬天已经过去,春天还会远吗?”

我说:“这诗范主任也对阿吉泰背过。”

爸爸妈妈倏地变得不高兴了,他们都在刹那间充分地意识到了自己儿子的愚蠢。

可是,阿吉泰三个字从我嘴里一出现,我的内心就猛地瑟缩了一下,而且,一种无边的忧伤开始在我的体内蔓延。我听不见父母对我说的任何话。我对着高山喊:“阿吉泰,你在哪里?”

高山回音:她刚离去。

我们对着大海喊:“阿吉泰,你在哪里?”

大海回声:她刚离去。

仿佛在整个天地间,只有一种长音:

阿—吉—泰—你—在—哪—里—

4

父亲用了三个多月,拿出了他的设计方案。在那三个月里,他像是音乐家沉浸在作曲的状态中一样。父亲刚拿出了自己的方案时,显得有些骄傲或者说有些得意。于是他就像是前些年能突然穿上军装时那样,举止上变得有些轻浮,他走路的姿势又开始像跳高一样。

父亲轻浮的举止并没有引起别人的注意,无论是他的上级,还是他的下级。只是我吃惊地发现了这点,心想让人类变得成熟一点,真是比登天还难。

父亲的背运并不是来自于他的举止,而是来自于人们观念的变化。上级在审查了他的方案后对他说:“错了,全错了,乌鲁木齐需要的不是一个旧式的古堡,而是一个现代的大剧院。”

父亲的方案被彻底否定了。领导的意思非常明确:“重新拿出一个现代的方案。”

父亲不同意，他固执地认为：“乌鲁木齐需要一个整体的风格。这需要历史的延续。”

领导批评他，说：“乌鲁木齐不过是一个小镇，有什么历史？你那个风格不过是苏联的那套，大白天楼里都是黑的，外观上又笨，还又费材料。”

父亲像是又挨了一巴掌，那次是人们非要给毛主席的头上加一只耳朵，这次是要给天山下的乌鲁木齐加一点现代化。

据父亲的学生宋岳回忆说：“刘总当时一出门，眼泪就流下来了。我不知道怎么劝他。他不上车，坚持自己走路，我不得不陪着他。在路上，他咆哮着说：‘乌鲁木齐从三十年代，到四十年代，五十年代，直到现在都坚持着一种风格，那就是民族剧场的风格。乌鲁木齐有历史呀，有历史呀——’”

宋岳作出的结论是：“刘承宗疯了。”

父亲从那天回到家之后，变得沉默了。他一直也没有按照领导的意思重新设计，而是想要通过适当的修改来达到某种妥协。他跟妈妈说话也很少，因为她这次不像上次，一边为他抚摸着伤口，一边表达着跟他同样的观点。

妻子这次从内部又深深地扎了丈夫一刀，她的观点与大家完全一样：乌鲁木齐要走向现代化。这应该是全体乌鲁木齐知识分子的渴望，他们盼望新观念盼得太久了。她不断地在丈夫沉默时，把自己的观点表达给丈夫听。

父亲不说话，总是一个人摆弄着那个旧唱机，听着格拉祖诺夫老掉了牙的旧唱片。小提琴上似乎落满了灰尘，音乐充满房间，却有了一种秋天的味道。

几个月过去后，父亲的妥协方案送了上去，领导只看了一眼，就生气地作出了结论：要大胆提拔年轻人，让父亲的学生宋岳担任总设计师。免去刘承宗的总设计师的职务，在家待命。

独自在家的父亲不肯浪费时间，他又开始进入了设计状态。他开始一张张地重新画图，在没有电脑的时代，他拒绝任何助手，一根根地画着直线和曲线。

母亲看着他进入了这么反常而激昂的状态，就伤心地哭了。她似乎明白了天意，并且嗅到了某种死亡气息，她去买了一张新办公桌，那是一个很大的写字台。从此，爸爸每天都在那儿工作。从早到晚，从黄昏到黎明。他如此亢奋，使我感到恐惧。因为他工作的时候听不见身边的任何响动，只是低着头，弯着腰，看着图，周围的一切都跟他无关。

有一天，我买了盘安迪威廉姆斯的磁带，那上边有《月亮河》。当歌声在我的房间回荡时，父亲竟然走了过来。他听了一会儿，说："这歌我早就会唱。"然后，父亲用英语，而不是俄罗斯语合着男低音唱起了这首歌并随时为我翻译着：

Moon River, wider than a mile.（月亮河，宽过一英里，）

I'm crossing you in style some day.（有一天我会把你越过，风度优雅。）

Oh, dream maker, you heart breaker.（哦，梦想让你心碎，）

Wherever you're going.（无论你流向何方，）

I'm going your way.（我将跟你前往。）

Two drifters, off to see the world.（两个漂流者出发去看世

界。)

There's such a lot of world to see.(多么精彩的世界。)

We're after the same rainbow's end.(我们追随在彩虹身后,)

Waiting round the bend,(在河湾处等待,)

My Huckleberry friend(我的哈克贝利老朋友——)

Moon river and me.(月亮河与我。)

父亲从来没有这么有魅力,他的英语发音很好,几乎没有受到俄语的影响,他简直就是一个为了艺术而艺术的人,或者说他就是一个王亚军,正在为我讲述那些我最需要的东西,在我最需要的时候。

"《月亮河》是电影《蒂凡尼早餐》的插曲,得过奥斯卡最佳电影歌曲奖。奥黛丽·赫本是我和你妈妈最喜欢的演员,她饰演女主角,演唱《月亮河》,当年就得了格莱美最佳歌曲奖。很好看,是爱情电影。"

父亲像是在激情地回光返照,他的脸兴奋地有些微红,是高血压病人的脸上常见的红色,父亲言犹未尽,又自言自语地说:"two drifters,很有意思,是两个漂流者,爸爸跟你有时就像是两个漂流者,在马克·吐温的小说《哈克贝利·费恩历险记》里,Huckleberry 逃出家,被有钱人收养,又受不了文明社会的拘束,他逃走,与黑人吉姆共乘一筏,在河上漂流,沿途遇见许多各种各样的事,丑恶的事情,他们真正了解了社会。在共同漂流的日子里,两人结下了深厚的友谊。"

我说:"Huckleberry 竟然是哈克贝利?是马克·吐温小说中

的人名?”父亲的博学让我吃惊,因为他此刻说的事情与建筑无关。

父亲点点头,没有看我。

不知道为什么,我不愿意更多地接受父亲的抒情,他会唱英文歌这事让我特别的委屈,我们安静了很久,父亲像是煤炭的火焰已经燃烧过了,他正在渐渐成为灰烬。我对父亲说:“我想念我的英语老师,我想念王亚军。”

父亲半天没有说话,他转身回到了自己的工作台前。许久,他叫我。我站在他身边时,他仍在低头画图,时间就这样一分分地过去。突然,他抬起头来,说:

“我对不起你的英语老师。”

听着父亲的话,我说:“爸爸,每次你打我的时候,我都仇恨地看着你,你是不是就更生气了?我知道有很多孩子不是这样。只要一挨打,他们就哭,好像很疼很疼,那顿打就会轻许多。”

爸爸笑了,再次哼起《月亮河》。

我说:“为什么那时,在我最需要听的时候,你从来也没有为我唱过一首英文歌?”

爸爸愣了一下,就好像我说话的声音很大,渐渐地他的眼泪流出来,说:“爸爸是机会主义者,爸爸任何时候都想为你好。”

父亲真的死了,不过没有死在那张新的桌台前,而是死在一炮成功下的建工医院里。他死于心脏病突发。那天,他把效果图画完了,就开始把许多图都挂在了墙上。他做这一切时,显得很吃力。然后,他站在图前开始自我欣赏,没过十分钟,他就突发心肌梗塞。

爸爸被送到医院后，经过了两天的抢救，最终还是没有活过来。在爸爸的最后时刻，妈妈一直在他的身边，她把爸爸搂在怀里，让爸爸像是一个年轻人一样地在她怀中死去。

在燕儿窝开追悼会时，没有放一般的哀乐，而是应爸爸最后的要求放了我买的那盘《月亮河》，当整个大厅有英语在回荡时，我理解了那是爸爸对于英语老师王亚军表达的最后忏悔，尽管王亚军不在场，他可能仍在南疆的巴楚服刑，但我想他能听见一个家庭对他真心的道歉。

时过二十年，我从北京回到了乌鲁木齐，那是一个冬天。我看见了民族大剧院，当年竖着贴的白色瓷砖把这座雄伟的建筑包裹得像是一个巨大的厕所，这种建筑我在全国的每一个城市都能看见。当我徒步走到民族剧场时，眼前的景象让我惊讶，爸爸好像复活了，他的生命融化在这座有五十年历史的建筑里，变得高贵，典雅起来。所有那些陈旧的东西都变得新鲜，穹顶，石柱，雕刻，曲线，石阶，圆形的窗户……这一切都让我想起了父亲。我知道这些话由我说，显得不合时宜，因为他是我爸爸。可是，我真的希望凡是去乌鲁木齐的人，都去比较一下这两座不同的建筑，然后把结论告诉我。

5

我曾经想当一个外交官。

我把这个理想告诉了王亚军。

当时英语老师笑了，说："一个人应该有理想，就像一个房间应该有窗户一样。”

可是，现实是我没有考上大学，勉强地在乌鲁木齐上完中专之后，我被分在了我的母校，也就是王亚军曾经工作过的那个学校当英语老师。他的同学们在这几年从全国各地回到乌鲁木齐，每当相遇，他就会看到对方身上的校徽，这总是能让他的内心痛苦而委屈。他曾经想过，在乌鲁木齐所有的孩子当中，他是最应该上大学的，应该去北京，上海，广州，可是，惟独他被留在了天山脚下，成了王亚军的后任。

我跟王亚军一样穿着讲究，并且往身上洒香水，我也喜欢经常为可爱的女孩子补课，我觉得为那些学习好的女孩子唱英语歌，是人生最美丽的事情。我跟王亚军最大的差别是：我不怕别人说刘爱老师作风不好。我可以公开说，我最喜欢的是聪明的女同学。

当那个二十四五岁的青年人走在乌鲁木齐的街道上时，他感到自己还是骄傲的，尽管他的社会地位低下，只是一个英文老师。可是，英语包围了他，让他有着一般人没有的气质。

在这样的状态下，很快地过了两年，他仍跟青少年时一样孤独，周围的一切与他仍是格格不入，因为过于渴望成为一个绅士，所以他似乎染上了洁癖。他的皮鞋从来擦得过于亮，每天都换一次白色的衬衫，由于整本整本地看英语书，他的眼睛真的有些近视了。他为此兴奋了很久，近视眼是美好的，他配了一副宽边的深色眼镜。他戴着眼镜，在英语的世界里，看到了美国，看到了欧洲，还看到了十八、十九和二十世纪的文明生活，看到了另外一种人的笑容和说话的习惯。

那是秋天里的一个中午，他为父亲扫墓回来，走在西大桥上，他远远看见了一个人，这个人的突然出现让他心跳不止。他加快了脚步，当那个人也认出了他时，他们都兴奋地有些喘气。

王亚军首先站住了，他微笑地看着我。

我站在他的面前，紧张，羞涩，有些不知所措。

他仍然不打算说话，只是看着我。

我想问他是不是因为表现好提前出狱了，你最后服刑是在巴楚吗？却又什么也说不出来。

王亚军仍然穿着像当年那样深色的毛料衣服，笔挺的裤缝，皮鞋擦得干干净净，他明显有了些白头发，脸上仍是刮得发青。

我看着王亚军，却感到他的衣服已经不太入时，皮鞋的款式也都显得有些陈旧，只是他的眼睛为什么还那么亮，充满着激情，这让我感动。

我们就那样地站着，真的是说不出一句话来。

天山在远处看着我和王亚军的这一次相遇，风吹动着头顶的树叶，天空里的云彩一直在走，我隐约听到了脚下的乌鲁木齐河在喧哗，流水声在我们的对视中变得更加明显。

王亚军仔细地看着我的穿着，以及我那被电梳子烫成卷的头型，终于开口：

“你大学毕业了？”

“我没有考上大学。”

他似乎有些惊讶地愣了一下，但是什么也没有说。

我的眼泪就是在那时流出来的，它们顺着我的脸流淌，就像是我们脚下的乌鲁木齐河，天山上的融雪每年一到六月就开始化成水,它们经过了森林,雪山,峡谷,缓坡,草滩朝乌鲁木齐流,先是经过乌拉泊,然后又流过燕儿窝,它们经过了父亲的骨灰和遗像……然后,朝乌鲁木齐流过来,直到我们脚下,就像那个破旧的留声机一样,放着让人想哭的曲调。

我没有擦自己的眼泪,我想大哭一场,就像演员在舞台上那样,放声大哭一场。我希望我的哭声能震动乌鲁木齐,然后传到北京去,让所有人都听到。然而,我的呼吸在一开始就被窒息了,意识到了自己像个演员,我的嘴竟然张不开,发不出声音,哭不下去。

他默默地看了我一会儿,上前拍了拍我的肩,脸上仍然带着那种仁慈的,宽容一切的微笑,说:“我住在二宫农机场子校宿舍。”说完,他继续朝前走。

我转过身看着他。

突然,他停下脚步,回头看着我,想了一会儿,才说:

“把我的词典还给我。”

王刚二〇〇四年五月二十五日于北京半壁店森林公园石头屋